BUR
Rizzoli

Alla mia cugina,
sorella e amica.

Spero di averlo
azzeccato.

Con Amore
Olimpia.

RÉGIS BOYER

LA VITA QUOTIDIANA DEI VICHINGHI

(800-1050)

VITE QUOTIDIANE

Pubblicato per

da Mondadori Libri S.p.A.

ISBN 978-88-17-09735-2

Titolo originale dell'opera:
La vie quotidienne des Vikings (800-1050), Régis Boyer

Traduzione di Maria Grazia Meriggi

Prima edizione BUR: 1994
Prima edizione BUR Vite quotidiane: 2017
Seconda edizione BUR Vite quotidiane: aprile 2018

Realizzazione editoriale: NetPhilo, Milano

Seguici su:

Twitter: @BUR_Rizzoli www.bur.eu Facebook: /RizzoliLibri

La vita quotidiana dei vichinghi (800-1050)

Per la pronuncia dei termini nella lingua dei vichinghi, si veda a p. 263.

Prologo

Dopodomani Helga Thórólfsdóttir si sposerà. È una bella ragazza di circa quattordici anni, ha beni di fortuna e appartiene a una famiglia antichissima di potenti *bœndr** fra i quali nemmeno si contano i grandi dignitari; le proprietà della sua famiglia, in beni mobili e fondiari, costituiscono un elenco impressionante. È anche in grado di ricapitolare il suo lignaggio. Con gli occhi azzurri, l'incarnato di latte e i lunghi capelli biondi, è di «bella apparenza» e le vesti che porta indicano la sua ricchezza e il suo rango.

La scena che sto inventando qui potrebbe essersi svolta intorno al 950, in qualsiasi paese scandinavo, per esempio in Svezia dalle parti di Sigtuna, in Danimarca presso Ódhinsvé (oggi Odense in Fionia), in Norvegia presso Nidharós (oggi Trondheim) o in Islanda sulla riva del Borgarfjördhr.

«Si sposerà» d'altra parte non è l'espressione più adatta. L'espressione più giusta è: «Si sta per sposarla». Il matrimo-

* Il lettore troverà alla fine dell'opera un glossario dei termini norreni in corsivo nel testo e dei concetti principali segnalati da un asterisco.

nio, che è di gran lunga l'atto più importante della vita nella società vichinga, non è mai lasciato al caso e non è nemmeno una questione di sentimenti, anche se questi non sono del tutto esclusi. È invece un «affare» (lo si definisce infatti «acquisto della sposa»). Ciò non ci autorizza a interpretare «affare» in un'accezione strettamente economica: piuttosto in senso più ampiamente sociale. Ma «affare» è comunque il termine da usare: a sposarsi non sono, innanzitutto, due patrimoni. Si uniscono invece con un legame indissolubile due famiglie o due clan, tenendo implicitamente conto del fatto che nessuno dei due è «povero», termine che non definisce necessariamente né esclusivamente l'assenza di ricchezze materiali.

La nozione centrale di questa società infatti è la famiglia, che orienta l'esistenza fin nei minimi particolari. Già Tacito, nella *Germania*, nove secoli prima notava l'eccezionale predominanza in tutti i campi, dal militare al religioso, di questa istituzione. No, Helga non «si» sposa. A proporre e decidere l'unione avrà pensato un mediatore, un personaggio adatto alla circostanza, di solito un parente strettissimo del futuro sposo. Ciò non significa che il consenso degli interessati non possa essere richiesto, ma questa non è la norma e quando un testo introduce tale concessione possiamo essere sicuri che è stato «contaminato» da influssi cristiani. Il mediatore si è innanzitutto preoccupato di saldare fortemente l'un l'altro il lignaggio di Thórólfr, il padre di Helga e quello di Björn, il futuro marito, forse per ragioni politiche, forse per chiudere le interminabili contese che avvelenano da decenni le relazioni fra i due clan – è questo il «lieto fine» di tante saghe* islandesi – o per consolidare il peso e l'autorità di un partito di *bœndr*, se ci si può esprimere in questi termini facendo ricorso al nostro linguaggio contemporaneo, di fronte alla preoccupante ascesa delle prerogative dei «re» che si ispirano ai «moderni» esempi continentali come il danese Haraldr Gǫrmsson o il norvegese Haraldr dalla Bella Chioma o lo svedese Óláfr Sköttkonungr, per non parlare delle pretese di certi sovrani norvegesi sull'Islanda; ovvero – e non sarebbe l'ultima delle cause – per edificare un patrimonio in grado di sfidare qualsiasi concorrenza.

In ogni caso, il matrimonio di Björn e Helga rappresenterà una saggia e proficua operazione al tempo stesso economica, sociale e diplomatica. Il mediatore non ha risparmiato energie a tal fine: innanzitutto si è preoccupato di consultare i responsabili legali di Helga, naturalmente d'accordo con Björn e suo padre, per fissare la cerimonia del fidanzamento (*festarmál*) che ha avuto luogo un anno prima. A una condizione *sine qua non*: che i due contraenti fossero di rango, di qualità o di ricchezza eguali. Era proprio così, per i nostri due fidanzati, dunque non c'era problema. Soprattutto bisognava accordarsi sulle condizioni materiali e le trattative si sono svolte di fronte a testimoni perché, lo ripetiamo, si trattava di un atto sociale determinante. Si è convenuto allora, conformemente alla legge, che la sposa avrebbe portato in dote (*heimanfylgja*, «che la segue d'ora in avanti») un insieme di beni di varia natura il cui valore complessivo equilibrerà quello del *tilgjöf* fornito dal marito al quale questi dovrà associare una sopraddote per un importo fissato dalla legge o *mundr* (la distinzione fra i due istituti non è però certa: i codici in proposito variano). Dopo il matrimonio spetta al marito gestire l'insieme composto da *heimanfylgja*, *tilgjöf* e *mundr* e farlo fruttare ma la sposa resta proprietaria della sua *heimanfylgja* e anche del *mundr* in caso di divorzio o di separazione e perciò andava fornita ogni garanzia perché l'affare fosse stipulato in maniera soddisfacente per tutti.

È ormai un anno che si è bevuta la *festaröl*, la «birra di fidanzamento» (ogni festa infatti dà origine a un banchetto che si denomina dalla birra, *öl*, che vi si beve e che può avere caratteristiche adatte alla circostanza, essere stata preparata in quella occasione ed essere perciò più o meno forte). Si è affermato debitamente il carattere pubblico del rituale e la sua natura vincolante: tutto lascia pensare che la cerimonia si sia svolta senza incidenti. Mancano due giorni alle «notti d'inverno» (*vetrnœtr*: le tre notti che inaugurano l'inverno, in un anno in cui ci sono solo due stagioni o *misseri*, estate e inverno). Le *vetrnœtr* cadono in un'epoca che nel nostro calendario corrisponderebbe alla fine di ottobre e nelle più remote epoche pagane, ben più antiche dell'età vichinga, avranno sicuramente dato luogo a importanti festività religiose. È il momento migliore per celebrare una bella festa di nozze: i raccolti sono finiti, il fieno, la più preziosa delle produzioni della terra, è stato seccato e riposto, il bestiame è stato fatto rientrare per l'inverno alla fattoria o abbattuto e preparato per la conservazione, come il pesce secco, la «buona birra» anch'essa preparata; i lavori esterni potevano segnare il passo e ben presto l'inverno avrebbe costretto tutti al riposo.

Helga è pronta. Fra poco arriveranno i messaggeri del fidanzato per condurla in casa sua. Questo atto che pure non è obbligatorio – Helga e il marito avrebbero potuto vivere per un breve periodo anche presso i parenti della sposa – è attestato da testimonianze interessanti perché forniscono particolari inseriti incidentalmente nei poemi eddici* il cui contenuto centrale è diverso: la *Rígsthula* dell'*Edda poetica*[1] osserva che la fanciulla «si sposta» alla casa del futuro sposo. Da questa circostanza deriva certamente l'espressione *brúdhlaup* (nozze), letteralmente «corsa della sposa» che probabilmente si era applicata in passato al ratto della sposa al momento delle nozze. Ma in età vichinga (dall'800 circa al 1050 circa) quest'uso era tramontato. Helga è ormai partita su uno di quei cavalli di piccola taglia tanto diffusi in tutto il Nord e come ne esistono tuttora in Islanda. I loro zoccoli particolarmente sicuri permettevano di superare le pericolose paludi caratteristiche di tanti paesaggi nordici dell'epoca.

Probabilmente Helga è giunta presso il fidanzato la vigilia del matrimonio propriamente detto. Infatti quel giorno avrà luogo il «bagno della sposa», certamente traccia di un antico rito lustrale analogo a quelli noti a tutte le culture, al fine evidente di garantire la «purezza» della fidanzata, cioè di liberarla di tutti gli spiriti maligni e le cattive influenze che potrebbero aderire alla sua persona. Tale «bagno», che in realtà era una sauna, era collettivo: vi partecipavano la sposa e tutte le damigelle d'onore e durava abbastanza a lungo; intanto si consumavano dolciumi. Alla fine si confezionavano corone di fiori e foglie che avrebbero adornato il capo della sposa la quale avrebbe cambiato pettinatura in occasione del matrimonio vero e proprio. Avrebbe portato un velo di lino, secondo un'usanza che doveva risalire ad antiche credenze sui poteri del malocchio da cui ci si doveva difendere, a meno che non servisse semplicemente

[1] *Rígsthula* dell'*Edda poetica*, strofa 23 (confermato dalla strofa 40).

a coprirle il volto che lo sposo per primo avrebbe dovuto svelare. Inoltre la sposa chiudeva in una crocchia o legava alla nuca con un nastro o un gioiello i capelli che fino allora aveva portato sciolti sulle spalle. Era il segno della sua nuova condizione, insieme al mazzo di chiavi che da buona *húsfreyja* (padrona di casa) avrebbe portato appeso alla cintura: le chiavi delle casse dove erano riposti vesti di valore e oggetti preziosi, della dispensa e di alcuni armadi a muro che costituivano tutto il «mobilio» della casa vichinga.

Viene il gran giorno o, piuttosto *i* giorni, perché le nozze duravano almeno tre giorni – dal sabato al lunedì, in generale, in età cristiana intorno all'anno 1000 – o anche più a lungo a seconda della qualità e del rango dei partecipanti. I quali erano stati invitati a tempo debito e tenevano molto all'onore di tale invito – anche se sembra che si usasse invitare sistematicamente i parenti fino al terzo grado – e si sarebbero sentiti profondamente offesi da una esclusione. In linea di principio dovevano essere di numero pressoché eguale in ognuno dei due clan. Talvolta nella sala comune (*skáli*) dove si celebrava il banchetto (*brúdhveizla*) le due parti si disponevano ciascuna su una delle panche longitudinali che avevano al centro, affrontati, due sedili dove sedevano lo sposo e la sposa oppure il padrone di casa e il compare. Naturalmente gli invitati non erano giunti a mani vuote. Bisognava che gli sposi ricordassero con estrema cura i doni che essi avevano offerto: per contraccambiarli, perché in questa società la regola del dare-avere non tollerava deroghe in nessun campo. La massima attenzione veniva anche prestata alla collocazione degli invitati, perché i vichinghi erano particolarmente diffidenti e suscettibili nelle questioni di priorità. Ancora nel XIII secolo le saghe precisavano l'esatta posizione dei partecipanti in particolare rispetto alla porta d'ingresso e ai sedili centrali.

Ma non anticipiamo. Il primo giorno delle nozze probabilmente aveva luogo la cerimonia propriamente detta. Non ne sappiamo molto per ragioni che spiegheremo più avanti. È chiaro che dovette esistere un rito in cui un antichissimo culto del focolare – o della fiamma del focolare, vera e propria anima della casa – si intrecciava con gesti che rappresentavano il passaggio da un clan all'altro – e ciò valeva nei due sensi perché Helga sarebbe rimasta figlia di suo padre Thórólfsdóttir e con una serie di atti votivi, propiziatori e di consacrazione. Secondo Adamo di Brema[2] veniva fatta un'offerta a Frigg, la più espressiva raffigurazione dell'arcaica Dea Madre, perché facesse discendere sugli sposi il benessere, la fertilità e fecondità e la grazia di una convivenza pacifica. Secondo Saxo Grammaticus[3] l'offerta veniva presentata a Freyr (o alla sua paredra Freyja, un'altra figura riferibile alla Dea Madre),[4] dio del benessere, del piacere e dei beni terrestri. La

[2] Nelle *Gesta hammaburgensis ecclesiae pontificum*, ed. B. Schmeidler, SRG, Hanover 1917, IV, 27. Adamo di Brema: chierico tedesco che compose intorno al 1075 una cronaca delle gesta dei vescovi di Brema e Amburgo. Interessato ai fatti della Scandinavia, egli consegnò in margine alla sua opera una ricca messe di fatti sul Nord e i vichinghi. Tuttavia usò spesso documenti di seconda mano e in particolare le testimonianze del re danese Svend Estridsøn (1047-1074).

[3] Saxo Grammaticus, scrittore danese, forse monaco, «segretario» del celebre vescovo Absalon che redasse sotto i suoi ordini le *Gesta Danorum* (*Gesta dei danesi*) i cui primi nove libri trattano delle origini mitiche della Danimarca e in particolare dei vichinghi.

[4] Studio di R. Boyer «On the Scandinavian Great Goddess», Atti del convegno di Bad-Homburg sulle fonti della religione germanica, Bonn 1992.

Thrymskvidha dell'*Edda poetica*[5] cita una divinità femminile minore, poco nota ad altre fonti, Vàr, che ascolta e asseconda le promesse. La stessa *Thrymskvidha* allude però a un rito probabilmente più venerabile: l'offerta di animali in sacrificio (il poema parla di «vacche dalle corna d'oro» e di «buoi tutti neri») e soprattutto la consacrazione con il martello di Thórr. Questa pratica potrebbe essere antichissima e sopravviveva in Svezia ancora un secolo fa nella forma dello *hammarsäng* con cui si nascondeva un martello nel letto della sposa al fine di garantire la fecondità della coppia. Spiegherò in seguito la mia convinzione che non esistesse nella religione dei vichinghi una casta o una corporazione di «sacerdoti». Sembra più probabile che sia stato il capofamiglia o capoclan a celebrare questi riti gravidi di significato. In ogni caso, ignoriamo quali formule vi fossero pronunciate e sotto quali auspici il rito fosse esplicitamente posto. In una religione che, come diremo, non è riducibile alla rigorosa categorizzazione duméziliana,[6] ognuna delle divinità maggiori poteva presiedere alla funzione della fertilità-fecondità e d'altra parte non sappiamo se il matrimonio si poneva sotto il segno di

[5] *Thrymskvidha* dell'*Edda poetica*, strofa 30.

[6] Nelle sue numerose opere, il grande studioso Georges Dumézil ha comparato i principali testi religiosi formatisi in ambito indoeuropeo. Ne ha ricavato la conclusione che in tutte le nostre mitologie dei e dee possono essere ricondotti, secondo le funzioni che esercitano, a tre gruppi rispondenti, appunto, a tre funzioni. La prima (Zeus, Jupiter, Ódhinn) è esercitata dai detentori del potere magico-giuridico; la seconda (Indra, Mars, Thórr) dalle divinità guerriere; la terza (Asvin, Quirino, Freyr) dalle divinità tutelari della fertilità-fecondità. Questa tripartizione, intellettualmente soddisfacente, non coincide con la realtà della nostra documentazione, ma fornisce una griglia interpretativa interessante.

una ben precisa figura divina o sotto la tutela di divinità collettive come i disi* o gli alfi (o elfi*).

Certamente al capofamiglia o al capoclan spettava la responsabilità di aprire il banchetto nuziale nel corso del quale, come in tutti i banchetti solenni, si dedicavano brindisi alle divinità, fra le quali i testi citano espressamente Ódhinn, Thórr, Njördhr, Freyr e «tutti gli dei» (che in epoca cristiana verranno sostituiti dal Cristo, dalla Vergine e da tutti i Santi) ma anche agli antenati di entrambi i clan: far questo si diceva *drekka minni* («bere alla memoria di») o *drekka full*. Credo che questo fosse il momento cruciale che «consacrava» la perpetuazione del lignaggio, centrale in una cultura in cui gli antenati non erano mai davvero morti e in cui dovere principale di ogni essere umano era di non tradire la loro memoria.

Ho usato espressioni che implicano l'idea di devoto rimpianto. Avrò modo di dire qual è la natura delle fonti cui bisogna ricorrere in questi casi. Il vichingo che più o meno direttamente compare in quasi tutte le nostre fonti non è l'uomo del popolo, sul cui conto sappiamo ben poco, purtroppo, perché era proprio l'uomo di base, il rematore che faceva muovere lo *skeidh*. Ma le tombe, le navi funerarie, i poemi eddici e scaldici*, più tardi le saghe non ce ne parlano mai se non incidentalmente e spesso in tono di derisione. Helga e Björn sono figli di famiglie «aristocratiche» potremmo dire se il termine avesse lo stesso significato in quella cultura e nella nostra. Il famoso corsaro dei mari, il testimone principale di una civiltà che non esitiamo a mettere alla pari con le più grandi, il vichingo, insomma, non veniva dal *vulgum pecus* anche se bisogna dire che sotto quelle latitudini le differenze sociali non avevano la durezza che avranno altrove.

Ecco dunque Björn e Helga sposi, non sappiamo esattamente grazie a quale cerimonia: siamo certi solo che la loro unione fu consacrata «per un anno fecondo e per la pace», formula che rappresenta la migliore definizione dell'universo mentale religioso del vichingo. Eccoli seduti al banchetto dove tutti hanno mangiato a quattro palmenti bevendo idromele e birra perché l'ebbrezza era la conclusione normale di ogni festa. Prima del banchetto, addirittura, i convitati giuravano reciprocamente che non avrebbero tenuto conto di quanto avrebbero detto da ubriachi. Queste agapi potevano durare a lungo ed erano accompagnate da ogni sorta di divertimenti: declamazioni di poemi o di racconti, canti e danze probabilmente di carattere rituale. Esamineremo più dappresso (pp. 294 ss) il celebre banchetto di nozze che si tenne a Reykjahólar in Islanda ma purtroppo per noi nel 1119, cioè circa un secolo dopo la scomparsa dell'ultimo vichingo in un ambiente profondamente cristianizzato e descritto da un autore che certamente era un chierico e scriveva in pieno XIII secolo. Ma ce ne faremo, comunque, una vaga idea.

Resta l'ultimo rito di passaggio, in tutta la pregnanza dell'espressione. La sera del primo giorno della festa delle loro nozze, Helga e Björn saranno accompagnati al letto nuziale. Non è certo che, come avveniva in altre culture, la consumazione della loro unione sia stata sottoposta alla constatazione da parte di esperti, ma ciò non è nemmeno escluso. L'indomani mattina, dopo la prima notte trascorsa insieme, Björn dovrà fare a Helga un grazioso dono, come un gioiello finemente lavorato o una veste di lino prezioso o un cofanetto di legno scolpito: era il «dono del mattino», che in seguito sarà istituzionalizzato per lunghissimo tempo.

Così si concludeva la festa di nozze di Helga la quale avrà numerosi figli nonostante la mortalità infantile, elevata come negli altri paesi dell'Occidente di allora. Se saprà mostrarsi all'altezza delle sue funzioni come ci risulta che avvenisse molto spesso ne farà degli uomini e delle donne degni di questo nome, li educherà nel rispetto del suo clan e di quello del marito e provvederà a inculcare loro il senso dell'onore familiare che non deve mai perire: sarà, insomma, l'anima della casa.

La lettura di queste pagine impone due osservazioni.

La prima riguarda le riserve di carattere specificamente storico che ho dovuto spesso avanzare. Con questo libro vorrei tracciare la vita quotidiana dei vichinghi, ma spesso è molto difficile accertare se i documenti dei quali disponiamo possono cronologicamente essere attribuiti a loro.

La seconda vuole giustificare i molti avverbi «approssimativi» (probabilmente, forse, indubbiamente) di cui brulica il nostro testo: li abbiamo adottati perché tranne eccezioni statisticamente rare i nostri documenti non possono essere presi per oro colato. Troppi errori sono stati commessi perché da parecchio tempo ormai ci si possa fondare indiscriminatamente su fonti che richiedono un'analisi rigorosa.

In altri termini, non è possibile affrontare il nostro tema senza avere preso almeno due elementari precauzioni: definire coloro di cui parleremo, quei vichinghi dei quali vorremmo conoscere la vita quotidiana[7] e recensire criti-

[7] Ricordo qui, una volta per tutte, che questo testo completa un'altra pubblicazione, *Les Vikings. Histoire et civilisation*. Le circostanze hanno fatto in modo che mi trovassi a trattare i due temi contemporaneamente ma questo non mi è parso un ostacolo. L'argomento specifico di ogni lavoro è stretta-

camente le fonti di cui ci serviremo. Questo duplice sforzo è indispensabile anche se agli occhi del lettore rischia di appesantire la nostra opera. In proposito procederò in due direzioni: tentare di informare correttamente, finché sarà possibile e, nello stesso tempo, lottare contro le assurdità e gli innumerevoli errori che hanno fin qui gravemente inficiato il nostro tema.[8]

Infatti i vichinghi hanno occupato la scena della storia solo per un secolo e mezzo, un periodo certamente considerevole ma che non autorizza a confonderli con i germani in generale né, più esattamente, con alcuni dei popoli loro antenati come i goti, i burgundi, i vandali o i longobardi. E i documenti che potremmo chiamare di prima mano, che parlano di loro direttamente, sono rarissimi mentre l'enorme massa degli altri è per definizione sospetta.

mente definito dal suo titolo e nel mio progetto intellettuale essi si completano. Per esempio in quest'opera posso fare a meno di fornire i riferimenti storici, non indispensabili in lavori di questo genere, e viceversa nell'altro libro non ho trattato le questioni riguardanti il «vissuto» che hanno trovato posto qui. Il lettore interessato quindi ricordi che per una migliore conoscenza del tema sarà opportuno leggere entrambi i testi.

[8] Per un esempio particolareggiato si veda R. Boyer, *Le Mythe viking dans les lettres françaises*, Éditions du Porte-Glaive, Paris 1986.

I

Chi è veramente un vichingo?

Il nostro personaggio può essere chiamato *vikingr*[1] solo se opera in Occidente o *væringr* (varego) se ha scelto come teatro delle sue attività la Russia o l'Asia. È un mercante scandinavo (danese, norvegese, svedese e, a partire dal 900 circa, islandese) particolarmente dotato per il commercio e per la navigazione, grazie alla straordinaria imbarcazione che ha messo a punto nel corso di secoli di tentativi, lo *skeidh* o *knörr* (oppure *byrdhingr*, *skúta*, *langskip* ma mai, in nessun caso, l'assurda formulazione francese drakkar*); una figura che esisteva probabilmente molto prima del IX secolo ma che fu spinta sul proscenio dell'attualità storica da un concorso di circostanze di grande rilievo, soprattutto dallo sgretolamento dell'impero carolingio dopo la morte del suo fondatore e dalla conseguente mancanza di ogni risoluta opposizione a predatore tanto audace e determinato. Si è convenuto di fissare l'esordio di tale movimento alla data del saccheggio dell'abbazia di Lindisfarne nel Northumberland,

[1] Si veda il mio *Les Vikings...*, cit., soprattutto il cap. I.

in Gran Bretagna, dove erano conservate le reliquie di san Curberto, l'8 giugno 793. Ma, come ho suggerito, gli scandinavi già da tempo percorrevano itinerari marittimi e fluviali ripercorrendo forse, per la «strada dell'Ovest», vie già aperte dai frisoni mentre la «strada dell'Est» doveva essere da tempo familiare agli svedesi. Il 793 è un riferimento comodo ma non segna una vera e propria novità.

A partire da quel tempo si svilupperà con vigore un fenomeno che durerà circa due secoli e mezzo (dall'800 al 1050 circa) che conobbe, in questo lungo periodo, importanti svolte ovvero sensibili modifiche su una base, però, che non si smentirà mai. Con la bilancia per pesare le monete spezzate* in una mano e la spada a doppio taglio nell'altra, il vichingo, a seconda delle circostanze, tratta o saccheggia, ruba, incendia, mercanteggia, baratta o cattura. Il fine non cambia: esso è «acquistare delle ricchezze» come dicono le iscrizioni runiche*, fare ritorno in condizioni di maggior ricchezza che all'andata. Innumerevoli dovettero essere i vichinghi ai quali si sarebbe potuta attribuire l'iscrizione di Ulunda, in Svezia:

Arditamente andò
guadagnò ricchezze
lontano in Grecia [= Asia Minore]
per il suo erede.

Lungo il percorso avrà avuto occasione di frequentare da vicino popolazioni con le quali intratteneva rapporti certo non solo bellicosi, di esaminare le loro condizioni di vita e la qualità del loro insediamento. Così avrebbe potuto un giorno far ritorno più agevolmente a quei paesi e stabilirvisi. Realista pragmatico, acuto osservatore, prenderà anche nota delle novità che avrà modo di scoprire e non si vieterà certo di adattarle alle proprie latitudini. È questo che, d'altra parte, rende poco incoraggianti i tentativi di studio come questo. Quando si vuole scendere nei particolari, si scopre abbastanza in fretta che è molto difficile distinguere nettamente fra ciò che è propriamente scandinavo e ciò che è celtico, germanico continentale, slavo, bizantino, anche in campi diversi da quello delle creazioni intellettuali e spirituali. Un solo esempio: quando arriveremo al capitolo dedicato all'abbigliamento, dovremo dire che il capo più comune sono le brache (*bròk*, plurale *brœkr*) che però sembrano essere di origine celtica... In compenso i popoli che i vichinghi frequentavano ne apprezzavano molto spesso il senso dell'organizzazione, l'amore per l'ordine, la mentalità collettiva o comunitaria, l'energia, qualità imposte – come comprese Montesquieu – dalle dure condizioni climatiche del loro paese natale. Quelle popolazioni sapevano talvolta ricordarsi dei vichinghi per imitarli o addirittura per chiamarli nelle loro terre a diffondere quei sistemi e comportamenti. Così nacque la Russia. Così si generalizzò in tutto l'Occidente l'uso di un certo materiale nautico, con un vocabolario specifico in uso ancor oggi.

Due secoli e mezzo, in un'epoca nella quale l'Occidente conobbe grandi sconvolgimenti, non possono offrire all'osservatore un fronte unico. Il movimento vichingo passò per quattro fasi successive ben differenziate.

La prima (dall'800 all'850, date che delimitano delle tendenze ma non hanno niente di rigoroso e possono variare a seconda dei «fronti») è caratterizzata da tentativi e colpi di mano messi in atto un po' a caso in luoghi particolarmente vulnerabili perché privi di difese e per di più ricchi (abbazie, monasteri, città aperte).

La seconda (850-900) è più importante perché, consapevoli della propria forza, gli scandinavi cominciarono a organizzare meglio le loro spedizioni imponendosi alle popolazioni intimorite (restarono sempre dei grandi maestri della «guerra psicologica») mentre di fronte a essi si schieravano da un lato avversari incapaci di difendersi, e perciò disposti a trattare con loro alle peggiori condizioni, dall'altro nazioni ben decise a resistere come l'Inghilterra meridionale o la Spagna moresca, nei confronti delle quali i vichinghi non insisteranno. Sottolineiamo fortemente il fatto che a fare del vichingo un superuomo invincibile che impone la sua legge ovunque è stato il pregiudizio fantasioso di un romanticismo male inteso, fatto proprio da teorie moderne discutibilissime. Non conosciamo, ad esempio, casi attestati in cui i vichinghi abbiano vinto una battaglia campale: essi erano maestri di quella che chiameremmo spedizione di *commando*, del colpo di mano veloce, ma non erano veri e propri guerrieri. D'altra parte erano troppo poco numerosi (pensiamo che ancor oggi gli scandinavi in tutto non superano i diciotto milioni) per poter costituire flotte o truppe capaci di raggiungere risultati clamorosi. Sono i chierici impauriti, autori quasi esclusivi degli annali e delle cronache che abbiamo conservato, e anche prime vittime di quei saccheggiatori del Nord, a indurci in errore moltiplicando esagerazioni e relazioni intrise di patetismo. Senza fare, naturalmente, dei vichinghi un modello di buoni costumi e di comportamento pacifico, basterà confrontarli con i loro esatti contemporanei, i saraceni e gli ungheresi, per avere la misura della loro pretesa «barbarie».

Tra l'altro noi tendiamo certamente a confondere gli scandinavi dei secoli IX e X con i germani (molti dei quali erano scandinavi) dei secoli V, VI e VII responsabili delle grandi invasioni note come «barbariche»: ciò contribuisce a chiarire da dove vengono tanti eccessi e confusioni. Tuttavia questa seconda fase è fondamentale. Innanzitutto proprio in questo periodo si instaurò progressivamente il sistema dei «pagamenti ai danesi», cioè le taglie di entità sempre crescente che i vichinghi, per reimbarcarsi, imponevano ai re pusillanimi come l'inglese Aethelred the Unready (cioè l'esitante, il tardo) o i due Carli francesi, il Grosso e il Semplice che nel corso del tempo squilibrarono il sistema economico dell'Occidente.

Inoltre, e soprattutto, nel corso di questo periodo si definirono chiaramente le quattro grandi «strade» ognuna delle quali aveva numerose varianti, seguite dai vichinghi (si consulti la cartina all'inizio dell'opera). Non lasciamoci sfuggire la loro importanza: lungo tali assi si organizzò infatti il complesso di scambi, contatti e informazioni da cui, in larga parte, nascerà l'Europa moderna. Esse sono: la strada dell'Ovest (*vestrvegr*) con due varianti principali, la prima all'estremo occidente verso la Gran Bretagna, l'Islanda e la Groenlandia (e forse il Vinland che si ritiene localizzabile nel Labrador)[2] e la seconda a ovest-sud-ovest che costeggiava la Francia e la Spagna varcando lo stretto di Gibilterra (Njörvasund) fino all'Africa del Nord o alla Francia meridionale e all'Italia con uno sbocco estremo a

[2] Ho tentato di fare il punto della questione in *Les Vikings...*, cit., pp. 233 ss. e nelle *Sagas islandaises*, Gallimard, La Pléiade, 2ª ed., Paris 1991, presentazione delle «Saghe del Vinland».

Bisanzio. La strada del Nord era percorsa soprattutto dai norvegesi: partendo dal sud del loro paese, essi navigavano lungo le coste fino a capo Nord, varcavano il Mar Bianco e giungevano a Murmansk o ad Arcangelo: via importante anche se pericolosa perché lungo il suo percorso era possibile procurarsi le pelli e pellicce che, insieme agli schiavi, erano la «merce» per eccellenza che avrebbero trattato vareghi e vichinghi. La terza strada passava all'interno della regione baltica e interessava soprattutto gli svedesi che intrattenevano così rapporti costanti con i finnici che raccoglievano e lavoravano l'ambra abbondante sulle rive del Baltico, un'altra specialità del commercio vichingo. Questa strada d'altra parte sboccava nella via dell'Est (*austrvegr*) che partiva dal fondo del golfo di Riga per entrare nella rete dei fiumi e laghi russi fino all'altezza dell'attuale Odessa (in antico norreno Aldeigjuborg) a nord del Mar Nero che attraversava a sud fino a Bisanzio. Questa strada incrociava alcuni degli itinerari più antichi provenienti dall'Estremo Oriente, in particolare la via della Seta e accadeva talvolta che anche i vareghi vi penetrassero. Le iscrizioni runiche svedesi ci hanno tramandato il ricordo di almeno due importanti spedizioni verso l'Estremo Oriente che dovettero avere una tale origine.

Questo periodo di circa mezzo secolo che va dall'850 al 900 circa è in ogni caso un momento di intensa attività che spesso assume agli occhi dell'osservatore moderno un andamento «sperimentale»: come se gli scandinavi cercassero lungo i loro percorsi abituali dei punti sicuri, dei luoghi di collegamento comodi, dei depositi dove fosse possibile fare scalo e commerciare liberamente e fruttuosamente. Infatti gli itinerari che abbiamo appena descritto sono letteralmente scanditi da porti e città che rappresentano altrettanti scali per un abile commerciante.

Il periodo successivo (dal 900 al 980 circa) è caratterizzato dalla colonizzazione sistematica e dall'insediamento stanziale. Ciò dovrebbe comunque far riflettere chi insiste nel concepire i vichinghi come guerrieri invincibili o confraternite militari dotate di superiore organizzazione. Gli scandinavi si insediarono in Islanda (con un modesto anticipo sulla periodizzazione qui proposta: l'isola fu colonizzata infatti da norvegesi e celti insieme, fra l'874 e il 930) e poi in Groenlandia; in Normandia; nella zona dell'Inghilterra che verrà chiamata Danelaw (perché vi regnava la legge, *law*, dei danesi, *Dani*); nell'Irlanda del Sud (con la quale soprattutto i norvegesi intrattenevano da tempo rapporti sistematici); nelle regioni slave situate intorno alle attuali Novgorod (Hòlmgardhr in antico norreno) e Kiev (Kœnugardhr in antico norreno). L'insediamento avvenne o con la forza (Danelaw) o perché si trattava di località praticamente deserte (l'Islanda dove però, contrariamente a un'opinione radicatissima, le ricerche più recenti hanno individuato tracce di insediamenti celtici anteriori all'arrivo degli scandinavi) o anche perché i vichinghi furono chiamati dalle popolazioni locali (come nel caso della Russia che deve il suo nome ai vareghi chiamati *Rūs* cioè fulvi, rossi, perché il singolare colore di capelli di molti di loro doveva avere colpito fin dall'inizio della nostra era gli osservatori «greci», cioè bizantini, slavi e arabi).

In ogni caso, tranne forse in Islanda, non si trattò mai di vera e propria colonizzazione nel senso attuale e peggiorativo del termine. I nuovi arrivati dovevano piegarsi a determinate condizioni esplicite o implicite, adattarsi alle strutture feudali delle società nelle quali entravano, contribuire alla difesa territoriale della loro nuova «patria» e lo faranno sempre con grande adesione. Dovevano anche farsi battezzare, e vi consentirono senza sforzo per convinzione o per scelta politica. Circostanza di importanza per noi capitale perché, come avremo modo di verificare, molto spesso il vichingo cessa di essere tale nel momento in cui accetta il battesimo. In ogni caso, l'osservatore non può che restare stupefatto per la facilità e soprattutto la rapidità con la quale i vichinghi seppero adattarsi alle nuove condizioni. Nel corso di due o tre generazioni non erano più scandinavi ma, ad esempio, normanni di Normandia o russi.

Per completezza bisogna ricordare che il movimento ebbe un'ultima fase fra il 980 e il 1050, in verità poco spiegabile, che fu animata solo dai danesi, in direzione nord-ovest, e dagli svedesi in direzione sud-est. I primi tentarono, sotto Sveinn dalla Barba Biforcuta e suo figlio Knútr il Grande, di conquistare la supremazia su tutta la Scandinavia e la Gran Bretagna; ma vi riuscirono solo per pochi anni. I secondi tentarono una o due misteriose spedizioni attestate anche da documenti runici, verso l'Asia più remota senza apparenti risultati.

Siamo alla fine del fenomeno vichingo. Il mondo era cambiato radicalmente nei duecentocinquant'anni precedenti e i criteri interpretativi avevano subito una radicale evoluzione. Molte circostanze giustificano tale processo. La configurazione del commercio internazionale si era modificata radicalmente e aveva reso superato lo *knörr* vichingo con le sue varianti; la cristianizzazione del Nord, d'altra parte, aveva determinato l'ingresso definitivo di questa parte del mondo nel concerto delle nazioni europee e nella stessa

Scandinavia la progressiva introduzione del modello continentale, che prevedeva poteri centrali forti, contrastava con la politica dei colpi di mano individuali che rappresentavano la formula nella quale si potrebbero riassumere la maggior parte delle spedizioni vichinghe. L'ora del vichingo, insomma, si era chiusa dopo circa duecentocinquant'anni di fioritura, lasciando tracce durevoli in molti settori della nostra civiltà; essa segna certamente uno dei tempi forti della nostra storia degli ultimi dodici secoli. Non è il caso né di aumentarne arbitrariamente l'importanza né di svilirne la dignità.

Ciò detto, il termine *vikingr*, la cui etimologia sembra ormai accertata[3] – non il bandito che si barrica in fondo a una «baia» (*vik* in antico norreno) per irrompere all'improvviso sulla prima nave mercantile di passaggio, ma il commerciante che si sposta di *vicus* in *vicus*, cioè di mercato in mercato, per esercitare la sua attività – non designa qualsiasi scandinavo dell'epoca che abbiamo sopra definito. Ancor oggi noi tendiamo pericolosamente a confondere in una comune denominazione realtà che sono invece ben differenziate: ma tale confusione risale al Medioevo.

Ci sono profonde differenze, infatti, fra i danesi, commercianti astuti sempre all'avanguardia della loro epoca, che agivano spesso per piccoli gruppi legati da solidarietà vincolanti (*félag*, ad esempio) e posti sotto l'autorità di un capo – forse quegli enigmatici «re di mare» dei nostri testi – e i norvegesi certamente meno organizzati ma più tentati dalla pura avventura – sarebbe ingiusto trascurare comple-

[3] Cfr. *Les Vikings...*, cit., cap. III.

tamente questo aspetto della questione, questo richiamo dell'Occidente che provocherà un giorno il fenomeno americano – e organizzati in assise familiari o «politiche», cioè rappresentate dal «re» (*konungr*) che regnava sul fondo di un fiordo o su una parte di una vallata. Gli svedesi poi, più pacifici di tutti, erano anche i migliori commercianti. Non che fossero incapaci di manovrare pericolosamente l'ascia dal lungo manico e dalla larga lama, ma le testimonianze, soprattutto arabe, ce li mostrano impegnati essenzialmente in attività mercantili. Un particolare che non ha niente di assurdo verifica questo abbozzo a grandi linee: il dio preferito dai danesi fu certamente Ódhinn, il dio dei carichi e del commercio (che gli osservatori stranieri identificano agevolmente con Mercurio) ma anche dell'astuzia, della cautela, della vittoria strappata con scienza o con uno stratagemma o con il tradimento o, ancora, per magia. Sarebbe difficile dipingere più fedelmente la visione che si facevano i vichinghi, danesi in questo caso, della loro esistenza. I norvegesi preferivano Thórr, divinità rumorosa e brutale, l'incarnazione del tuono di cui portava il nome,[4] ma benevola, confusionaria e spesso soccorrevole. Quanto agli svedesi, le loro preferenze incontestabilmente si rivolgevano a Freyr, eccellente incarnazione della fecondità-fertilità. In altri termini le divinità guerriere non erano quelle preferite dai vichinghi ovvero non esistevano nemmeno come tali. Come abbiamo visto, la divinità stratega Ódhinn proteggeva i carichi delle navi, Thórr era abile sia nel risuscitare i suoi capri e battere

[4] *Thundaraz Thórr. L'asterisco davanti alla parola indica che si tratta di una forma ricostruita filologicamente (cfr., più oltre, le note 13 e 39 del cap. VI).

in sagacia il nano Alvìss (Onnisciente) sia nel maneggiare la mazza-martello che lo caratterizzava. Ed è assolutamente impossibile fare di Freyr una divinità marziale.

Non parlo degli islandesi per ragioni evidenti: le saghe ci narrano assai spesso le spedizioni vichinghe come momento dell'infanzia dell'eroe, ma si tratta di un tema squisitamente letterario e d'altra parte gli islandesi potremmo dire che saltarono sullo *knörr* in marcia. Quando nel XII secolo scrissero le loro saghe il «mito vichingo» era già in corso di elaborazione. Comunque è certamente a quegli stessi islandesi che si deve la scoperta della Groenlandia intorno al 980 e di terre anche più remote quali il complesso Helluland-Markland-Vinland (intorno al 1000, posto che si tratti di un fatto storico e non, come è anche possibile, di una fantasia). Ma tali prodezze fanno parte della storia delle scoperte e delle esplorazioni e non offrono del vichingo un'immagine completa.

Un'ultima precisazione che pur essendo evidente viene però ben raramente avanzata: non è possibile, semplicemente, che il movimento vichingo sia sorto all'improvviso dal nulla. Percorrere in tutte le direzioni, da nord a sud e da est a ovest il mondo conosciuto estendendone anche i confini, imporre parzialmente la propria legge ad antichi imperi, affrontare il mondo bizantino, creare degli stati, farsi concedere delle province, consegnare alle lingue moderne un intero vocabolario nautico... per permettere una simile fioritura è stata certamente necessaria una lunga e lenta evoluzione. Il IX e il X secolo hanno soltanto segnato la fase conclusiva di questa evoluzione a proposito della quale faremo almeno qualche cenno.

Gli scandinavi erano anticamente cacciatori-pescatori-raccoglitori presenti nei territori ai quali hanno dato il loro nome da almeno diecimila anni prima di Cristo. Hanno subito la dominazione indoeuropea in due tempi successivi (verso il 4000, poi intorno al 3000 avanti Cristo). Essi rappresentano il ramo settentrionale della «famiglia» germanica: perciò la lingua che essi parlavano all'inizio della nostra era e che si differenziò solo molto più di recente in danese, svedese, norvegese, islandese e lingua delle isole Faer Øer era strettamente apparentata alla lingua detta germanico comune. I linguisti la chiamano «protoscandinavo». Anche se non mancano testimonianze anteriori, i primi documenti sulla qualità della loro antica cultura sono rappresentati, nell'età del bronzo (che secondo la terminologia corrente in quelle latitudini cade dal 1500 al 400 avanti Cristo), da oggetti vari ma soprattutto dai celebri petroglifi* presenti specie nel Bohuslän (in Svezia, nelle vicinanze della attuale Göteborg). La qualità del tratto, la varietà e la natura dei motivi attestano, oltre a intenzioni artistiche di alto valore, principi religiosi che si richiamano alla fertilità-fecondità, al simbolismo solare e alla pratica generalizzata della magia. È da sottolineare che molte di queste raffigurazioni rimandano, senza forzature, a personaggi e scene presenti nei grandi poemi dell'*Edda* a distanza di più di due millenni.

In seguito, durante l'età del ferro (400 a.C.-800 d.C.) questa civiltà subì una profonda evoluzione attraverso l'elaborazione di forti influenze prima celtiche (fra il 400 a.C. e l'anno 0), quindi romane (fino al 400) e in seguito germaniche continentali (dal 400 all'800). Allora si delinearono progressivamente le forme dell'imbarcazione che a poco a poco culmineranno nel prodigio senza il quale l'avventura vichinga non sarebbe stata nemmeno possibile; sempre in quel periodo, in una specie di prova generale, le tribù scandinave (soprattutto i goti e i longobardi) irruppero e travolsero l'Europa meridionale e orientale. Allora – per limitarci a questi soli elementi – emerse una scrittura inizialmente pangermanica che progressivamente si specificò come scandinava, le rune, secondo un alfabeto, o *futhark*, di ventiquattro segni, ridotti a sedici intorno all'850 che, contrariamente a un'idea erronea ma molto radicata, non sono segni magici ma costituiscono un sistema di comunicazione come qualsiasi altra scrittura.

Intorno all'800, nel momento in cui cominciò a svilupparsi con più energia il movimento vichingo, la Scandinavia era detentrice di una cultura, di una civiltà perfettamente elaborate che non ho cercato di presentare con maggior dovizia di particolari perché lo studio delle loro implicazioni sarà appunto l'oggetto di questo, libro. Vogliamo precisare solo un ultimo punto: il lettore si sarà certamente sorpreso per la disinvoltura con cui, pur con molte riserve, ho parlato di danesi, norvegesi, svedesi e islandesi.

In realtà esiste un'unità scandinava che consente con sfumature necessarie ma non fondamentali di studiare la vita quotidiana del vichingo indipendentemente dalla sua «nazionalità»; d'altra parte l'idea stessa di nazionalità a quell'epoca non aveva senso e non può dunque costituire un riferimento credibile. Non si era danese ma originario di Sjaelland o della Fionia, non svedese ma della regione di Uppsala o del Gautaland, non norvegese ma del Trøndelag o degli Agdhir. Tale unità non è un fatto etnico e bisogna decisamente relegare questa idea nel dimenticatoio, fra i pregiudizi e gli errori; non stiamo parlando del «tipico» scandinavo dolicocefalo, biondo e con gli occhi azzurri. Questo tipo esisteva, naturalmente, ma accanto a un tipo anch'esso assai diffuso più piccolo, bruno, con gli occhi scuri e mesocefalo. Ho voluto che la Helga del mio prologo fosse una bella biondina con gli occhi azzurri, ma le saghe islandesi ci mostrano anche molte belle brune con gli occhi neri, come la Thorbjörg Glůmsdȯttir della *Saga dei fratelli giurati* soprannominata Kolbrůn (dalle sopracciglia color carbone). Ho già ricordato che i goti avevano impressionato gli slavi con i loro colori fulvi, ma non per questo dobbiamo credere che lo fossero tutti. Diciamo esplicitamente: non esiste una «razza» scandinava. Così come non è la geografia a fare lo scandinavo, almeno globalmente. Non è evidente il nesso che dovrebbe collegare direttamente il tormentato rilievo montuoso della Norvegia, le vaste pianure della Danimarca, le foreste svedesi punteggiate di laghi, le distese di lava islandesi. Le sole costanti a questo proposito sono il freddo e l'onnipresenza dell'acqua sotto tutti gli aspetti. La storia non suggerisce d'altra parte molte similitudini fra i tre paesi continentali.

Eppure sono esistiti uno o più denominatori comuni ai tre, poi quattro gruppi scandinavi poiché gli osservatori stranieri li hanno in genere sempre associati in una sola denominazione.[5] Il primo, che abbiamo già accennato nel Prologo, è di ordine sociologico e concerne l'importanza fondamentale della famiglia, autentica cellula di base di quelle società. Il vichingo innanzitutto si definisce per la sua appartenenza a un clan e non in quanto individuo. Non solo: la sua «promozione» individuale non ha senso se non si iscrive chiaramente nell'ambito della sua famiglia.

[5] Cfr. *Les Vikings...*, cit., cap. II.

Il secondo è politico: quelle piccole collettività si organizzavano in *land*, termine il cui contenuto si è modificato con il tempo ma che definisce unità territoriali precise i cui abitanti erano organizzati in base a considerazioni di ordine familiare, economico e politico ovvero religioso. Il *land* sembrerebbe definire il territorio dove si radunava il *thing*, l'assemblea periodica nel corso della quale si prendevano, all'unanimità, tutte le decisioni di interesse comune.

Il terzo elemento è forse il più importante ed è la lingua. Con modeste varianti i vichinghi, lo ripetiamo, parlavano la stessa lingua che per comodità viene chiamata «antico norreno» e che si è straordinariamente conservata, per ragioni storiche e geografiche, nella forma dell'islandese attuale, un idioma che è rimasto, con poche trasformazioni, pressoché nello stato in cui si trovava nell'anno 1000. In questa «lingua danese» (*dönsk tunga*) o «parlar norreno» (*norrœnt mål*), che possiede tutte le caratteristiche dell'antico germanico, sono scritte le saghe islandesi. Il vichingo è l'uomo che parla l'antico norreno, sia che abiti a Uppsala o a Björgvin (Bergen), a Kaupmannahöfn (Copenaghen, che significa suggestivamente «porto dei mercanti») sia che dimori a Reykjavìk, a Jórvik (York in Inghilterra), Hólmgardhr (Novgorod) o Dyflinn (Dublino). Questo particolare è importante e spiega anche come mai, a quanto ci risulta, i vichinghi, nei loro numerosissimi spostamenti attraverso l'Europa, non si scontrarono con il ben noto ostacolo della incomprensione totale. Resta il quarto criterio, che è propriamente culturale. Non insisterò su questo punto perché esso in certo senso è esattamente il tema di quest'opera. Qui basterà dire che nei campi che esamineremo più dappresso – la religione, la giurisdizione, la legislazione e soprattutto la vita nei suoi particolari più quotidiani (compresi tuttora nel termine scandinavo *kultur*) e le attività intellettuali e artistiche – si osserva in tutti i paesi del Nord una sostanziale uniformità di orientamenti.

Quest'ultima affermazione ci impone una precisazione indispensabile per un lettore francese o italiano. Benché sia certamente un «paese del Nord», la Finlandia non è compresa nel nostro oggetto di studio anche se frequenti e intimi furono i contatti fra questo paese e la Svezia. I finnici costituiscono un'etnia radicalmente diversa dai germani, parlano una lingua non indoeuropea (ugro-finnica, come l'ungherese e l'estone) e non foss'altro che per questo non fanno parte della cultura che stiamo studiando. Non ci sono vichinghi finlandesi.

Tutte queste sommarie e veloci precisazioni erano necessarie prima di affrontare il nostro tema. Altrettanto importante sarà ora esaminare il complesso delle fonti di cui disponiamo per parlare della vita quotidiana dei vichinghi perché anche a questo proposito si impone un rigoroso sguardo critico, per le precise ragioni che sono state avanzate nel corso delle pagine precedenti.

II

Le nostre fonti

Se in linea generale, per ragioni che spiegheremo, è opportuno manipolare con la massima precauzione le fonti letterarie, pur numerose, che ci aiuteranno a lavorare sulla storia dei vichinghi e della loro cultura, tale circospezione vale ancor di più quando si intende studiarne la vita quotidiana. Un'attenta lettura dei poemi eddici e soprattutto di certe saghe come quelle dette «di contemporanei» (redatte nel XIII secolo da autori che sono stati contemporanei degli eventi che riferiscono) può fornirci particolari e precisazioni interessanti, ma questi documenti possono essere presi in considerazione solo quando sono confermati da altre fonti o se risalgono a un'epoca che coincide con quella vichinga. Per esempio, se non è stata abbellita dalla penna del redattore Sturla Thórdharson, la relazione della «famosa» battaglia di Ørlyggsstadhir in Islanda, nel 1238, non può fornire un'idea attendibile di come si sarebbero comportati in simili circostanze i vichinghi norvegesi, danesi o svedesi di tre secoli prima.[1] Non è quasi

[1] *Íslendinga saga*, cap. CXXXVII e ss. nella *Sturlunga saga*.

mai chiaro se i testi dai quali partiamo sono stati «contaminati» dalle innumerevoli influenze che più o meno consapevolmente hanno subito i redattori.

Il principio cui ci ispireremo è chiaro: sarà l'archeologia la nostra principale, al limite unica guida. Le sue tecniche, e in particolare i suoi sistemi di datazione, hanno fatto tali progressi soprattutto in Scandinavia, da vari decenni, che i risultati che consegue possono soddisfare i ricercatori più esigenti. E in proposito non abbiamo di che lamentarci: nel corso di campagne di scavo «sensazionali» sono stati riportati alla luce siti estremamente ricchi, a Birka, in Svezia non lontano da Stoccolma, a Hedeby, in Danimarca, l'antica Haithabu, a York, in Gran Bretagna, che fu fondata dai danesi con il nome di Jòrvik, a Dublino, in Irlanda, una città che non fu fondata dai vichinghi ma dove visse a lungo un insediamento norvegese, a Jarlshof, nelle Orcadi, una vera colonia scandinava e in varie località islandesi.[2] Infatti tutti i lavori seri che trattano argomenti apparentati al nostro non nascondono il loro debito verso questa disciplina. Ci sono lavori dei quali qui mi servirò moltissimo che sono opera di archeologi o si fondano quasi esclusivamente su dati archeologici, indipendentemente dal resto.[3] Sa il cielo quante discipline deve dominare il ricercatore che voglia

[2] Per Birka: H. Arbman, *Birka I: die Gräber 1-2* (1940-1943) Uppsala. Per l'Islanda: K. Eldjàrn, *Kuml og haufgé ùr heidhnum sìdh à Islandi*, Akureyri 1956. Per Hedeby: H. Jankuhn, *Haithabu. Ein Handelsplatz der Wikingerzeit*, 2ª ed., Neumünster 1963. Per York e Dublino: A.P. Smyth, *Scandinavian York, I-II*, Dublin 1979.

[3] Sono indispensabili due opere generali: B. Almgren *et alii*, *Vikingen*, Göteborg 1967 (ne esiste una traduzione francese a cura di M. de Boüard, *Les Vikings*); J. Graham-Campbell, *The Viking World*, 2ª ed, London 1989.

parlare seriamente dei vichinghi: dalla runologia alla storia dell'arte, dalla storia *tout court* alla storia delle religioni comparate, dalla filologia alla numismatica e così via. Ciononostante il solo atteggiamento onesto che si deve pretendere dal ricercatore è che sia in grado di dimostrare le sue affermazioni a partire dalle testimonianze archeologiche. Infatti esiste un irrimediabile mito vichingo che falsifica da un buon millennio pressoché tutte le nostre opinioni sul tema. Prendiamo un esempio che può sembrare banale: i vichinghi non hanno mai portato l'elmo con le corna, un copricapo di tipo probabilmente rituale che potrebbe risalire all'inizio della nostra era, circa ottocento anni prima del primo vichingo. Ma dai testi latini del XVII secolo ai nostri fumetti e cartoni animati non c'è vichingo senza il suo bell'elmo con le corna! Eppure nessun archeologo ne ha mai trovato uno.

Ma sono anche note le difficoltà caratteristiche di questa disciplina. Innanzitutto, l'ambito cronologico del nostro studio è assai limitato: dall'800 al 1050; anche con i metodi più moderni, quali l'uso del carbonio 14 detto «arricchito», la datazione dei reperti resta sottoposta a oscillazioni che possono giungere a qualche decennio. In sé non gravi, dunque, ma rilevantissime per un fenomeno che è durato solo due secoli e mezzo e che si è modificato profondamente in questo periodo. Nella maggior parte dei casi i siti studiati dagli archeologi sono stati molto frequentati, prima e dopo il periodo vichingo, ed è talvolta difficile attribuire un determinato strato a un oggetto piuttosto che a un altro, per non parlare di luoghi che sappiamo con certezza essere stati familiari ai vichinghi come Quentovic presso Étaples nella Francia del Nord, difficile da situare in una regione oggi molto popolata e dove di conseguenza è quasi impossibile immaginare di poter ricostruire il sito originario. Da questo punto di vista è certo che il sottosuolo conserva ancora un gran numero di reperti in attesa di venire alla luce. Ad esempio la relativa scarsità delle vestigia vichinghe trovate in Francia, soprattutto in Normandia[4] è sorprendente. D'altra parte, gli oggetti più semplici e gli utensili di uso quotidiano non erano, naturalmente, concepiti per durare in eterno e il loro stato di conservazione sovente è pessimo.

Traggo da P. Sawyer,[5] grande specialista del nostro tema e sostenitore della scuola che ritiene che non si debba affermare con certezza niente che non sia stato reso evidente dall'archeologia, le riflessioni che gli sono state ispirate dagli scavi di Hedeby, una località danese che sappiamo essere stata uno dei grandi centri commerciali dell'era vichinga: è stato scavato finora solo il 5% del sito, ma i risultati conseguiti sono già impressionanti. Nell'area dell'antica città sono stati trovati i resti di 250.000 animali, di cui 100.000 maiali, 540 chilogrammi di steatite in 3400 frammenti e circa 4000 corna. Si ha l'impressione di trovarsi di fronte a un ampio deposito dove le scoperte significative sono rare. Come determinare ciò che va attribuito al commercio vichingo? Invece nel porto della città sono stati trovati 69 monete e un sacco di cuoio contenente 42 diversi calchi di bronzo, che servivano a fabbricare oggetti d'argento, d'oro ecc. Dunque sarebbe il porto, non la città a essere interessante! Sawyer osserva anche che sono stati trovati frammenti di uno stesso oggetto di terracotta a più

[4] Si veda J. Renaud, *Les Vikings et la Normandie*.
[5] In *Kings and Vikings*, cap. I.

di cento metri di distanza, in strati posti l'uno due metri al di sopra dell'altro: per ricerche su scala ridotta come queste, dunque, la stratigrafia non fornisce risultati convincenti. I risultati ottenuti dalla dendrocronologia, che permette di datare le costruzioni di legno, non possono fornire altro che un ordine di grandezza. D'altra parte si è affrettatamente concluso che certi oggetti di terracotta fossero di origine slava in base alla loro forma: ma il materiale di cui sono fatti è di origine locale. E così via...

Le vicissitudini degli oggetti, dovute a varie ragioni prima fra tutte il baratto, sono un fenomeno troppo noto per insistervi. È ben nota l'importanza attribuita a una punta di lancia di quarzite e a una cassa di larice per affermare la presenza degli scandinavi nell'America del Nord intorno al 1000. Ancora una volta, solo quando è possibile raccogliere un intero fascio di prove ci si può permettere di passare a conclusioni perentorie. Infatti, per ricorrere a un esempio ben noto, le migrazioni di una moneta o di un gioiello spesso sono incredibili e sarebbe assurdo cercare di costruire forzatamente una teoria sul fatto che a Helgö, in Svezia, è stata trovata una statuetta di Buddha.

È in ogni caso grazie all'archeologia che siamo perfettamente informati sul conto delle navi vichinghe scoperte in gran quantità in Norvegia, soprattutto a Oseberg e Gokstad e in Danimarca a Roskilde, anche se una lettura attenta della *Saga di Ólåfr Tryggvason* (nella *Heimskringla*)[6] può fornirci tutte le informazioni necessarie. È l'archeologia inoltre che ci legittima a farci un'opinione documentata

[6] Cfr. la *Saga d'Óláfr Tryggvason*, trad. Régis Boyer, cap. XCIV, Imprimerie nationale, Paris 1992.

a proposito dei grandi centri commerciali della Scandinavia in periodo vichingo (Birka, dove in questo periodo si stanno eseguendo scavi sistematici, Hedeby, Helgö), che riporta alla luce e analizza i molti tesori sepolti dai loro possessori probabilmente per ragioni di sicurezza (ad esempio a Torslev in Danimarca o a Kaupangr in Norvegia), che pazientemente fa l'inventario delle tombe individuali e collettive trovate a Jelling o nell'impressionante complesso di Lindholm Høje (entrambi in Danimarca), che studia i celebri accampamenti fortificati di cui spesso si parla nelle fonti letterarie (quali la *Saga dei vichinghi di Jòmsborg*) come quelli trovati a Trelleborg, Odense, Aggersborg, Fyrkat, tutte località danesi. Quando l'archeologia recupera il sarcofago del vescovo Pàll (islandese, morto nel 1211) e constata che l'oggetto corrisponde esattamente alla descrizione che ne fa la saga di questo stesso vescovo (una delle *Saghe dei Vescovi* che rappresentano un ramo delle saghe di contemporanei), ha tutte le ragioni per compiacersi della sua scoperta e noi possiamo ben seguirla. Lo stesso può dirsi quando trova e ricostruisce con grande abilità la fattoria di Stöng in Islanda[7] per verificare se corrisponde completamente alle indicazioni che ci fornisce una lettura attenta delle saghe a proposito della struttura complessiva di una fattoria o *bær*. Si dirà che l'Islanda è un caso privilegiato, un paese poco popolato dove gli insediamenti umani sono individuabili con precisione dalle più lontane origini e attestati da documenti unici nel loro genere come i libri di colonizzazione.[8] È una specie

[7] I lavori migliori sono quelli di Hördhur Ágùstsson, per esempio *Hér stòdh bær*, Reykjavìk 1974.

[8] In traduzione francese, *Le livre de la colonisation de l'Islande*, introduzione, traduzione e commento di Régis Boyer, Mouton, Paris 1973.

di paradiso degli archeologi. Ma il sito vichingo di York, pazientemente restaurato e trasformato in museo, offre immagini assolutamente convincenti della vita quotidiana in questa stessa località intorno all'anno 1000. La maggior parte dei grandi musei storici della Scandinavia, del resto, ci offrono oggi molti elementi in base ai quali ci possiamo fare un'idea chiara dello «stile di vita» dei vichinghi.

Le ricerche di ogni genere che hanno cercato di ricostruire fedelmente questa cultura a partire dalle acquisizioni dell'archeologia si sono moltiplicate da qualche decennio a questa parte[9] e oggi disponiamo anche di un'enciclopedia in ventidue volumi le cui voci che abbiamo «saccheggiato» nel nostro lavoro costituiscono una miniera inesauribile di informazioni, il *Kulturhistoriskt Lexikon för nordisk medeltid*.[10] I suoi dati, in generale, sono di un tecnicismo che supera i limiti di questo libro, rivolto al lettore «normale» più che allo specialista, ma l'ambito di studi che essi delimitano ricopre esaustivamente il nostro argomento tanto più che il loro proposito, sottolineato proprio dal titolo di quell'impresa monumentale, coincide perfettamente con il nostro e non corre il rischio, in cui incorrono altre opere analoghe, di sconfinare nel germanico in generale o in campi meno rigorosamente circoscritti. Un solo esempio: esistono ricerche interessanti sulla Normandia che sconfinano nettamente in altri campi (la storia del feudalesimo, quella della Francia) e ciò produce confusioni che sono decisamente da evitare.

[9] P.G. Foote & D.M. Wilson, *The Viking Achievement*; J. Simpson: *Everyday Life in the Viking Age* (fondamentale come il precedente); quindi, oltre alle opere suggerite sopra alle note 3 e 5, O. Klindt-Jensen, *Vikingarnas värld*, 1967.

[10] Nell'edizione svedese, Malmö 1956-1978.

In secondo luogo interviene la numismatica, che ha collazionato pazientemente e studiato gli innumerevoli reperti, tesori sepolti e raccolte che risalgono all'epoca che ci interessa.[11] Con gli studi statistici che consente, le datazioni spesso precisissime cui giunge, essa consente di elaborare grafici la cui attenta osservazione permette di giungere a conclusioni, in genere pertinenti, sulle varie attività dei possessori. Essa fornisce in molti casi un *terminus ante quem* decisivo. Per esempio la moneta araba trovata nella tomba numero 581 di Birka ci fornisce la data *prima* della quale la tomba stessa non poté certamente essere scavata. La numismatica da sola ci può fornire la prova della brusca interruzione delle attività dei vichinghi intorno alla fine del X secolo, cioè nel momento che abbiamo stabilito per l'esordio della terza fase del movimento vichingo, intorno al 980 circa. In quel periodo infatti le feconde miniere arabe d'argento cominciarono a esaurirsi: quindi una delle principali ragioni delle incursioni vichinghe venne meno e il fenomeno per rinnovarsi dovette entrare in una nuova fase, caratterizzata da vere e proprie iniziative di colonizzazione.

Lo studio delle monete bratteate coniate su un solo lato, per cui il motivo decorativo si presenta in rilievo sulla faccia anteriore e scavato sul verso,[12] ci illustra la ricchezza dei possessori e la natura di talune loro pratiche religiose. Ne sono state trovate centinaia, accuratamente inventariate. Lo studio dei motivi decorativi, in genere di notevole

[11] I lavori migliori sono quelli di M. Dolley, *Vikings Coins of the Danelaw and of Dublin*, London 1965 e di B. Malmer, ad esempio *Nordiska mynt före år 1000*, Lund 1966.

[12] Il miglior specialista è K. Hauck, *Zur Ikonologie der Goldbrakteaten*, I-XX, Münster 1980.

livello artistico, la loro interpretazione, ancora sottoposta a discussione, il fatto che spesso rechino brevi iscrizioni runiche di carattere votivo o tutelare fanno parte degli elementi indispensabili alla ricerca.

Ho parlato di rune (che esamineremo meglio più avanti a pp. 260 ss.). La runologia è una delle discipline fondamentali che lo studioso dei vichinghi deve conoscere. Per una ragione semplicissima: le iscrizioni runiche sono i soli documenti «scritti» che provengano direttamente dai vichinghi. Quelle che sono state redatte nel nuovo *futhark* di sedici caratteri (a partire dall'850, in numerose varianti) sono esattamente contemporanee degli uomini e delle donne di cui ci prepariamo a studiare la vita, le hanno vergate essi stessi. Non esistono testimonianze altrettanto evidenti delle loro attività, soprattutto intellettuali, perché i testi eddici e scaldici altrettanto ricchi di informazioni ci sono giunti in una forma decisamente più tarda. E la runologia ha fatto grandi progressi[13] in sé – abbiamo imparato su basi filologiche a datare con esattezza molte iscrizioni, a decifrarne il senso con ridotti margini di errore, a localizzarne la provenienza – e nello studio dei contenuti. Ad esempio dall'eccezionale lavoro pionieristico di S.B.F. Jansson[14] sappiamo che le rune ci informano, tra l'altro, sugli itinerari seguiti dai vichinghi, sulle loro imprese di guerra, sulla loro religione, sulla loro vita quotidiana, sulle loro attività giuridiche e politiche, sull'ideale umano di quella società

[13] Gli specialisti migliori sono L. Musset, *Introduction à la runologie*, e E. Moltke, *Runes and Their Origin: Denmark and Elsewhere*, Copenaghen 1985 o anche R.I. Page, *Runes*.
[14] *The Runes af Sweden*, Stockholm 1987.

e anche sui loro interessi letterari e artistici. Esse dunque dovrebbero costituire i documenti ideali che potrebbero legittimarci a trarre conclusioni senza appello.

Ma ancora una volta l'argomento è complicato da due ordini di difficoltà. Innanzitutto le rune esistono in tutta l'area di espansione germanica dalla fine del II secolo della nostra era, quando seguivano un alfabeto di ventiquattro segni o antico *futhark* che come ho già detto si ridurrà a sedici intorno all'850, per varie ragioni. Nella Germania continentale la scrittura runica scomparve progressivamente con l'adozione della grafia latina che vi si impose assai prima che nel resto della Germania* e sopravvisse solo nel mondo anglosassone e soprattutto scandinavo. La tentazione di confondere le iscrizioni in antico e in nuovo *futhark* e di trarre dalle une deduzioni riguardanti le altre è assai forte. Le iscrizioni più antiche spesso sono di difficilissima lettura nel loro radicale laconismo e bisogna anche sottolineare fortemente che non riguardano il mondo vichingo del quale possono costituire solo un'anticipazione.

Il dibattito in proposito è assai animato. Mi limiterò dunque a un esempio. L'iscrizione della pietra di Nordhuglen in Norvegia che risale verosimilmente al V secolo dice:

ek gudija ungandiR ih...

cioè: «io, il *godhi* invulnerabile grazie alla bacchetta magica...» (interpretazione congetturale). Eccoci dunque di fronte al termine *godhi* che commenteremo ampiamente più avanti (pp. 65-66) e al termine *gandr* che può significare «bacchetta magica», all'interno di una formula che potrebbe essere benissimo di scongiuro. Non è escluso che l'intera formula sia di carattere magico ma potrebbe anche costituire una specie di frase millantatoria. In nessun caso, comunque, le parole e le pratiche di cui parla questa iscrizione sopravvivevano nel IX secolo. È semplicemente arbitrario dedurre da questo documento pratiche o credenze correnti mezzo millennio più tardi.

Invece un'iscrizione in nuovo *futhark* come quella di Haddeby 1 (Sønderjylland, in Danimarca, X secolo) un'autentica miniera di informazioni:

> *thurlf rispi stin thansi himthigi suins eftiR erik filaga sin ias uarth: tauthr tha trekiaR satu um haitha bu ian : han : uas : sturi : matr : tregR hartha : kuthr.*

Cioè, in antico norreno ricostruito:

> *thòròlfr reisti sten thaensi, heimthœgi svens, œftiR Erik, felaga sin, œs warth döthr, tha drengiaR satu um Hethaby. Aen han vas styrimannr, drœngR hartha gothr.*

> Thòròlfr, membro della guardia di Sveinn, eresse questa pietra in memoria di Eiríkr, suo *félagi*, che trovò la morte quando i giovani guerrieri assediarono Hedeby. Era comandante di una nave, un giovane guerriero valorosissimo.

Troviamo in questo passo, oltre alla citazione del re danese Sveinn dalla Barba Biforcuta e dell'assedio di Hedeby, fatti storici che qui in quanto tali non ci interessano ma ci permettono di datare l'iscrizione con esattezza; vi ricorrono inoltre nozioni importanti alcune delle quali studieremo con cura: *heimthœgi*, una specie di funzionario reale, *félagi*, un socio d'affari, *styrismadhr*, il «capitano» di una nave e forse il suo responsabile amministrativo e il termine *drengr* che rapptesenta un ideale umano ben attestato in questa società.[15] In tre sole righe c'è di che nutrire una solida riflessione sui valori vichinghi.

La seconda difficoltà è decisamente più banale. Nonostante i progressi dell'informazione un tenace pregiudizio attribuisce alle rune il valore di segni magici e tende a caricare tutte le iscrizioni di significati più o meno occulti. Ciò vale forse, come abbiamo visto – ma non necessariamente – per le iscrizioni più arcaiche in antico *futhark*. Ma è semplicemente ridicolo applicare questa griglia interpretativa alle iscrizioni di epoca vichinga tanto più che molte di esse sono di contenuto cristiano. La Chiesa infatti non determinò l'interruzione di quella produzione, al contrario: dimostrando così, se ce ne fosse bisogno, il suo carattere decisamente «inoffensivo». Lucien Musset, riprendendo le osservazioni di A. Baeksted, ha giustamente scritto che le rune erano una scrittura come un'altra, un mezzo di comunicazione che poteva veicolare i messaggi più diversi. Ma il partito preso magico o religioso-pagano spesso ne falsifica l'interpretazione. Queste testimonianze restano comunque fra le più preziose e vi faremo spesso ricorso. Quando leggiamo nella iscrizione di Nora (Uppland, Svezia, X secolo), dedicata alla memoria di un certo Óleifr dai suoi fratelli, che la fattoria (o il dominio) che questi abitava è loro *òdhal* e loro patrimonio ereditario sappiamo di trovarci di fronte a un documento legale, un'attestazione di proprietà familiare, dove figura il termine *òdhal* (proprietà indivisibile che deve essere trasmessa come

[15] Studiato analiticamente da R. Boyer, *Le Christ des Barbares*, pp. 145 ss.

tale da un erede all'altro), che è fondamentale per la comprensione del funzionamento di questa società rurale.

Farò più riserve nell'esprimermi a proposito della filologia, soprattutto di quei suoi rami noti come antroponimia e toponimia, che ritengo assai meno sicuri. Sappiamo bene quante difficoltà presentino le etimologie cosiddette «popolari». I normanni della Normandia spesso soffrono di una mania congenita che consiste nel far risalire il loro nome a qualche vocabolo «vichingo». È certo che gli Anquetil francesi si chiamavano Åsketill nel X secolo, e i Tostain, Toutain e Toustain dovevano essere dei Thorsteinn,[16] ma non bisogna dimenticare che nel feudo di Rollon insediamenti sassoni sono attestati più di cinquecento anni prima del trattato di Saint-Clair-sur-Epte, quindi i franchi lo sommersero. L'antico sassone e il franco erano lingue germaniche ancora molto vicine all'antico scandinavo e ci sembra decisamente impossibile stabilire con certezza a quale fonte risalga un nome come Angot. Le conclusioni sono le stesse, forse anche più sfumate se ci si rivolge ai toponimi. Senza insistere, faccio mia in questa sede la pertinente osservazione di Jean Renaud: «L'antroponimia non permette di dimostrare con certezza l'elemento nordico nella popolazione normanna moderna ma i [suoi] dati spesso ne confermano altri [...] È l'insieme di questi dati a fornirci un'immagine abbastanza precisa dell'insediamento scandinavo in Normandia».[17] Torna qui un aspetto già più volte rievocato:

[16] Oltre all'opera di J. Renaud, *Les Vikings et la Normandie*, cit., si vedano i lavori di Jean Adigard des Gautries citati in quest'opera, p. 220.
[17] *Ibidem*, p. 133.

per autorizzare un'affermazione sicura è necessario disporre della convergenza di più di una disciplina.

Talvolta comunque la toponimia si rivela abbastanza convincente. La carta delle località dell'Inghilterra orientale con nomi di origine scandinava delimita con notevole precisione i confini del Danelaw. Quando è possibile risalire alla forma antica la Scandinavia dispone anch'essa di toponimi rivelatori: è interessante, ad esempio, scoprire che l'attuale Höör, nella Svezia meridionale, rimanda a un antico *hörgr*, un luogo di culto all'aperto, che l'Odense danese è Ódhinsvé, il luogo sacro a Ódhinn, che Oslo è certamente l'antica Áslundr, bosco sacro agli Asi*, ecc.

Interessanti sono anche certe forme di resistenza linguistica. Sono i vichinghi, come sappiamo dalle nostre fonti storiche, che in Irlanda hanno fondato e dato il nome a città come Cork, Limerick, Waterford e Wexford. Ma nonostante la sua forma norrena Dyflinn, Dublino è un nome celtico (Dubh-Lin, la baia nera) ed è significativo che di Novgorod i vareghi abbiano conservato solo il suffisso *-gorod* (da *gardhr*, la cinta di mura, la recinzione) mentre la loro Hólmgardhr non ha sostituito lo slavo Novgorod. Non mi attarderò sulle etimologie compiacenti che sono state prodigate per spiegare il nome del Vinland.[18]

Fin qui ho esaminato solo i quattro tipi di fonti sulle quali ci sentiamo, a diversi livelli, autorizzati a fondarci. Restano da esaminare quelle più difficili da maneggiare, delle quali non possiamo certo fare a meno, ma che sono state usate finora tanto indiscriminatamente da originare molti errori e molte convinzioni fantasiose: le fonti lettera-

[18] Si veda sopra, cap. I, nota 2.

rie, sia scandinave sia non nordiche. Esse fanno tutte parte, grosso modo, di quello che viene chiamato di solito il «miracolo islandese», con rarissime eccezioni.

È noto che per ragioni tuttora non chiare gli islandesi, cristianizzati nel 999, nel corso del XII secolo e poi per tutto il Medioevo continuarono a consegnare in forma scritta pressoché tutti i testi allora concepibili, dai trattati di computo alle saghe, dai manoscritti di geografia universale ai *rímur*, poemi narrativi di grande originalità. Tale produzione, il cui spoglio e la cui edizione critica resta ancora in larga misura da fare, è oggetto di studi di ogni genere e di animatissime discussioni molte delle quali non riguardano il nostro tema. Non è per noi particolarmente importante, ad esempio, sapere se molti di questi testi risalgano a una remota tradizione orale o derivino da una scrupolosa imitazione di modelli non autoctoni o se possano essere considerati documenti storici affidabili, quando si tratta di cronache. In un certo senso le riserve che lo storico si deve imporre non sono sempre valide quando si cercano le tracce di una cultura o di una civiltà, che possono emergere anche all'insaputa dello stesso autore magari da un passo, da una frase incidentale.

Naturalmente si tratta dei poemi eddici e scaldici, delle saghe e di tutta la letteratura afferente che in questo libro esamineremo più dappresso quando tratteremo delle produzioni intellettuali. In questa sede ci chiediamo solo quale sia la loro validità in quanto fonti. Come ho già fatto capire nessuno è tenuto a prestare fede alla storicità dei fatti riferiti dalla *Saga di Egill, figlio di Grímr il Calvo* ma non è il caso di relegare tra le favole il celebre poema infamante (*nídhvísur*) che il suo protagonista dedica al re Eiríkr

Blòdhøxi o il fatto osservato incidentalmente che a Egill vengono offerte da mangiare delle alghe secche, nel capitolo LXXVIII. Nel caso del poema infamante ciò che interessa non è che i personaggi o le circostanze siano più o meno inventati ma il principio, il fatto in sé di scrivere e dedicare una simile opera. È stato possibile ricostruire l'armamento del vichingo, il suo abbigliamento e quello del suo cavallo solo collazionando i particolari citati in proposito nei due testi dell'*Edda*.* Ciò non significa che si debba sempre ciecamente prestare fede a quanto raccontano i due poemi.

Per citare solo un esempio particolarmente celebre, l'organizzazione sociale tripartita suggerita dalla *Rìgsthula* (l'*Edda poetica*) non corrisponde certamente alla realtà: mi spiegherò meglio più avanti. Essa infatti è probabilmente riferibile all'origine celtica di questo testo. Invece un'attenta comparazione fra i due splendidi poemi eroici incentrati sulla figura di Atli-Attila e la fine di Niflungar (Gunnarr e Högni) è estremamente istruttiva tanto è evidente che il primo, l'*Atlakvidha*, è stato composto da un poeta di grande classe per un pubblico raffinato – noi diremmo «aristocratico» se il termine non rischiasse di indurre in errore il lettore europeo, soprattutto francese** – mentre il secondo, l'*Atlamàl*, è visibilmente destinato a un pubblico più «popolare» e meno esigente. È dunque possibile *ipso facto* dedurre l'esistenza di due strati sociali diversi che però non rimandano alle rigide gerarchie della *Rìgsthula*.

** L'autore ha sempre presente il fatto che la Francia è il paese dove le gerarchie feudali e la cultura aristocratica hanno avuto maggiore sviluppo e anche maggiore longevità, al punto che vi sono istituzioni caratteristiche che è difficile tradurre in altre lingue. Ciò non vale così nettamente per il lettore italiano [*N.d.T.*].

Bisogna anche prestare attenzione alle date. È probabile che certi poemi eddici (come ad esempio lo *Hamdhismál*) e molti poemi scaldici siano stati scritti all'epoca dei vichinghi e che alcuni di essi siano stati addirittura composti da e per loro. Ma moltissimi altri furono concepiti nel XII, XIII o addirittura XIV secolo, anche se sulla base di schemi e immagini più antiche. È stato dimostrato[19] che la *Thrymskvidha* dell'*Edda poetica* risale, nella forma a noi pervenuta, al XIII secolo e che potrebbe essere opera di Snorri Sturluson.[20] Si tratta di un poema di genere grottesco, truculento, in cui Thórr, il dio del tuono, il massacratore di giganti, ci viene mostrato travestito da fidanzata. Può darsi che le sue origini, e in particolare il tema centrale, siano antichi ma interpretarlo come un saggio dell'«umorismo tipico dei vichinghi» ci sembra decisamente forzato: l'ultimo vichingo doveva essere morto da almeno duecento anni quando fu redatta la *Thrymskvidha* nella forma a noi nota. Invece un aspetto, per noi centrale, di questo poema deve oggi essere sottolineato mentre era ovvio all'epoca della sua stesura, tanto che l'autore non vi si attarda: in questo testo si istituisce un legame organico fra matrimonio e consacrazione con il «martello» di Thórr a cui per questo stesso fatto viene conferito un valore di fertilità-fecondità inatteso

[19] Si tratta di Peter Hallberg in *Om thrymskvidha*, in «Arkiv f. nord. Filologi», 1969, pp. 51-77.

[20] Snorri Sturluson (1179?-1241) fu un grande condottiero islandese, uno dei personaggi più importanti dell'ultimo periodo di indipendenza del suo paese e, certamente, il maggior scrittore medievale dell'estremo Nord. È autore fra l'altro dell'*Edda* detta *in prosa*, che è una rappresentazione della mitologia scandinava più antica, di alcuni poemi scaldici di grande livello e soprattutto di saghe, fra le quali una delle più belle «saghe degli islandesi», la *Saga di Egill, figlio di Grímr il Calvo*, e delle «saghe reali» della *Heimskringla*.

da parte della folgore – che è appunto Mjölnir, il cosiddetto «martello» – ma ammissibile se si rievoca la formula certamente magica con la quale si concludono alcune iscrizioni runiche: «Che Thórr consacri queste rune».

Comunque, poemi eddici e scaldici e la maggior parte delle saghe risalgono in generale al XIII secolo, che fu l'età dell'oro di questo straordinario movimento di compilazione letteraria. Da una parte non ci si può ragionevolmente aspettare che si siano conservate intatte tradizioni di ogni genere nel corso di almeno due secoli, considerando soprattutto la totale assenza di strumenti per fissarne la memoria quali quelli di cui disponiamo oggi; è, d'altra parte, naturale che l'autore dei racconti ci riferisca gli usi, le reazioni, i gusti e le ripugnanze che gli sono propri. La mentalità che le saghe islandesi ci consegnano, a qualsiasi categoria appartengano,[21] è quella degli uomini del XIII secolo che le composero, non quella dei vichinghi, anche se ricostruiscono la vita e gli atti di personaggi storici come l'Egill figlio di Grímr il Calvo che abbiamo appena citato od Óláfr Haraldsson (sant'Óláfr) o ancora i protagonisti di saghe «leggendarie» (*fornald-harsögur*) come Jörmunrekkr-Ermanarico o Thióthrekr-Thidhrikr-Teodorico, che appartengono a un'epoca decisamente *anteriore* a quella vichinga.

Ho già suggerito che esiste una categoria di saghe detta «dei contemporanei» (*samtídharsögur*) che dal nostro punto di vista merita una maggiore attenzione. Si tratta del complesso costituito dalla *Sturlunga saga* e dalle *Saghe dei Vescovi*. Grosso modo i fatti che ci narrano si svolgono dal 1000 circa per le *Saghe dei Vescovi*, al 1264 per la *Sturlun-*

[21] Cfr. R. Boyer, *Les Sagas islandaises*, cap. V.

ga saga, cioè dal limite cronologico estremo del periodo vichingo a due secoli dopo la sua cessazione. Naturalmente i costumi, i particolari concernenti il modo di abitare, l'abbigliamento, l'armamento, le attività quotidiane subiscono un'evoluzione molto lenta, come è noto. Non è però ammissibile che niente sia cambiato – anche radicalmente – nel corso di tre secoli; d'altra parte le interessantissime ricostruzioni realizzate da B. Almgren e i suoi allievi in un'opera di cui molto mi sono servito, *Vikingen*, ripercorrono solo parzialmente i dati delle saghe di contemporanei. La *Saga di Gudhmundr il Potente* ad esempio, che fa parte della *Sturlunga saga*, al capitolo XXIII presenta una balestra: un'arma che fece la sua comparsa nel Nord solo nel XII secolo ed era perciò del tutto ignota ai vichinghi. In compenso, nelle saghe «dei contemporanei» troviamo spessissimo citato il *vadhmál*, quel tessuto di bigello di così alta qualità da servire a lungo da moneta di scambio e che tutto ci fa pensare sia stato per secoli la produzione principale della tessitura a domicilio. Potremmo continuare a citare all'infinito casi di questo genere.

D'altra parte, per le ragioni che abbiamo già detto, non abbiamo nessun documento scritto di una certa lunghezza che ci venga direttamente dai vichinghi. Fanno eccezione le iscrizioni runiche con le riserve che abbiamo appena ricordato.

Senza sconfinare nell'ipercriticismo,[22] bisogna diffidare anche dei codici giuridici. Non ritengo che essi siano stati imitati da modelli biblici o latini, almeno non integralmente, ma la loro formulazione è sospetta anche se per loro stessa

[22] Come fa M. Jacoby nelle sue ultime opere.

natura e finalità non potevano che riflettere antiche e venerate tradizioni e un diritto ben specifico. Anche in questo caso, inoltre, la più antica data relativa alla loro redazione è largamente posteriore alla fine dell'era vichinga. Il lettore si sarà già reso conto che ci troviamo sempre di fronte allo stesso problema: quanta parte di autenticità, di verità contengono i documenti scritti di cui oggi disponiamo? La cristianizzazione e lo scarto cronologico che non mi stanco di sottolineare si interpongono come uno schermo o almeno un filtro fra la realtà dei fatti e la credibilità delle testimonianze. Questa osservazione è particolarmente valida in campo religioso, dove si trattava di sradicare o almeno di svalorizzare e screditare il paganesimo. Ma anche in campi ritenuti di solito più neutri, come quelli di cui ci occupiamo maggiormente qui, sembrerebbe inutile pretendere l'obiettività.

Resta da fare qualche cenno sugli scritti stranieri, cioè non scandinavi, che ci parlano dei vichinghi: non voglio qui alludere agli annalisti, agli autori di cronache franchi, irlandesi, anglosassoni di cui ho altrove parlato[23] e la cui parzialità è nota. Essi sono i responsabili principali del nostro «mito vichingo» e in ogni caso forniscono ben poche informazioni a chi si interessi della vita quotidiana dei vichinghi. Intendo parlare degli osservatori più imparziali in quanto non direttamente implicati negli eventi, dei testimoni curiosi piuttosto che realmente interessati quali i diplomatici arabi (Ibn Fadlan, Ibn Rusta, Ibn Khordadhbeh...) o del *basileus* Costantino Porfirogenito o di un cronista slavo ben disposto nei confronti dei «Rūs» come Nestore e persino di un re anglosassone consapevole della sua superiorità come

[23] *Les Vikings...*, cit., cap. I, pp. 25 ss.

Alfredo I di Wessex, per non parlare di Adamo di Brema, ché scriveva cronologicamente ancora molto vicino al suo soggetto, quando copriva i margini delle sue *Gesta Hammaburgensis* di scolii concernenti la Scandinavia e i suoi abitanti o di Rimberto che mentre scriveva la *Vita* di sant'Ansgar (Anscario), l'evangelizzatore del Nord, non perdeva occasione per gettare uno sguardo curioso su ciò che andava scoprendo cammin facendo.

Sarebbe inutile proseguire nella istruzione di questo processo. Il lettore avrà capito che ricostruire la vita quotidiana dei vichinghi è una sorta di sfida e che solo le testimonianze archeologiche hanno una autentica credibilità. Ma è proprio questo l'esercizio che ho intrapreso, partendo dal principio che quando vari tipi di fonti convergono, si completano o si illuminano reciprocamente, possiamo ritenere di avere afferrato un frammento di verità. So bene che l'immagine finale del vichingo che emerge da queste pagine con ogni probabilità non coincide con quella custodita nel segreto del cuore romantico dei nostri lettori e che i romantici, molti dei quali, appunto, erano scandinavi hanno alimentato. Ma non credo che la nostra ammirazione per i «fieri figli del Nord» debba essere diminuita da questa operazione di verità; essa dovrà solo cambiare i suoi oggetti, assumendone altri che, per quanto nuovi appaiano, valeva certamente la pena di sottolineare.

III

La società vichinga

Non a caso abbiamo iniziato questo libro con una scena e delle considerazioni di argomento familiare.[1] La famiglia in senso lato (*aett, kyn*) è la cellula di base di questa società. Essa comprende, oltre ai consanguinei, gli amici intimi e i fratelli giurati*, i parenti adottivi, i poveri a carico della famiglia. In poche parole, una cinquantina di persone – se tali cifre hanno un senso dal momento che quelle collettività erano così ridotte che i nostri dati numerici moderni non hanno particolare significato – tutte dipendenti, a gradi diversi, dal capo famiglia (*hùsbòndi*) e da sua moglie (*hùsfreyja*).

Come si è visto, sulla base delle affermazioni di un poema dell'Edda, la *Rìgsthula*, che affermava la ripartizione della società in «schiavi», uomini liberi e jarls o «re», si sostiene spesso che i vichinghi si organizzassero in tre «classi» o strati sociali ben distinti. Molti passi delle saghe del resto contribuirebbero a verificare tale tesi.

[1] Le prospettive presentate in questo capitolo sviluppano su un piano più «familiare» le considerazioni più generali esposte in *Les Vikings...*, cit., cap V.

È la classe degli «schiavi» (*thrœll*) a porre il primo problema. Non voglio dire che essi fossero del tutto sconosciuti, nel Nord, ma non credo che corrispondessero all'idea che di solito ce ne facciamo. Innanzitutto prima dell'era vichinga niente ci consente di affermare che nella società scandinava sia esistita una «classe» che non disponeva della libertà personale. In seguito, dopo i primi colpi di mano che spesso si concludevano con il rapimento di persone oltre che di animali e di bottino è più che probabile che i vichinghi abbiano catturato degli schiavi; sembra che abbiano scoperto in poco tempo che si trattava di una delle «merci» più preziose dell'epoca. Il commercio degli schiavi diventerà ben presto l'attività principale di quei commercianti abilissimi ed esperti conoscitori delle leggi del «mercato» europeo e asiatico. D'altra parte, per i contatti costanti con il mondo europeo che avevano preceduto l'esordio del fenomeno vichingo propriamente detto, non potevano non conoscere l'esistenza di tale categoria umana. Il loro centro commerciale di Hedeby (l'antica Haithabu, in Danimarca) fu uno dei grandi centri di questo commercio, equivalente, da questo punto di vista, a Bisanzio. Sembra anche accertato che la strada dell'Est, uno degli itinerari principali di quei navigatori, collegava esattamente Hedeby a Bisanzio attraverso il Baltico meridionale, il complesso dei fiumi e laghi russi a partire dal golfo di Riga e il Mar Nero.

Che abbiano portato con sé qualche prigioniero occupandolo nei lavori della loro fattoria e trattandolo duramente, tutto questo rientra nell'ordine delle cose dell'epoca di cui stiamo parlando (IX e X secolo). È ben comprensibile, d'altra parte, che gli autori delle saghe del XIII secolo, che conoscevano quegli usi ormai solo per sentito dire o attraverso le letture classiche e agiografiche, ne abbiano fatto personaggi «di maniera» dei loro racconti sviluppando intorno a essi una tematica così convenzionale da poter essere rubricata senz'altro fra i «tics» letterari di cui quegli autori erano avidissimi (codardia, venalità e inguaribile stupidità degli schiavi, come nella *Saga di Snorri il Godhi*). Non dimentichiamo mai che una saga si ispira per definizione a schemi di scrittura tipici della storiografia classica e della agiografia medievale, entrambe scritte in latino, entrambe familiari alla nozione di schiavo come essere inferiore dotato di valore solo in quanto merce. La tendenza più recente delle ricerche, nella stessa Islanda, a proposito delle saghe si concentra sul fatto che gli islandesi che scrissero quei testi volessero più o meno consapevolmente adeguarsi ai costumi e alla concezione del mondo propri della società aristocratica, a imitazione di quanto andava facendo nel suo paese il re Hǻkon Hǻkonarson di Norvegia: perciò svilupparono con particolare predilezione il tema della schiavitù...

Ma ci sentiamo di affermare con una certa sicurezza che la nozione così assunta nell'accezione corrente non coincide con quanto sappiamo della psicologia degli antichi scandinavi. Senza scadere in un romanticismo del tutto fuori luogo, i valori che essi apprezzavano maggiormente, illustrati da tutta la loro storia, contrastavano con il disprezzo della persona umana. Per un riflesso di questo tipo, essi uccidevano spesso ma non torturavano mai.

Infatti, per tornare al nostro argomento, si resta colpiti dalla facilità con la quale uno «schiavo» – che poteva essere un individuo catturato in una spedizione o proveniente da un altro paese scandinavo, secondo la nostra ottica moderna – si affrancava o versando una somma o in virtù di servigi resi. Spesso addirittura mi sono chiesto se le saghe e i testi di legge con il termine *thrœll* non indichino uno straniero di qualsiasi origine che per qualche ragione non è stato integrato nella famiglia o nel clan ovvero un «piccolo» *bòndi*, un po' come nel sud degli Stati Uniti all'inizio del secolo si distingueva nettamente fra i Bianchi normali e i «piccoli Bianchi» la cui sorte non era più invidiabile di quella dei Neri. Sia ben chiaro: non voglio dire che gli «schiavi» non siano esistiti presso i vichinghi, ma solo che la parola e la condizione non corrispondevano certamente a quello che noi oggi intendiamo per tali e che bisogna diffidare delle fonti letterarie e giuridiche quando affrontano questo argomento perché si ha l'impressione che esse rendano omaggio ad abitudini mentali classiche su questo tema.

Infatti lo scandinavo tipico, il vichingo di base, il vichingo medio e il grande vichingo sono tutti *bœndr*. A questo punto conviene fermarci un momento. Il termine *bòndi* è una formazione dotta che deriva dalla forma, contratta, di un participio presente sostantivato, *bòndi*, del verbo *bùa* il cui significato originario è «preparare la terra per renderla adatta a fruttificare». Il senso «dimorare, abitare» è secondario. Praticamente il *bòndi* è il coltivatore-pescatore-proprietario libero di cui parlano tutti i testi. Non esiste da solo, si definisce all'interno della sua famiglia, come indica la scelta del nome che non è mai lasciata al caso: talvolta forma allitterazione con quello del padre, Björn figlio di Bȧdhvarr, figlio di Bjarni, ecc.; oppure riproduce una parte di quello di uno dei genitori, Sigfrdhr figlio di Siggeirr; ovvero, se si tratta di un figlio maggiore, ripete il nome di un antenato celebre: Egill presso le popolazioni del Borgarfiördhr, Sturla presso gli Sturlungar e così di seguito... Il «cognome» non esisteva ancora, ognuno era semplicemente figlio o figlia di suo padre: Jòn Ólåfsson, Åstridhr Ólåfsdòttir, secondo un uso che perdura tuttora in Islanda. Il *bòndi* deve dimostrarsi capace, legalmente, di ricapitolare a memoria il suo lignaggio per parecchie generazioni. E nel Prologo abbiamo detto che egli non avrebbe nemmeno formulato l'idea di stringere una *mésalliance*, di sposare cioè una donna di rango inferiore al proprio, con la quale si produrrebbe un *mannamunr* (cioè una differenza fra gli «uomini»). Essere *bòndi* significa innanzitutto avere una certa condizione sociale che non si esprime necessariamente in termini di ricchezza ma può derivare anche e forse in maggior misura dall'antichità della stirpe.

In questa condizione è implicita la libertà personale, anche se gli è consentito farsi assumere da altri, diventando fittabile o mezzadro. Ma ciò non significa che diventi servo o subalterno. Ancora una volta, a caratterizzarlo è soprattutto la libertà di parola. Nelle assemblee pubbliche stagionali o *thing* ha il diritto di dire la sua opinione senza che nessuno possa legalmente vietarglielo. Può arrivare persino a rimproverare apertamente un re o a tenergli testa. Ne abbiamo un bellissimo esempio nella *Saga di sant'Ólåfr* contenuta nella *Heimskringla* di Snorri Sturluson. Il re Ólåfr di Svezia non voleva fare la pace con Ólåfr Haraldsson (che diventerà poi sant'Ólåfr) e nemmeno dargli in moglie sua figlia come chiedeva Ólåfr di Norvegia. I suoi sudditi ritenevano questa scelta un errore e non volevano dargli retta; Thorgnýr, che era un *bòndi* importante, si alzò dicendo:

> «È volontà di tutti noi *bœndr* che tu faccia la pace con Ólåfr il Grosso re di Norvegia e che gli dia in moglie tua

figlia Ingigerdhr. E se vuoi riconquistare gli stati sulla strada dell'Est, che i tuoi genitori e antenati possedevano, siamo tutti disposti ad assecondarti. Ma se non vuoi che sia come diciamo, ti attaccheremo, ti uccideremo e non tollereremo da te né ostilità né ingiustizie. Così hanno fatto i nostri antenati. Essi precipitarono in un pozzo, al *thing* di Mùli, cinque re che si erano mostrati pieni di arroganza come tu verso di noi. Dicci presto che decisione vuoi prendere». Allora l'assemblea fece un gran frastuono e si udì il clangore delle armi. Il re si alzò e prese la parola dicendo che voleva fare in tutto come volevano i *bœndr*, che era quello che avevano fatto tutti i re degli svedesi: lasciare che i *bœndr* decidessero tutto quello che volevano. Allora le urla dei *bœndr* cessarono.[2]

Il lettore avrà osservato che praticamente le sole giustificazioni legittimanti invocate da Thorgnýr sono costituite dall'appello alle tradizioni e agli antenati. Torniamo al *bòndi* medio. Egli ha innanzitutto il pieno diritto di sollevare una causa legale ed è in genere un buon conoscitore delle procedure e delle leggi e se ha subito un'offesa ha pieno titolo a esigere una compensazione perché la legislazione, che non comprendeva la pena di morte, prevedeva riparazioni di ogni tipo e in tutte le forme per qualsiasi trasgressione.

Il *bòndi* è un uomo tuttofare, in grado di offrire tutte le prestazioni che si possono chiedere a un uomo completo: agricoltore, pescatore, artigiano, fabbro e tessitore, ma anche giurista, come abbiamo appena detto, medico e comunque guaritore, esecutore di riti religiosi del culto priva-

[2] *Saga di sant'Óláfr*, cap. LXXX, *Heimskringla*.

to e anche scaldo (poeta), per non parlare delle sue qualità «sportive» e della sua abilità in molti giochi. È anche un commerciante di grandi qualità, abile nel calcolare, stimare, vendere e ipotecare. Un uomo completo, certamente, che al momento giusto si imbarca sullo *skeidh* e parte *í vikingu*, in spedizione (di) vichingo. È dunque anche un buon navigatore, probabilmente buon conoscitore dell'astronomia e comunque marinaio di prim'ordine: è questa forse la sua qualità principale: non si può che restare colpiti dal modo in cui sa maneggiare il timone della sua imbarcazione. I suoi meriti di navigatore vengono di solito celebrati per i viaggi che richiedono tappe lunghe, dalla Norvegia meridionale, ad esempio, all'Islanda e oltre. Ma il cabotaggio lungo l'interminabile e pericolosa costa norvegese, la traversata del Mar Bianco da capo Nord a Murmansk, o la discesa dalla futura San Pietroburgo a Odessa, se esaminati da vicino meritano altrettanta ammirazione.

Naturalmente è capace di prestazioni guerriere, in patria come all'estero. Non è un individuo particolarmente turbolento e ancor meno un fiero attaccabrighe, ha però un senso ombroso dell'onore e quando è «all'estero» spesso gli accade di trovarsi in condizione di dovere sostituire, alla bilancia per pesare le monete a pezzi, la lunga spada a doppio taglio. Eppure, come ho sottolineato, è un commerciante straordinariamente dotato e di queste abilità i suoi lontani discendenti hanno certamente ereditato qualcosa.

Bisogna che ci rendiamo ben conto che il commercio è una delle sue principali occupazioni anche «in patria». Egli vende frumento e maiali se è danese (e anche a questo proposito la storia ci segnala una curiosa continuità), ferro e pelli se è svedese, steatite e legname se è norvegese, *vadhmál* e pesce secco se è islandese. Infatti ci furono certamente anche vichinghi islandesi. L'isola fu colonizzata nel corso della seconda fase del fenomeno, ma possiamo essere certi che già all'inizio del X secolo fornì contingenti di truppe alle flotte «normanne». Pelli, pellicce e ambra le destinava più facilmente – ma non esclusivamente – agli amatori stranieri. La sua prima preoccupazione, attestata in tutte le maniere possibili, era di guadagnare denaro e rientrare a casa ricco. Ci sono formule che ricorrono nelle saghe come dei *leitmotiv*: «andò in spedizione vichinga in estate e vi si procurò denaro»; «in estate essi partirono in spedizione vichinga sulla strada dell'Est, tornarono a casa in autunno avendo acquisito molti beni»; e, anche più icasticamente: «Björn allora andò in spedizione vichinga per acquistarvi ricchezze e fama».

Insomma conviene al vichingo, qualunque sia la sua origine, la definizione che Snorri Sturluson dà, nella sua *Saga di Óláfr Tryggvason*, di un certo Thórir Klakka. In sostanza: questi distribuiva il suo tempo fra spedizioni vichinghe e viaggi commerciali. Ma la distinzione stessa non è perfettamente pertinente, perché una spedizione vichinga altro non era che una specie di viaggio commerciale nel corso del quale poteva accadere che le avventure marziali prevalessero su quelle mercantili. Riprenderò questo argomento al capitolo V dedicato alla vita sulla nave. Per ora voglio solo osservare che non esiste settore dell'attività umana in cui il *bòndi* non sia in grado di esercitarsi. Non escludo nemmeno quello artistico, perché le lunghe serate d'inverno si prestano a ogni genere di lavoretti decorativi e ornamentali.

Tuttavia sono esistite certamente nella società vichinga almeno tre o quattro professioni specialistiche. Il medico (*lœknir*), anche nel senso di chirurgo. Nelle stagioni violente che segnarono l'età vichinga è evidente che ci fu sempre un gran bisogno di questa professione che sembra sia stata esercitata soprattutto dalle donne.[3] Non sappiamo se fosse autoctona o appresa dai lapponi (samoiedi), oppure se le sue fonti vanno cercate in Italia, a Salerno, o in Francia, a Saint-Gilles, quindi a Montpellier. Ancora una volta le saghe (la *Saga dei fratelli giurati* e quella di *Hrafn Sveinbjarnarson*) rischiano di indurci in errore. Ma è certo che il *lœknir* esisteva, o sotto le forme di uno specialista o in quelle di un *bòndi* che diventava medico (in Francia a quei tempi si diceva *mire*) in determinate occasioni: infatti i codici precisano l'ammontare degli emolumenti che gli sono dovuti nelle diverse situazioni.

Le stesse osservazioni si possono fare per l'attività del giurista (*lagamadhr*). Il vichingo, come ho avuto più volte occasione di ripetere, aveva un'autentica passione per il diritto e la legge fondati sulla religione. Le saghe ce lo dimostrano in varie forme ma qui non abbiamo alcuna ragione per sospettare che non riflettano atteggiamenti antichissimi. Nessuno, in esse, è legittimato a ignorare la legge e, addirittura, ottiene giustizia non tanto chi è nel suo buon diritto quanto chi conosce meglio i testi. Un'attenta lettura della *Saga di Njàll il Bruciato*, che da questo punto di vista può essere ritenuta una sorta di resoconto di un processo interminabile, a questo proposito è illuminante. Ne risulta che, in maniera ben comprensibile, alcuni *bœndr* avrebbero potuto specializzarsi, diventare particolarmente abili nella conoscenza delle leggi e venire consultati su punti di con-

[3] Come si può vedere nella *Saga di sant'Òlàfr*, cap. CCXXXIV.

trasto ecc. È significativo che l'Islanda indipendente si sia dotata assai presto, oltre che di un *thing* autonomo o *althing*, di una sorta di presidente di tale assemblea, il *lögsögumadhr*, le cui funzioni, come indica chiaramente il termine, consistevano nel «recitare» (*segja*, dire, da cui *sögu-*) la legge (*lög*) per conto terzi per un periodo di tre anni.

Non c'è dubbio che anche lo *smidhr* – termine che significa fabbro, ma indica qualsiasi artigiano relativamente specializzato – disponeva di uno statuto particolare; tra l'altro esercitava il solo «mestiere» che sia stato in qualche modo divinizzato nella persona del fabbro meraviglioso Völundr, il maestro fonditore e mago che come ha dimostrato Mircea Eliade ha il potere di «legare» con il fuoco. Una semplice visita in qualsiasi museo scandinavo basta a convincere dell'incredibile abilità alla quale era giunto lo *smidhr* e la nave vichinga è una dimostrazione ineguagliabile di quelle straordinarie abilità. Riparleremo di questa figura, a vario titolo, molto spesso nel presente libro, perché *smidhr* si può tradurre indifferentemente con carpentiere, falegname, orafo ecc.

Resta il *godhi* («sacerdote») che personalmente ritengo non sia mai esistito in quanto tale nella accezione corrente del termine, e a maggior ragione che non sia mai appartenuto a un ordine, a una casta o corpo speciale e che quindi non ricevesse una formazione o iniziazione particolare. In questa religione senza dogmi, senza «fede», senza testi sacri a noi noti, che era riconducibile a un rituale semplice applicabile in poche circostanze (le grandi date della vita, le cerimonie dei solstizi e forse degli equinozi) non risulta fondata la necessità di un «sacerdote» espressamente formato come tale. C'era bisogno di un sacrificatore in grado di operare alcuni gesti di culto, di pronunciare formule (ma anche questo è da dimostrare), di sovraintendere a cerimonie che non crediamo fossero particolarmente elaborate: bastava dunque che il capofamiglia (per il culto privato) e il «re» o un suo sostituto (per il culto pubblico) presiedesse alle riunioni di carattere religioso. Ma sono convinto, per limitarmi a un solo esempio, che noi e prima di noi gli autori delle saghe tendiamo a proiettare arbitrariamente sul *godhi* caratteristiche che appartengono al druido – la cultura celtica mantenne sempre intensi contatti con quella scandinava – e al sacerdote biblico o classico.

Il termine *godhi*, tuttavia, nei nostri testi è ricorrente: spiegherò che a nostro parere si riferisce a un dignitario di ben altra natura. D'altra parte esso è quasi sempre associato al nome di un dio, ad esempio Freysgodhi, il *godhi* di Freyr. Ciò potrebbe far intendere che il *godhi* in questione dedicava un culto particolare in questo caso a Freyr, in forza delle relazioni molto caratteristiche e precise che gli scandinavi intrattenevano con i loro «amici» (amico = *vinr*) divini. In ogni caso, per non esorbitare dal nostro tema, ricorderemo che determinate prerogative erano esercitate anch'esse da certi *bœndr*. La stessa analisi è applicabile allo statuto di mago – ammesso che questa nozione fosse davvero isolabile – con la differenza che tale funzione sembra sia stata esercitata soprattutto dalle donne.

Ma, ancora una volta, l'ansia di specializzazione è piuttosto una prerogativa dei nostri tempi. Il vero *bòndi*, l'autentico vichingo, è in grado di far fronte a ogni eventualità. Pensiamo a Gunnarr di Hlìdharendi nella *Saga di Njàll il Bruciato*: in gioventù non aveva trascurato le spedizioni vichinghe; lo vediamo che con l'aiuto dell'amico Njàll dirime un difficile caso procedurale; è abile nell'interpretare i sogni in un senso poi verificato dai fatti e l'autore tiene a mostrarcelo mentre svolge i bisogni elementari del contadino: seminare i campi, falciare il fieno ecc. Leggete poi questo ritratto di Hrafn Sveinbjarnarson, nella saga che gli è dedicata e che risale comunque, come è noto, al XIII secolo:

> Hrafn era un giovane uomo ma la sua formazione era completa. Era un Völundr in fatto di artigianato, lavorava bene il legno e il ferro; era uno scaldo, lo diciamo anche se di poesia sappiamo ben poco; il più grande *læknir* che abbiamo conosciuto e un chierico, perché aveva studiato per diventare prete fino al punto da ricevere la tonsura. Era versato nella conoscenza delle leggi, parlava bene, aveva buona memoria ed era istruito in fatto di storia. Hrafn era alto, con tratti ben disegnati e capelli bruni. Era agile in tutto quello che intraprendeva: buon nuotatore, arciere potente e abile più di tutti nello scagliare la lancia.

Esistevano, come abbiamo già accennato, diverse categorie di *bœndr* e ritengo che le nostre difficoltà di interpretazione dei documenti derivino proprio da questo. Le saghe ad esempio parlano di «grandi» *bœndr* e di «piccoli» *bœndr* che abbiamo citati poche pagine fa per dire che forse potevano essere assimilabili a quelli che i testi e i codici chiamano «schiavi». Dovette esistere fra questi due estremi una numerosissima massa di *bœndr* «medi» che costituivano il grosso della società vichinga e, per così dire, l'equipaggio della nave. Purtroppo di essi non sappiamo granché perché né gli autori delle saghe né gli incisori di rune se ne interessano. È evidente che le popolazioni scandinave non poterono esistere senza di loro, che però non compaiono mai in primo piano. Dal punto di vista moderno questo è un grave rimprovero da fare agli autori di saghe e testi apparentati: certamente, infatti, questi scritti si proponevano di imitare quanto di più rinomato si andava scrivendo all'estero, all'epoca della loro composizione, cioè i grandi testi cortesi di Francia e Germania, e non si interessavano della gente modesta, dei subalterni: la loro visione del mondo e della società, naturalmente all'interno di tale cultura, era decisamente «aristocratica» e troppo spesso tendiamo a dimenticarlo.

In primo piano, dunque, campeggia il «grande» *bòndi*, così definito perché è di famiglia antica e celebre e ciò gli conferisce prerogative che, pur non essendo ratificate dai testi, si imponevano con grande evidenza al punto da non avere nemmeno bisogno di commento: infatti era bene insediato in una proprietà che apparteneva alla sua famiglia dalla più remota antichità e perciò spesso veniva indicato in base a quella (Végardhr del Veradalr, Hallr del Sìdha) ed era legittimato nei suoi diritti allodiali** che costituiranno spesso il pomo della discordia nel periodo che stiamo studiando. Soprattutto era ricco.

I valori materiali non erano assolutamente determinanti o decisivi ma svolgevano una funzione incontestabile in questo universo. Bisognava avere dei beni, ad esempio, per pagare un'imbarcazione: le spese erano di tale entità che spesso ci si associava in più persone per questo acquisto. Il vichingo che comandava o possedeva, in tutto o in parte, uno *knörr* o *langskip* non poteva assolutamente essere un

** Era il bene immobile di piena proprietà non gravato da alcuna servitù feudale, un istituto il cui termine veniva dal mondo germanico [*N.d.T.*].

miserabile. Diventava corsaro dei mari al fine di «acquistare ricchezze», come dicono tante iscrizioni runiche ma ciò non significa che fosse povero. Forse non era sufficientemente ricco e voleva accrescere la sua ricchezza per «farsi un nome». In ogni caso, distruggiamo l'immagine del bandito famelico che parte sulla sua barcaccia per taglieggiare l'opulento mercante slavo o il fastoso abate di qualche monastero occidentale. Infatti una tradizione certamente antica e attestata da molti *kenningar* scaldici ha fatto del vichingo un «re del mare» (*sækonungr*), termine che a mio parere indica semplicemente un capo vichingo particolarmente rinomato.

Resta infatti da dire che i «re» erano scelti appunto fra i grandi *bœndr*. Si tratta di un argomento vasto di cui si è parlato anche troppo[4] e che non ho intenzione di trattare a fondo. Diciamo soltanto che questa società effettivamente conobbe dei «re» che non corrispondevano però all'idea che di solito ce ne facciamo. Il «re» (*konungr*, plurale *konungar*) era scelto ovvero eletto dai grandi *bœndr* all'interno di alcune famiglie (*kyn*, da cui *konungr*) ma non sappiamo quali fossero i criteri che dirigevano tale preferenza. La sua consacrazione consisteva nel farlo salire su una pietra sacra (come a Mora in Svezia; se ne può visitare una nella cattedrale di San Paolo a Londra), quindi nel fargli percorrere un itinerario fissato che egli «santificava» con la sua presenza (è l'Eiríksgata svedese) e lungo il quale si faceva riconoscere come tale presso i *thing* locali. Naturalmente, se per qualche ragione egli non soddisfaceva l'assemblea,

[4] Il tema è vastissimo. Per un migliore orientamento, si vedano gli Atti della Sesta conferenza internazionale sulle saghe, Det arnamagnaeanske Institut, vol. I, Copenaghen 1985.

veniva destituito – letteralmente «rovesciato» dalla pietra di consacrazione sulla quale era stato fatto salire nel momento dell'intronizzazione – oppure impiccato. Era stato infatti eletto innanzitutto *til ars ok fridhar*, «per un anno fecondo e per la pace»; le prerogative, giuridiche, magiche o guerriere certamente facevano parte del carisma legato alla sua condizione, ma non risultano esplicitamente dalle nostre fonti. Credo che fosse anche, ovviamente, il gran sacerdote sacrificatore dei riti del culto pubblico, per omologia con il ruolo del capofamiglia nel culto privato. Ma non bisogna mai dimenticare che un «re» vichingo regnava solo sul fondo di un fiordo, su un *fjell* (il nome dato ai monti, in Norvegia) o su un distretto grande al massimo come uno dei nostri dipartimenti. Con originalità assolutamente rivoluzionaria, alcuni sovrani, come Haraldr dalla Bella Chioma, Óláfr Tryggvason e Óláfr Haraldsson (sant'Óláfr) di Norvegia, Haraldr Gòrmsson di Danimarca e Óláfr Sköttkonungr in Svezia, cercheranno in seguito di istituire una regalità di forma analoga a quella invalsa nell'Europa meridionale. Ma in età vichinga questo processo era ancora agli esordi. Credo dunque che in questo campo la *Rígsthula* che fa del *konungr* un'entità a parte non vada presa alla lettera. Lo ripetiamo ancora una volta: uno degli aspetti originali dell'epoca vichinga sarà di introdurre progressivamente dei re all'occidentale, ma la realizzazione del fenomeno in un certo senso segnò anche la fine della società vichinga.

Potrei fare le stesse riserve a proposito dei *jarls*, nozione ancora meno chiara di quella di *konungr* ma che potrebbe essere più antica e forse di carattere dinastico. La *Rígsthula*, ancora una volta, si esercita nel difficile sforzo di distinguere fra jarl e re. Lo jarl potrebbe, almeno inizialmente, discendere da una etnia (gli eruli?) esperta nella scienza delle rune che da tale sapere traeva i suoi titoli di nobiltà; infatti molte iscrizioni in antico *futhark* lo definiscono come un grande conoscitore delle rune (o della magia). Oppure apparteneva a una vera e propria «aristocrazia» definita in base alla sua antichità. Non voglio nemmeno tentare di fornire una risposta. Rilevo solo che in età vichinga non risulta che disponesse di uno statuto sociale privilegiato. Il fatto che a diverse riprese le saghe ci mostrino un «re» che rende jarl un *bòndi* in cambio di servigi resi o da rendere (come nel caso specifico di Snorri Sturluson) potrebbe dimostrare che il senso inizialmente «sacro» di tale dignità si era perduto e che l'istituzione si era «europeizzata».

Insomma, il «re» probabilmente non svolgeva una funzione rilevante in questa società. Poiché ho negato anche la specificità dello schiavo, mi resta adesso solo il *bòndi*.

Questi, per ragioni varie alcune delle quali abbiamo già intravvisto, non era in grado di vivere in autarchia: insediamenti abitativi dispersi, clima duro, risorse scarse imponevano a queste società di sviluppare fortemente il senso del collettivo e della comunità; in questo senso esse restano ancor oggi fedeli a questi costumi antichissimi. Si mettevano (verbo *leggja* da cui *lag-*) i propri beni (*fé*) in comune (*félag*) per gli scopi più diversi: ho parlato dell'allestimento della nave, ma non esiste settore della vita materiale in cui non si potesse esercitare quest'uso. Ognuno dei contraenti o *félagi* si sentiva legato agli altri da un vincolo molto forte, che poteva anche spingersi fino al dovere della vendetta. Sono attestati anche casi di donne che entrarono in un *félag*. Il costume del *félag* talvolta dava risultati complicati per cui un individuo poteva possedere un quarto di una nave, un terzo del suo carico e così di seguito. È possibile che questa associazione, che come abbiamo visto era vincolante, venisse ratificata da gesti significanti, di carattere più o meno religioso. Così i vareghi – cioè i vichinghi che operavano a est invece che a ovest – dovevano forse il loro nome a *várar* (giuramento solenne): il nome in questo caso si applicherebbe a una confraternita di mercanti legati da giuramenti consacrati quali ne esistettero in tutta l'Europa dell'epoca. E questa denominazione sarebbe perfetta per i vichinghi. C'erano anche associazioni di altro tipo, a metà fra il mercantile e il religioso come le gilde[5] che probabilmente sono di origine frisona e che esistettero anche in Scandinavia in età vichinga per svilupparsi in seguito ampiamente in età cristiana.

Forse non ho insistito abbastanza su questo aspetto della questione: è evidente che le condizioni nelle quali si svolgeva il commercio nel Medioevo non erano favorevoli alla sicurezza dei mercanti. È abbastanza certo che ovunque si crearono associazioni di mercanti legati da giuramenti vincolanti, che erano tenuti a prestarsi servigi reciproci e disponevano di «centri commerciali» e precisi collegamenti lungo itinerari ben determinati. Troverei naturale che i vichinghi di cui non mi stanco di mettere in primo piano le attività commerciali, disponessero di «catene» di questo genere, che esistevano assai prima del secolo. Infatti, mettendo da parte l'immaginazione romantica, non è chiaro come sia possibile che il piccolo commerciante partito da Uppsalir o da Nidharós potesse, da solo, senza sostegni

[5] Il lavoro migliore sulle gilde (singolare *gildi*) resta quello di A.O. Johnsen, *Gildevaesenet i Norge i middelalderen. Oprindelse og utvikling*, in «Norsk Historisk Tidskrift», n. 5, V.

particolari, dedicarsi al commercio lungo itinerari così pericolosi (vedremo quante difficoltà incontravano i Rūs da parte dei Peceneghi) e casi lunghi e vari.

Tutto ciò per dire che il *bòndi*, il vichingo, non poteva essere in nessuna occasione un uomo solo. Nell'ambito della sua famiglia e del suo clan e, su più vasta scala, in quello del distretto o del *land* dove viveva (sul termine *land* siamo, comunque, assai poco informati) disponeva di una libertà solo relativa. Uno dei paradossi di queste società, visibilissimo alla lettura di una qualsiasi saga, è proprio che esse riconoscevano i loro eroi come personaggi di fortissima personalità, ma li costringevano a piegarsi alle regole della comunità. Non abbiamo ragione di pensare che, su questo punto preciso, le saghe non abbiano restituito una mentalità esatta.

Analogamente, gli stessi testi mi aiuteranno a battere in breccia un altro pregiudizio diffusissimo. La società vichinga non era esclusivamente «maschilista» e in essa non contavano solo i valori virili. È naturale che questi fossero privilegiati: ci troviamo nei secoli IX, X e XI. Sarebbe anche assurdo fare della donna scandinava di quei tempi – sulla base di qualche fantasticheria wagneriana relativa alla figura della valchiria – un'antesignana del nostro Movimento di liberazione della donna. Ma è anche arbitrario far sparire completamente il ruolo della donna dietro quello, torreggiante, del supermaschio vichingo. In altri termini, va detta almeno qualche parola sulla condizione della donna in questi paesi che oggi sono diventati la punta avanzata del femminismo più rumoroso.[6] Non vogliamo cadere negli er-

[6] Cfr. in proposito R. Boyer, *La femme d'après les sagas islandaises*, in «Boréales», dicembre 1991.

rori, analoghi e contrapposti, del superuomo nordico e della *virago* cara a Tacito. In entrambi i casi, poi, è evidente che il peccato maggiore che si possa commettere è quello di anacronismo. La sposa del *bòndi*, la *hùsfreyja* – la gran dama che, però, rappresenta solo un'esigua minoranza – godeva di uno statuto sociale assolutamente privilegiato indicato dalle chiavi che portava alla cintola. Non aveva diritto di promuovere una causa ed era esclusa dai pubblici affari più per ragioni di ordine fisico, almeno secondo la *Saga di Snorri il Godhi* – per ottenere giustizia assai spesso bisognava associare la forza alla legge – che per considerazioni di inferiorità sostanziale. Però, come abbiamo visto nel Prologo, con un matrimonio abilmente stipulato poteva aumentare notevolmente la sua ricchezza nel caso in cui avesse deciso di divorziare, circostanza che però si verificava abbastanza di rado.

Ma a colpirci è soprattutto la sua autorità morale. Ho scritto che era l'anima di una società nella quale il marito non era che il braccio. Infatti era la custode delle tradizioni familiari – sue personali e del marito – e le inculcava ai figli. Era lei a difendere l'onore del clan, a chiamare gli uomini della sua famiglia a esercitare i loro diritti di vendetta in caso di oltraggio con gesti altamente simbolici o frasi di intollerabile sarcasmo. Ciò può culminare in situazioni che potremmo dire alla Corneille *ante litteram* che rappresentano la specialità delle grandi eroine dell'*Edda poetica*, quali Gudhrùn Gjùkadòttir, stretta fra la necessità di vendicare i fratelli e quella di ottenere giustizia per il marito (rileviamo che in genere queste eroine si mantenevano fedeli alla legge del loro clan). È possibile che la scienza delle genealogie ripetute a memoria della quale era depositaria ne abbia fatto l'iniziatrice della poesia e che la sua intima frequentazione degli antenati, che presuppone una sorta di culto dei morti, spieghi il suo rapporto privilegiato con la magia: infatti magia e stregoneria erano spesso appannaggio delle donne.

Nella società scandinava, anche ben prima dell'epoca vichinga[7] la donna, pur non partecipando né al *thing* né alle battaglie, godeva di molta considerazione: questo ci sembra attestato. Le saghe di contemporanei, ad esempio, attestano che essa non era mai ritenuta un puro oggetto di piacere, che godeva di rispetto e che i suoi consigli erano sempre ascoltati. Infatti era signora incontrastata *innan hùss* (all'interno della casa) e più precisamente *innan stokks*, aldilà del trave della soglia (*stokkr*) che delimitava giuridicamente il territorio domestico. Al di fuori di quel trave (*ùtan stokks*) ci troviamo nel territorio dell'uomo cui spettavano il lavoro all'esterno e la sua gestione, le iniziative di carattere politico (*thing*), bellico ed economico. Ma *innan stokks* era la *hùsfreyja* a regnare e nessuno le contestava questa prerogativa nonostante la presenza delle concubine che questa cultura accettava. Esse, però, non avevano alcun diritto legale all'eredità e i loro figli non erano legittimi. Alla sola padrona di casa, dunque, coadiuvata da un gruppo di domestiche spesso molto numerose, spettava di provvedere all'approvvigionamento, alla preparazione del cibo, alla gestione complessiva della casa, di allevare ed educare (o far educare) i bambini che in genere erano molti, figli suoi e figli di amici o di conoscenti che accoglieva temporaneamente secondo il costume del *fôstr* (si veda p. 170). Inoltre provvedeva ad alcune attività della fattoria che le compete-

[7] Si veda R. Bruder, *Die germanische Frau im Lichte der Runeninschriften und der antiken Historiographie*, Walter de Gruyter, Berlin 1974.

vano specificamente, come la lavorazione del latte, e si occupava dei poveri e dei miserabili che erano certamente una delle piaghe dell'epoca. Nei momenti liberi, che non dovevano essere molti, tesseva, ricamava. È facile immaginare che le sue giornate dovevano essere sempre pienissime, ma è altrettanto certo che dovesse essere apprezzata e ammirata dalle piccole collettività familiari in seno alle quali agiva. Basterà rileggere la *Saga di Njåll il Bruciato* per constatare la venerazione, il profondo rispetto tributati a un personaggio come Bergthòra Skarphedhinsdòttir.

Naturalmente Bergthòra era quella che si potrebbe chiamare una gran signora, nell'ambito di questa società, come tutte le protagoniste delle saghe per le quali valgono le stesse osservazioni che abbiamo fatto poco più sopra a proposito del *bòndi*. Della donna del popolo, della «scandinava media» del X secolo, non sappiamo niente. Non abbiamo però ragione di pensare che la sua sorte fosse molto diversa da quella dei grandi personaggi femminili delle saghe. Nel complesso i documenti di cui disponiamo inclinano a farci credere che le donne scandinave avessero un posto più rilevante delle loro consorelle più occidentali o meridionali.

Bisogna anche dire qualcosa dei poveri cui abbiamo prima accennato. I paesi scandinavi non erano ricchi ed è stato osservato che questa «scarsità» era una delle cause principali delle spedizioni vichinghe. Abbiamo già sottolineato il forte senso comunitario di queste società. I poveri (*fåtœkisfö lk*) e gli indigenti (*ùmagi*, letteralmente chi non può provvedere ai propri bisogni) erano numerosi e gravosi. Ma la collettività non se ne disinteressava e siamo informati su di loro grazie ai codici giuridici e alle saghe. Esisteva un sistema che sopravvivrà fino al nostro secolo, che consisteva nell'affidare, per un certo tempo, uno o più *úmagi* a una famiglia la quale poi li passava a un'altra e così di seguito. Non so se la specifica istituzione dello *hreppr* si applicasse in tutta la Scandinavia (è attestata solo per l'Islanda) e se esisteva già in epoca vichinga: è probabile che fosse nata dall'iniziativa della Chiesa e si era istituzionalizzata solo nell'XI secolo. In termini moderni potremmo dire che riassumeva le prestazioni dell'assicurazione sui rischi (in particolare l'incendio), della previdenza sociale e della pubblica assistenza. Limitiamoci però a notare che l'attenzione verso l'altro di cui rileveremo anche gli effetti negativi (lo «sguardo dell'altro») aveva aspetti positivi.

Non posso concludere questo rapido schizzo della composizione della società vichinga senza un cenno ai bambini, che erano, come lo sono ai giorni nostri, oggetto di una sollecitudine attenta anche se priva di sdolcinature. Le saghe – caratteristica non frequente nella letteratura dell'Occidente medievale – spesso si attardano a descriverne i giochi e gli interventi nella vita degli adulti. La loro condizione era del tutto effimera: si diventava «adulti» a dodici, al massimo a quattordici anni, a seconda dei luoghi e delle epoche e a quell'età il giovane doveva assumersi subito tutte le responsabilità connesse a tale condizione. Eppure in quei testi certo non teneri e talvolta «neri» che sono le saghe, spesso il lettore può rasserenarsi sentendo rievocare, incidentalmente, un ragazzino o una bambina che giocano con giocattoli (per esempio, animaletti di metallo) simili a quelli dei ragazzi di tutti i tempi.

IV

La vita quotidiana a terra

L'habitat

Le scoperte archeologiche sia in Scandinavia sia nei territori più o meno direttamente colonizzati dai vichinghi ci permettono di farci un'idea abbastanza precisa del modo in cui abitavano le popolazioni del Nord.

Il principio resta lo stesso, si tratti di siti scandinavi propriamente detti (come Birka o Hedeby) o di insediamenti nelle zone di espansione dei vichinghi (quali Jarslhof nelle Shetland o Ribblehead nello Yorkshire o, soprattutto, Stöng[1] in Islanda): l'unità abitativa era costituita dalla fattoria (*bœr*) composta di una molteplicità di edifici delimitati da muri obliqui o incurvati, fatti di blocchi di torba disposti a strati alternativamente inclinati a destra e a sinistra (vestigia particolarmente interessanti si trovano in Islanda). Ciascun edifi-

[1] Essa è ricostruita con eccezionale completezza a partire dagli studi di Hördhur Agùstsson, fra i quali citiamo *Hér stò dh baer. Likan af thjò dhveldisbae*, Reykjavik 1972, con disegni e piantine convincenti. La fattoria è stata ricostruita *in loco*.

cio aveva un impiego particolare. Gli esseri umani vivevano nella *skåli* o *stofa*, l'edificio principale, di dimensioni varie e di forma rettangolare. La fattoria di Stöng, ad esempio, disponeva di una *skåli* lunga dodici metri e larga quattro se si considerano solo gli edifici veri e propri, a cui si accedeva attraverso una stretta galleria su cui potevano aprirsi vari edifici adiacenti ai quali si arrivava percorrendo esigui corridoi. Non c'erano finestre, ma solo feritoie chiuse da frammenti tesi di intestino di maiale. Né camino, che era sostituito da un semplice foro praticato nel tetto, da cui usciva il fumo. Al centro della *skåli*, un focolare longitudinale di alcuni metri serviva a scaldare, a illuminare e a cuocere i cibi quando alla *skåli* non si affiancava un locale apposito per la cucina (*eldhù*, *eldaskåli*). Una struttura di travi delimitava due spazi paralleli lungo le pareti longitudinali che erano di solito rivestite di intonaco contro l'umidità.

Questi spazi erano occupati da panche, dotate di un coperchio che si poteva sollevare, al cui interno si riponevano i panni del letto. La panca serviva da sedile di giorno e da letto durante la notte se la *skåli* non era dotata, come spesso accadeva, di alcove (*lokrekkja*). In mezzo a ciascuna delle file di panche stava un sedile sopraelevato (*öndvegi*), sul quale potevano sedersi più persone e che era riservato al padrone di casa. Di fronte a esso c'era un altro sedile riservato a colui o a coloro che il padrone di casa voleva onorare particolarmente. Il sedile elevato, che certamente in origine aveva valore giuridico-religioso, era oggetto di cura e rispetto. La sua spalliera era scolpita con immagini di dei, almeno secondo quanto ci narra il *Landnåmåbok*.[2] Talvolta in fondo

[2] Si veda la traduzione francese, Mouton, Paris 1973, pp. 114 ss. e 121.

alla *skåli* sorgeva una specie di podio riservato alla padrona di casa e alle donne.

Praticamente non esistevano mobili: forse uno o due armadi a muro d'angolo dove si riponevano i viveri, soprattutto pesce secco. I tavoli erano mobili: consistevano in una tavola di legno articolata su due piedi che si piantavano a terra al momento del pasto – ma non sempre. Il suolo della *skåli* era di terra battuta talvolta coperta, ma solo parzialmente, da una specie di pavimentazione (*gòlf*). L'illuminazione era fornita da lampade costituite da un lungo e sottile paletto di ferro attorto nella parte alta che veniva piantato a terra e culminava in un recipiente semisferico dove bruciava del sego o dell'olio di pesce. La luce che emanava da quelle lampade non doveva essere granché viva. Lunghe catene pendevano dalle travi del tetto sostenendo le pentole disposte sopra il fuoco, che si otteneva strofinando fra loro delle selci incastrate in appositi sostegni.

Sulle panche erano disposte pelli e pellicce, talvolta di grande pregio, che erano oggetto di orgoglio da parte del padrone di casa e anche begli arazzi come quelli, particolarmente ben conservati, che si possono ammirare al Museo nazionale di Reykjavìk e al Museo di Cluny, a Parigi, e che decoravano anche le pareti. Lo scaldo Ulfr Uggason descriverà amorosamente un arazzo di questo tipo presso Òláfr il Pavone, nel X secolo.[3] Questi arazzi pongono parecchi problemi di stile a proposito, ad esempio, del punto con cui sono eseguiti, detto «punto a occhio», *augnasaumr*

[3] Nella *Hùsdràpa*, fine del X secolo. Òláfr il Pavone è uno dei principali personaggi della *Saga del popolo della Valle del Salmone (Laxdoela saga)*, tradotta nelle *Sagas islandaises*, cit.

in islandese moderno e «punto algerino» in francese. Così come nelle decorazioni dell'intonaco a Flatatunga, in Islanda, dove si è osservato che quest'opera originale denunciava evidenti tratti di ispirazione bizantina.[4] Alle pareti pendevano anche armi di pregio, belle spade, asce con le punte lavorate o quegli splendidi scudi istoriati descritti con grande diletto dagli scaldi (come nella *Ragnarsdràpa* del norvegese Bragi Boddason).

L'edificio principale era dunque distinto da tutta una serie di altri edifici ai quali poteva essere raccordato da strade pavimentate o coperte di lastre di legno, attraverso gallerie coperte come a Stöng; sembra però che questa struttura sia stata introdotta solo alla fine dell'era vichinga. Talvolta nelle «fattorie» più importanti gli edifici secondari erano una decina e comprendevano ovile, porcile, stalla, latteria, laboratorio per la fonderia, hangar per le imbarcazioni, granaio, dispensa ecc., e i gabinetti che erano sempre situati a una certa distanza dalla *skàli*. Nei complessi particolarmente raffinati c'era anche un padiglione riservato alle donne (*skemma*). Ma in generale rispetto alla *skàli* (o *stofa*, perché fra le due la distinzione non era sempre nettissima) erano isolati solo il locale per la lavorazione del latte, uno spazio per il bestiame e per conservare una riserva di foraggio e il laboratorio di fonderia, oggetto delle cure del padrone di casa perché là si costruivano e si riparavano gli attrezzi essenziali, con i tre strumenti di base, antichissimi e non molto mutati nel tempo:

[4] Si veda Selma Jònsdòttir, *Dòmsdagurinn i Flatatungu*, Reykjavìk 1959. Un'eccellente riproduzione di un particolare di questi rilievi si può trovare in B. Almgren..., cit., p. 104.

martello, molle e una piccola incudine fortemente affilata a un'estremità.

La dimora così delineata rappresentava soltanto un tipo di abitazione, pur largamente maggioritario. Il Nord conobbe anche case quadrate con una corte interna, con edifici a pareti lunghe e curve e il tetto che evoca irresistibilmente l'immagine di una nave rovesciata sostenuta da una serie di travi oblique come a Trelleborg in Danimarca. Questo tipo di tetto in generale era di assi di legno coperte di zolle erbose di torba. Nel *Peer Gynt* di Ibsen ancora ritroviamo quei tetti bassi sui quali talvolta salivano i montoni a pascolare.

In questo campo come in molti altri dobbiamo concludere che i vichinghi non hanno fatto altro che perpetuare abitudini e tradizioni anteriori. Tratteremo a parte i bagni, o più esattamente le saune, che erano molto apprezzate. Il Medioevo non fu l'epoca sporca e priva di igiene che molti pensano e il Nord non faceva eccezione in proposito. Le saune occupavano talvolta un edificio speciale o *badhstofa* (termine che ritroviamo nella forma contratta dello svedese moderno *bastu*; ricordiamo che *sauna* è invece un termine finnico) ma questo non avveniva sempre: per ottenere lo stesso effetto bastava far scaldare nel focolare della *stofa* qualche pietra sulla quale si versava dell'acqua. Tale pratica, e la stanza dove aveva luogo, erano certamente le preferite perché nell'islandese moderno il termine *badhstofa* finirà per significare «salotto».

L'habitat non era quasi mai a gruppi di case, tranne che in qualche centro amministrativo e soprattutto commerciale: quindi il *bœr* rappresentava l'unità di base dell'insediamento umano nel Nord. Il villaggio, e *a fortiori* la città, erano ignoti tranne che in Danimarca dove, per il contatto naturale con il continente, era più sentita la spinta ad allinearsi alle usanze straniere. Per questo il *bœr* costituisce anche una unità giuridica: è il luogo dove risiede legalmente un *bòndi* con la sua famiglia, quindi un *hýbýli*. Esso ha anche valore religioso. Parlando della padrona di casa ho già osservato il valore tra il giuridico e il religioso della trave della soglia, *stokkr* o più esattamente *tréskjöldr*. Sono fra coloro che pensano che il Nord non ha mai avuto veri e propri templi nonostante le affabulazioni compiacenti che ci propongono le saghe scritte nel XIII secolo (come la *Saga di Snorri il Godhi*) e le testimonianze frequentemente invocate di Adamo di Brema a proposito del grande tempio di Uppsala in Svezia: Adamo non ha visto ciò di cui parla e scrive come se riferisse le affermazioni di un testimone oculare.

Da parte mia credo che il *bœr* fosse sacro, giuridicamente e religiosamente, nella misura in cui è possibile operare una distinzione netta fra i due avverbi in questa cultura in cui il diritto era fondato sulla religione ovvero la religione legittimava il diritto. Ciò è riscontrabile, per esempio, nell'esistenza del *tún* o territorio campestre inviolabile che si estendeva di fronte all'ingresso della *skáli* dove veniva ingrassato l'animale – cavallo, bue e soprattutto maiale – che sarebbe stato sacrificato alle feste del solstizio d'inverno (*jól*); in epoca cristiana il *tún* sarà consacrato a un santo; e poi nel carattere inviolabile del *gardhr*, la recinzione costituita in generale da un muretto di pietra o da blocchi di torba che circondava la totalità degli edifici del *bœr*. Spostare il *gardhr* rappresentava un sacrilegio come dimostra la *Saga di Glúmr l'Uccisore* che si sviluppa interamente a partire da un simile atto di violazione.[5] Inoltre abbiamo già fatto notare che lo *húsbòndi*, il

[5] *Saga di Glúmr l'Uccisore*, in *Sagas islandaises*, cit., cap. VII, p. 1066.

padrone di casa, faceva certamente da sacerdote-sacrificatore nell'esecuzione dei riti principali. A questo fine a tempo debito il *bœr* – in particolare la *skåli* – veniva temporaneamente promosso a tempio e il sedile elevato del padrone di casa segnava il luogo dove si eseguiva il rito. Gli scavi accurati effettuati nel terreno dove si supponeva sorgesse il «tempio» di Uppsala hanno portato alla luce solo dei fori di inserzione per le travi che delimiterebbero uno spazio troppo esiguo per un tempio vero e proprio, ma giusto per il sedile di un padrone di casa. Lo scaldo islandese Sigvatr Thórdharson nell'XI secolo osserva che in una fattoria svedese gli venne un giorno rifiutata l'ospitalità perché il padrone di casa stava facendo un sacrificio agli elfi.[6]

Questo era il *bœr*, normalmente. Sarebbe falso però dire che fosse davvero un'entità autarchica. Il rigore del clima e il numero limitato degli abitanti imponevano la mobilitazione di tutte le braccia disponibili, in un territorio abbastanza vasto, per i lavori principali quali la mietitura e la raccolta del fieno. Il *bòndi* comunque cercava, per quanto possibile, di assumere la maggior parte delle attività indispensabili all'interno della famiglia.

L'abbigliamento

Il vichingo ricordava certamente nell'aspetto la maggior parte dei suoi contemporanei di altri paesi e non corrisponde all'immagine di maniera che ci facciamo abitualmente

[6] Gli *Austrfararvlsur* di Sigvatr sono tradotti da Pierre Renauld-Krantz in *Anthologie de la poésie nordique ancienne*, pp. 237 ss.

di lui. È importante innanzitutto che il lettore se la senta di «mandare in soffitta» tutte le immagini tratte dai film americani e dai fumetti sull'argomento.

Il vichingo in casa portava, a seconda delle regioni, pantaloni che potevano essere o lunghi e sciolti come i nostri, o aderenti come i pantaloni da sci o a sbuffo come i pantaloni alla zuava dei ragazzi di una volta; di sotto portava mutande di lana lunghe. Il busto era coperto da una tunica che scendeva a metà coscia, stretta in vita da una cintura di cuoio talvolta arricchita da placche di bronzo istoriato. Poteva portare anche una specie di camicia con lo scollo quadrato e a maniche lunghe. In testa, un berretto di feltro o di lana o un qualsiasi copricapo di feltro. Ai piedi, calzature fabbricate con un pezzo unico di cuoio ingegnosamente ripiegato sul collo del piede e tenuto fermo intorno alla caviglia con un cordoncino; talvolta era rafforzato da una suola. Portava pesanti muffole (guanti senza dita) di lana o feltro. Come ho spiegato, i pantaloni potevano essere ampi e pieghettati un po' come i nostri pantaloni da golf o quelli del costume tradizionale cretese. Sopra la tunica il vichingo portava una specie di mantello fatto di un pezzo solo di tessuto, senza maniche, fissato sopra la spalla destra o appena sul davanti rispetto a essa con una fibbia ovale di cui gli archeologi hanno trovato moltissimi esemplari. Questo mantello lasciava libero il braccio destro che doveva poter afferrare facilmente la spada appesa alla cintura, sul fianco sinistro; lo si poteva anche ripiegare in modo che il lembo libero potesse essere trattenuto dalla fibbia quando chi lo portava doveva montare a cavallo. In generale il vichingo portava la barba intera, ma non necessariamente: non disdegnava però di intrecciarla e dedicava grandi cure alla sua lunga capigliatura. In generale il suo abbigliamento ricordava nei tratti principali quello dei samoiedi (lapponi) dei nostri giorni.

Sua moglie vestiva con la stessa praticità. Naturalmente erano ancora sconosciute le sottovesti nell'accezione attuale del termine. Il capo principale era una veste lunga – che poteva avere le maniche di varie lunghezze – di lana pieghettata, che si apriva su ciascuno dei seni per permettere l'allattamento: la donna era infatti incinta praticamente lungo tutto l'arco della sua età feconda. Questo gesto era possibile grazie a due fibbie ovali o rotonde, identiche, che spesso erano oggetti molto graziosi, di metallo prezioso e lavorato artisticamente. Sopra questa veste portava una specie di grembiule fatto di un pezzo di tessuto prezioso, rettangolare e ricamato, che poteva essere unico o consistere di due lembi simmetrici o venire avvolto intorno al corpo. A questo grembiule erano attaccati, all'altezza del seno sinistro, gli accessori per il cucito. Alle braccia la donna vichinga portava braccialetti che spesso erano gioielli di gran pregio. I capelli a treccia, o a «coda di cavallo» oppure attorti in crocchia di solito erano coperti da un tessuto – una specie di foulard legato sulla nuca nell'acconciatura tipica della donna sposata. Si portava anche un grande scialle trattenuto sulla parte alta del petto da una spilla o fibbia forse di ispirazione bizantina – come altri elementi di questa cultura che intrattenne rapporti costanti con la città imperiale lungo l'itinerario detto «strada dell'Est»,[7] – e che poteva essere ampio e ricadente a punta sul dorso oppure aderente. Il lettore avrà ammirato l'estrema funzionalità dell'abbiglia-

[7] Questi itinerari sono descritti con maggiori particolari nel volume *Les Vikings...*, cit.

mento[8] e il suo carattere «tuttofare» che lasciava liberi i movimenti di chi lo portava, stesse egli pescando, lavorando la terra, forgiando i metalli. Inutile aggiungere che d'inverno le vesti di grossa lana, soprattutto il panno particolarmente solido noto con il termine di *vadhmål*, e le pelli e le pellicce erano di uso comune. Secondo le saghe di contemporanei il vichingo teneva molto al suo abbigliamento: i ritratti «in piedi» non sono frequenti, in questi testi, ma essi descrivono sempre con attenzione minuziosa l'abbigliamento; non erano ignoti i personaggi eleganti, dandy *ante litteram*.

Tutti i capi di vestiario erano di fabbricazione domestica. Infatti, descrivendo la *skåli*, ho volontariamente trascurato di ricordare il «mobile» principale, il famoso telaio verticale, che era di importanza fondamentale non solo per l'abbigliamento della famiglia ma perché il *vadhmål*, che vi si fabbricava con la lana dei montoni dal lungo vello, serviva abitualmente da moneta di scambio. Molte sentenze erano rese in aune di *vadhmål*, e in questa «moneta» bisognava versare molte ammende; più di una volta leggiamo di qualcuno che si imbarcava per andare «all'estero» (probabilmente «in spedizione vichinga») con un buon numero di balle di *vadhmål* che avrebbe usato come merce o come «moneta» per pagare le spese del viaggio. Il telaio ci viene descritto, in un contesto particolarmente macabro, nel bellissimo poema *Darradharljòdh* giuntoci all'interno della *Saga di Njåll il Bruciato*.[9] Era verticale e posato obliquamente contro il muro. I fili dell'ordito erano tenuti

[8] Il vichingo in armi sarà descritto più oltre, nel cap. V, pp. 124 ss.
[9] *Saga di Njåll il Bruciato*, cap. CLVII. Si veda la traduzione di questo testo nell'*Edda poetica*, Fayard, Paris 1992 e in *Sagas islandaises*, cit., pp. 1496 ss.

tesi con dei pesi, semplici pietruzze forate, mentre quelli della trama venivano infilati con una primitiva «navetta» azionata a mano e compressa da un follatoio altrettanto semplice. Per quanto ne sappiamo tutti, uomini e donne, indifferentemente, tessevano; forse accompagnandosi con canti particolari uno dei quali potrebbe essere proprio il *Darradharljòdh*. Il filo di lana si otteneva con la filatura con la conocchia e i fili della matassa erano attorti a mano con l'aiuto di un peso, una specie di cilindretto affilato ai due capi, che poteva essere di legno, di terracotta o di pietra e al quale veniva impresso un veloce movimento di rotazione. Allo stesso modo si filava il lino. Il *vadhmàl*, caldo, impermeabile ed eccezionalmente resistente, ha attraversato i secoli. L'attuale *ùlpa* islandese, una specie di casacca con cappuccio, è proprio di questo tessuto. Le tinte dominanti erano naturalmente quelle naturali, il beige, il marrone e il nero, ma il Nord non ignorava le tinture, ricavate là come altrove da conchiglie frantumate o erbe e piante. Ho osservato che i vichinghi dovevano essere sensibili al loro aspetto esteriore. È singolare come le saghe, che non esitano mai a dedicare pagine e pagine alla descrizione di un bell'uomo di bella corporatura, ben vestito e armato, dedichino in proposito meno attenzione alle donne delle quali lodano soprattutto l'incarnato e la chioma. Evidente è la predilezione per i tessuti preziosi: velluto, seta e soprattutto scarlatto. Un particolare dell'abbigliamento, un'acconciatura femminile (*faldr*) – che aveva la forma di una specie di corno di tessuto inamidato curiosamente ricadente in avanti – è uno dei punti di partenza di un'irriducibile contesa nella *Saga delle genti della Valle del Salmone*.

Ho già lasciato intuire che i vichinghi dovevano essere molto sensibili alle mode straniere. Avevano certamente appreso dai celti l'uso delle brache e termini evidentemente non norreni, come *kaprún* (cappuccio) o *kumpáss* (dall'italiano «compasso», per indicare lo scollo rotondo), denotano un'attenzione «vorace» alle abitudini degli stranieri.[10] Snorri Sturluson che, da vero Sturlungr qual era, sembra avere nutrito una predilezione particolare per quel genere di situazioni non si lascia sfuggire occasione per descriverci nei particolari l'aspetto dei «bei» re, per lo più vichinghi, come Haraldr lo Spietato e Óláfr Tryggvason.[11]

L'anno del vichingo

Mi sembra che il miglior modo di guardar vivere il vichingo nel suo quotidiano sia quello di tentare di ricostruire il suo anno. Qui mi fonderò essenzialmente su documenti islandesi, in particolare sulle affermazioni di Snorri Sturluson:[12] che valgono per latitudini molto elevate ma che possono estendersi più o meno a tutto il Nord.

Osserviamo innanzitutto che l'antico Nord conosceva propriamente solo due stagioni o semestri (*misseri*), l'estate e l'inverno e che calcolava il tempo non per anni ma per in-

[10] I due termini si trovano rispettivamente in *Ìslendinga saga*, cap. XCVI e in *Sturlu thattr*, cap. II, entrambi nella *Sturlunga saga*.
[11] Nella *Saga di Haraldr lo Spietato* e in quella di *Óláfr Tryggvason*, entrambe nella *Heimskringla* di Snorri Sturluson.
[12] Nei *Skáldskaparmál*, *Edda di Snorri*, cap. LXXVIII. Devo aggiungere che l'idea mi è stata suggerita da J. Simpson, in *Everyday Life in the Viking Age*, cit., cap. III, pp. 59 ss.

verni (Sturla aveva diciotto inverni quando si imbarcò per la Norvegia e vi trascorse tre inverni) e non per giorni ma per notti (il fatto si svolse tre notti prima della morte di X).

L'anno – il *misseri* d'estate – cominciava verso la metà di aprile, il mese del cuculo (*gaukmånadhr*) o tempo delle semine (*sådhtídh*) o dei lavori di primavera (*vårönn* o *vår*, primavera: il termine esiste nel linguaggio, come esiste «autunno», *haust*: entrambi però non servono al computo delle stagioni). Il disgelo è ormai avanzato o terminato, i corsi d'acqua stanno per liberarsi dei ghiacci e si comincia a sentire nelle foreste il verso del cuculo; è tempo di far uscire e portare ai pascoli il bestiame che era rimasto chiuso negli stazzi per almeno sei mesi nutrendosi talvolta solo di foraggio secco, un problema grave spesso rievocato dalle saghe. Poi il *bòndi* pensa ai campi; li ara con uno strumento elementare (*ardhr*) che venne poi sostituito, forse per influenza anglosassone, da un aratro a coltro e versoio (*plògr*), più moderno ed efficace. Al di fuori della Danimarca, del sud della Svezia e di una esigua regione meridionale della Norvegia (l'attuale Jaeren) le terre arabili erano rare in Scandinavia ed era impossibile l'aratura a fondo in quei terreni pietrosi. Il grano veniva sparso al volo come si vede nell'arazzo della regina Matilde a Bayeux: prima orzo, soprattutto in una variante precoce, che aveva il vantaggio di fornire farina con cui si poteva fare il pane e semi che, fermentati, entravano nella preparazione della birra; poi avena, poco grano, molta segale soprattutto in Islanda. Il suolo veniva erpicato con uno strumento primitivo noto da tempo immemorabile che è citato in uno dei poemi eroici dell'*Edda*. Il lavoro però non era urgente solo nei campi. Bisognava anche estrarre la torba con delle vanghe squadrate. I blocchi erano ammassati in muretti dove seccavano; essi servivano per riscaldare le case, per fare il rivestimento esterno delle pareti o come materiale da costruzione. Non bisogna dimenticare che i paesi del Nord a quei tempi erano in larga misura paludosi. Ancora in età cristiana una delle buone azioni spesso attribuite al morto al quale veniva innalzata una pietra runica commemorativa era di avere «fatto un ponte» fra un luogo e un altro, cioè di aver lastricato una via d'accesso all'interno di una torbiera o di una palude rendendola praticabile.

Veniva anche il momento di far legna che era impiegata per ardere e per moltissimi altri usi, pratici e artistici. Il legno era la materia prima fondamentale che entrava nella confezione di quasi tutti i manufatti dell'industria umana anche perché il ferro non era sempre di buona qualità. Proprio per questo, purtroppo, non abbiamo conservato tante testimonianze di questa cultura quante ne vorremmo: il legno è deperibile e soprattutto è facile preda del fuoco.

Comunque l'esordio della bella stagione era un periodo indaffaratissimo perché bisognava anche ricomporre tutte le ferite inflitte da un inverno sempre lungo e spesso rigidissimo. Si riparava tutto ciò che era stato danneggiato dal freddo, dalla neve, dal disgelo, si rifacevano i muretti e le recinzioni di confine. Buona parte del tempo se ne andava per spandere il concime per campi e pascoli. Bisognava anche provvedere a riparare l'imbarcazione per la pesca e per le future eventuali spedizioni della bella stagione.

Il ritmo si modificava intorno alla metà di maggio. Era l'*eggtídh*, il periodo in cui si raccoglievano le uova degli uccelli selvatici che costituivano un cibo apprezzatissimo.

Spesso si trattava di un'operazione pericolosa perché questi uccelli facevano il nido nei crepacci delle falesie a picco sul mare. Il «cacciatore» in questo caso doveva farsi calare lungo lo strapiombo con una corda alla quale imprimeva un moto oscillatorio. Si parla, nei nostri testi, anche di *stekkìdh* (da *stekkr*, che è il recinto degli agnelli, perché si svezzavano gli agnelli per insediarli in un recinto speciale) e di *löggardhsönn*, il periodo in cui si riparavano i «confini legali» che delimitavano un campo, una proprietà. Abbiamo detto, sulla base della testimonianza della *Saga di Glùmr l'Uccisore*, che spostarli era un grave delitto.

Era un periodo molto bello. Le paure e i rigori dell'inverno sembravano definitivamente lontani. Ai montoni si prestavano le cure più sollecite. Venivano alleggeriti della lana invernale e tutti si mettevano a tosarli con le cesoie. Abbiamo già visto quanto e come veniva utilizzata la lana. Poi, intorno alla metà di giugno, iniziava la transumanza, uso ancora molto praticato in Norvegia. Ogni fattoria che si rispetti possedeva in montagna una «dipendenza» che poteva essere di notevoli dimensioni, il *sel*, antenato del moderno *seter* norvegese (naturalmente ciò che diciamo non vale per le vaste regioni pianeggianti di Svezia e Danimarca). Buona parte della famiglia vi si trasferiva e vi trascorreva almeno due mesi con i montoni e una parte dei bovini. Nel *sel* si preparavano i latticini di lunga conservazione. Nelle regioni dove ciò non era possibile, si praticava in questo periodo la caccia al falco; specie particolarmente apprezzate di questo animale prosperavano allora nel Nord. Uno dei documenti più antichi a noi giunti in lingua francese in cui sia citato il termine «Islanda» riguarda proprio un accordo stipulato per l'acquisto di alcuni falchi.

Ricordiamo anche che questi paesi vivevano in stretta simbiosi con il mare e praticavano intensamente la pesca, mai però d'altura. I mari su cui si affacciavano, il Baltico e il Mare del Nord, erano molto pescosi a quei tempi, come i fiumi e i laghi: vi si pescavano aringhe, eglefini e soprattutto merluzzi, sia all'amo sia con le reti. Buona parte del pesce veniva consumato fresco, il resto veniva fatto seccare in quegli edifici particolari a forma di «V» rovesciata che ancora si incontrano in Islanda, poi riposto in dispensa. Più apprezzato era il prodotto della pesca alla balena e in generale ai grandi cetacei. Scarsissimi sono gli esempi di caccia organizzata. Ma accadeva spesso che le balene si arenassero a riva, fortuna inaspettata per la gente del luogo tanto che se ne occupavano addirittura le leggi. Nella maggior parte dei codici un capitolo speciale era dedicato al *reki*, termine che indica tutto quanto approda sulla riva. Esso avrebbe dovuto spettare al proprietario di quella porzione di riva ma le contestazioni non mancavano ed era soprattutto la sua suddivisione a costituire un *casus belli*. Per non tornare sull'argomento, osserveremo che probabilmente esistettero due vere e proprie stagioni di pesca: una d'inverno, una di primavera, fra aprile e maggio, più forse, occasionalmente, una d'autunno. Ma queste indicazioni valgono soprattutto per l'Islanda. Dovevano verificarsi spesso situazioni che ai nostri occhi sembrerebbero da «pesca miracolosa» come se ne verificano ai nostri giorni in certi fiordi della Norvegia.

Verso la metà di giugno cominciava il mese detto significativamente *sòlmànadhr*, il mese del sole. È indubbio che gli scandinavi abbiano dedicato all'astro del giorno un culto che risale ad antichità immemorabili. È probabile anche – poiché in antico norreno la parola *sòl* è femminile – che «la» sole abbia assunto nel Nord la figura della Dea Madre o della Grande Dea caratteristica di tutte le religioni pre-indoeuropee. Ma su questo torneremo. Chiunque abbia vissuto qualche anno a quelle latitudini comprende facilmente l'adorazione spontanea che si rivolgeva colà a un astro che non è mai duro, crudele o implacabile ma sempre dolce e benefico. Così il paganesimo celebrava certamente una grande festa per il solstizio d'estate sulla quale, però, abbiamo scarse informazioni.

Ora c'è molto meno da lavorare alla fattoria perché proprio alla metà di giugno, di solito, cadono due importanti avvenimenti.

Il primo era di ordine pubblico e politico: il raduno del *thing*, l'assemblea di tutti gli uomini liberi in cui si prendevano, in comune, tutte le decisioni di ordine legislativo, giuridico e commerciale che interessavano la collettività. Con il *bòndi* che già conosciamo e la *ætt*, la famiglia, esso era uno dei tre pilastri che sorreggevano la società vichinga: vi torneremo nel capitolo VII sulla vita intellettuale. Qui osserviamo soltanto che esso si teneva fra il nostro 15 e il nostro 30 giugno. Poteva durare anche di più a seconda dei temi trattati, come accadeva per l'*althing* degli islandesi, un'istituzione che però non risulta avere avuto corrispettivi in Scandinavia: infatti la società islandese formava un'unità strettamente delimitata dalle coste dell'isola. Abbiamo già detto che i paesi scandinavi continentali non avevano assolutamente coscienza di sé come entità territoriale: in queste regioni, a quest'epoca, i concetti di nazione, di stato e di regno all'occidentale non avevano alcun senso.

Insisterò solo su un punto: il freddo, le distanze (notevoli, in tutti questi paesi dalla superficie immensa, con popolazione limitata e dispersa, o costituiti da un enorme numero di isolette) facevano in modo che queste popolazioni soffrissero di un grande isolamento non sempre compensato dalla calda vita familiare cui abbiamo spesso accennato: perciò la Scandinavia era costantemente assetata di notizie e di novità. La metà di giugno era il periodo in cui arrivavano le navi provenienti dall'estero, in cui i grandi viaggiatori rientravano a casa. Tutti volevano sentirli parlare. Studieremo più avanti il *thing* come organo giuridico e religioso; esso segna però anche uno dei momenti forti della vita della comunità, è il luogo e il momento in cui ognuno emergeva dal suo isolamento.

L'altro evento ci tocca anche più da vicino. Giugno era il momento in cui il vichingo si imbarcava talvolta per grandi viaggi che lo conducevano ai confini del mondo allora conosciuto e talvolta al di là, ma più spesso per uno di quei peripli nel corso dei quali gli «affari» – transazioni, vendite e acquisti – si alternavano con scaramucce e talvolta fruttuosi colpi di mano. Di solito chi partiva restava fuori tre mesi col proposito di rientrare per l'inverno. Poteva anche svernare lontano da casa, ma questa eventualità era eccezionale. Forse le cose furono un po' diverse nel periodo di tentativi e prove che precedette il tempo della colonizzazione, fra il 900 e il 980 come abbiamo detto. Ma in linea di massima bisogna sottolineare che il vichingo partiva per far ritorno. Naturalmente una spedizione vichinga andava preparata ma purtroppo – soprattutto per gli amanti dei romanzi storici – siamo poco informati in proposito.

Le cose potevano andare così: un capo, un «re di mare» decideva di intraprendere una spedizione, che richiedeva navi, merci, un equipaggio numeroso. In nessun caso una avventura di questo tipo poteva essere improvvisata soprattutto da parte di uomini d'ordine e organizzati come gli scandinavi. Senza un grande sforzo di immaginazione dunque ipotizzeremo che l'allestimento fosse iniziato molto tempo prima, almeno sul piano materiale: c'era chi forniva il finanziamento alla spedizione, chi la nave (o una parte della nave in caso di *félag*), chi contribuiva con le pelli, l'ambra, le pellicce, il *vadhmål*, i viveri; chi offriva tre, quattro o cinque uomini (un banco di rematori, un timoniere, un uomo di sorveglianza al castello di prua), chi era in grado di trovare buone armi, un uomo che sapeva fare da interprete (che si diceva *tolk* in antico norreno ed è interessante che il termine derivi dall'antica lingua slavone) e uno che conoscesse a memoria itinerari, collegamenti e luoghi dove si poteva essere sicuri di trovare conoscenze in grado di informare la spedizione dei colpi di mano che si potevano tentare con profitto. E così di seguito... Solo quando tutti questi problemi erano stati risolti concretamente si poteva pensare a mettersi in cammino.

Consideriamo tutti i calcoli, gli sforzi di previsioni e i veri e propri rischi che questa impresa implicava. A me sembra che il momento più avventuroso della spedizione vichinga non fosse la sua esecuzione ma la sua preparazione. Infatti ancora una volta ripetiamo che essa presupponeva spese enormi, che nulla permetteva di prevederne il successo anche per i rischi che la navigazione comportava e che non saranno mai abbastanza sottolineati: il *knörr* non era, tutto sommato, altro che una barca senza ponti, che imbarcava acqua da tutte le parti, i naufragi erano frequentissimi: in conclusione, enorme era lo scarto tra il fine e i mezzi impiegati per ottenerlo. È qui fondamentalmente che va localizzato il vero «miracolo» vichingo.

Ma alla fine i problemi erano risolti, l'equipaggio radunato (di solito almeno una trentina di giovani), il materiale imbarcato con i viveri e si poteva partire. In poche settimane il gruppo giungeva a destinazione, se la spedizione ne aveva una precisa come avveniva di solito. Infatti non credo che quelle imprese fossero mai guidate dal caso e dall'avventura. Ci si dirigeva verso un preciso punto di caduta, era una questione di capi e, senza arrivare a specializzazioni precise come quelle dei vareghi svedesi che partivano per Bisanzio o dei vichinghi danesi che alzavano la vela verso quella Danelaw che porta il loro nome, o dei norvegesi che usavano dirigersi verso l'Irlanda del sud, è quasi sicuro che ogni navigatore conoscesse anticipatamente il suo itinerario e i suoi scali. Mi ha sempre colpito il fatto che la scoperta della Groenlandia e, se vi prestiamo fede, del Vinland sia dovuta al fatto citato espressamente dai testi con insolita unanimità, che i marinai erano stati spinti fuori rotta dal vento o dalla tempesta. Infatti le relazioni che due marinai (uno dei quali, Óttarr, era certamente un «vichingo») rivolsero al re Alfredo del Wessex – da lui aggiunte alla sua traduzione della *Historia universalis* dell'Orosio – sulle loro peripezie per il mar Baltico e il Mare del Nord ci convincono del fatto che seguissero itinerari ben definiti.[13]

Ma eravamo rimasti all'anno del vichingo. Eccoci a metà luglio. È un momento cruciale, è *heyannir*, il mese

[13] Questi racconti sono narrati *in extenso* nel mio *Les Vikings...*, cit., pp. 132 ss.

in cui bisognava tagliare il fieno, lavoro fondamentale che garantiva la sopravvivenza del bestiame nei lunghi mesi invernali in cui veniva rinchiuso e non poteva andare pascolando libero alla ricerca di cibo. Per quasi due mesi tutta la famiglia falciava, rastrellava, preparava pagliai dove il fieno si seccava e quindi lo riponeva nel fienile. Tutte le braccia disponibili erano chiamate al lavoro, comprese quelle degli ospiti di passaggio, persino se erano donne. Si può rileggere a questo proposito l'episodio di Thorgunna delle Ebridi della *Saga di Snorri il Godhi*, che è sempre attuale. Questa attività richiedeva più tempo e più fatica della falciatura del raccolto propriamente detto che secondo Snorri Sturluson dava il nome al mese successivo fra la metà di agosto e la metà di settembre, *kornskurdharmånadhr*, letteralmente il mese in cui si taglia il grano. La denominazione certamente più antica di *tvì månadhr* (mese doppio) con cui si indicava il periodo dalla metà di luglio alla metà di settembre illustra chiaramente la sovrapposizione di questi compiti fondamentali, raccolta del fieno e mietitura.

Siamo così alla metà di settembre, *haustmånadhr*, letteralmente il mese d'autunno, che segna la fine del *misseri* d'estate. C'era tanto da fare: innanzitutto radunare il bestiame, soprattutto i montoni che si disperdevano su spazi spesso molto vasti (di cui si trova un'eco emozionante e pittoresca nel lungo racconto *Avent* di Gunnar Gunnarsson, del 1937). Prima di essere lasciati liberi erano stati marchiati: bisognava ora radunarli nello spazio pubblico o *rétt* dove venivano divisi, operazione che non sempre era del tutto pacifica, e poi fatti rientrare. Si procedeva quindi alla macellazione in funzione dei bisogni della famiglia e si dava l'ultima mano alle riserve di fieno mentre, per gli umani, le provviste di carne salata completavano quelle di pesce secco. Si scavavano a terra delle buche che venivano coperte di tronchi nelle quali si depositava la carne con della neve che subito gelava, prima versione conosciuta della moderna surgelazione. Il «mese d'autunno» permetteva di trarre una specie di implicito bilancio dell'anno. Nei tre paesi continentali era anche il periodo della caccia, una delle maggiori distrazioni di quei popoli, che si praticava con l'arco e con lo spiedo e con cani appositamente addestrati. Essi collaboravano a cacciare l'alce, la renna, vari tipi di cervidi e l'orso e anche la selvaggina più minuta. L'Islanda non ha mai conosciuto questa pratica. Ma ovunque si cacciavano con impegno anche gli uccelli, di solito presi con le reti.

Verso la metà di ottobre iniziava il *misseri* d'inverno, il lungo periodo di notti lunghe e di freddo che ancor oggi, malgrado tutti i progressi tecnici, è così difficile da superare: era il *gormánadhr*, il mese più piacevole dell'anno, il mese conviviale per eccellenza. C'era carne in abbondanza, la birra era pronta; i *vetrnœtr* ai quali ho attribuito le nozze di Helga e di Björn si avvicinavano: era il momento delle visite. Gli inviti erano stati diffusi a tempo debito e i festeggiamenti duravano vari giorni anche senza che ricorressero eventi particolarmente importanti – come un matrimonio o un banchetto per un funerale – da celebrare. Gli invitati che venivano scelti con cura – soprattutto, a quanto dicevano le malelingue, in funzione delle loro possibilità di restituire gli inviti – non arrivavano mai a mani vuote. Bisognava fare grande attenzione al posto che si sarebbe assegnato loro perché i vichinghi avevano un senso orgoglioso e suscettibile delle precedenze; al momento della partenza gli ospiti venivano caldamente ringraziati, per essere venuti, con parole gentili ma anche con doni accuratamente scelti e venivano accompagnati per un tratto, sempre in funzione della loro importanza.

Successivamente si riparavano tutti i locali del *bœr* in modo che fossero in grado di affrontare i rigori dell'inverno. Il vento talvolta soffiava terribilmente in Danimarca e in Islanda, la pioggia e la neve infierivano nel nord della Norvegia e della Svezia. Bisognava pensare anche alle riserve di torba o di legna per l'inverno, che avrebbe fatto scendere una specie di «piccola morte» sulle attività all'esterno. Era possibile pattinare e spostarsi con le slitte e con i lunghi sci, ma il freddo era intenso e le tormente di neve spesso fatali.

I futuri mesi richiederanno perciò da parte nostra assai meno attenzione di quelli che abbiamo sin qui esaminato. Essi portano nomi antichissimi dei quali non è stato possibile interpretare il significato: *fermånadhr* o *ýlir* che inizia alla metà di novembre; *hrútmåmadhr* o *mörsugr* o ancora *jòlmånadhr* (dove è riconoscibile il termine *jòl*, l'attuale *jul*, il nostro Natale) che inizia alla metà di dicembre; *thorri*, dalla metà di gennaio e, un mese dopo, *gòi*. Gli ultimi due rimandano probabilmente ad arcaiche divinità della fecondità-fertilitá o della vegetazione: erano stati attribuiti ai due mesi più rigidi dell'anno a scopo evidentemente propiziatorio. Resta *einmånadhr* che chiudeva il *misseri* invernale, e dunque anche l'anno quale l'abbiamo suddiviso, alla metà di aprile. Ricordiamo che questa ripartizione corrispondeva alle fasi lunari e comportava dunque i ben noti scarti di tutti i calendari lunari. Un passo dell'*Íslendingabók* di Ari Thorgilsson il Dotto precisa che questo scarto fu compensato, quando fu fondata l'Islanda, con la creazione di un *sumarauki* (aumento dell'estate), cioè con l'istituzione di alcuni giorni in più che servivano a colmare il ritardo.

I mesi d'inverno rappresentavano un rallentamento delle attività della vita che si svolgevano all'esterno – anche se, ad esempio, si continuava a pescare sui laghi ghiacciati facendo un buco nel ghiaccio con uno strumento adatto e tuffando la canna con l'amo, come si usa ancor oggi – ma non per questo erano completamente oziosi e noiosi. C'erano innanzitutto i lavori da eseguire a domicilio per i quali fino allora era mancato il tempo. Si filava, si tesseva, si tagliavano e cucivano vesti, si facevano arazzi e si ricamava: attività che richiedevano pazienza e applicazione. Allora, come oggi, le scandinave amavano ricamare e lo facevano servendosi di telaietti di legno con quattro fori dove passavano i fili. Si dovevano poi costruire e riparare gli utensili di uso comune, lavori, questi, da carpentiere e da falegname. In quel periodo si preparavano anche i pezzi necessari alla costruzione delle navi e dei carri, delle slitte ecc. La sera durante le veglie che erano, naturalmente, lunghissime, si intagliava e scolpiva il legno. Così nascevano i begli stipiti e gli schienali dei sedili, le figure di prua delle navi e le decorazioni degli oggetti più vari come quelli che sono stati trovati nelle navi-tomba di Oseberg in Norvegia (IX secolo).

Gli *smidhir* si dedicavano alla loro arte nella fucina: spiegheremo più avanti di quali meraviglie erano capaci. Al di là delle qualità artistiche delle loro realizzazioni, essi fabbricavano anche serrature e chiavi di una complicazione e di una ingegnosità stupefacenti. È stato dimostrato che si basavano su modelli romani, ma ci voleva un sapere consumato per costruire un portamonete a scomparti in cui ogni scomparto corrispondeva a uno dei principali tipi di moneta in corso in Occidente in quell'epoca o la straordinaria bilancia per pesare le monete spezzate di cui sono stati trovati diversi esemplari che si poteva completamente ripiegare al momento del trasporto nei due piatti semisferici che entravano l'uno nell'altro formando una specie di scatola che si avvolgeva facilmente in un sacco di cuoio.[14] E mi limito ad accennare agli splendidi gioielli: spille, fibbie, collane e bracciali d'oro, d'argento, di bronzo conservati orgogliosamente nei musei scandinavi che sembrano spingere il metallo prezioso ai limiti delle possibilità della materia. Un solo esempio per tutti: la spilla rotonda in filigrana d'oro di Hornelund in Danimarca.

Era quello, naturalmente, anche il momento del gioco che i vichinghi adoravano se dobbiamo prestar fede alle testimonianze di ogni genere che lo dimostrano; il momento in cui si ascoltavano recitare gli antichi poemi, declamare le composizioni nuove, forse rievocare i ricordi degli antenati prossimi e remoti, riassumere le esperienze fatte negli ultimi viaggi; il momento in cui ci si sfidava in quei tornei di enigmi di cui ci parlano così spesso i poemi eddici. Mi riservo di descrivere questi aspetti nel capitolo VII dedicato alla vita intellettuale ma era utile renderci conto del loro posto nell'arco dell'anno, il che ci permette di comprendere come i mesi del *misseri* d'inverno non fossero né particolarmente cupi e tristi né inattivi.

[14] Disegno e ricostruzione particolareggiata in B. Almgren, cit., p. 175, foto 177.

Questo lungo periodo era interrotto opportunamente dalla grande festa di *jòl*, cioè la celebrazione del solstizio d'inverno, il cui rito si perde nella notte dei tempi. Non è difficile immaginare che in età remotissime il terrore di non veder più rispuntare il sole abbia provocato grandi riti propiziatori. Ancora in epoca vichinga in questa occasione si offriva un grande sacrificio (*blòt*) che non è stato possibile stabilire a chi fosse rivolto: alle divinità oscure che sovraintendevano al tempo stesso alla fertilità e al destino che venivano dette disi* (*dìsk*, da cui *dìsablòt*, sacrificio ai disi) o a personaggi celesti ancora più enigmatici, gli elfi (*àlfar*), creature forse aeree, certamente antiche, che i testi religiosi attribuiscono sia alla «famiglia» degli Asi sia a quella dei Vani, che reggevano le facoltà mentali e le funzioni vegetative e che ritroviamo ridotte a spiriti della natura nel moderno folklore e nella fiaba.

Il nome di questa festa, *jòl*, che è un neutro plurale non è stato ancora adeguatamente spiegato. La sua forma rimanda comunque a entità soprannaturali di tipo collettivo, come potrebbero essere, appunto, i disi e gli elfi. Una birra speciale, *jòlaöl*, veniva preparata per l'occasione e nel corso del grande banchetto che si celebrava in quei giorni si consumavano le carni dell'animale sacrificato che era un cavallo o più spesso un maiale ingrassato a questo scopo nel recinto sacro amorosamente allestito dinanzi alla *skàli*. Lo *julskinka*, il «prosciutto di Natale» che gli scandinavi usano consumare in questa occasione, ne deriva direttamente, così come i capri e gli arieti di paglia che decorano, sempre per Natale, ogni casa scandinava che si rispetti probabilmente derivano da un antico culto di Thórr che era ben altra cosa che una divinità marziale, come avremo modo di dire. Queste feste duravano parecchie settimane e il loro ricordo si ritrova nei festeggiamenti che durano da Natale al «tredicesimo giorno» (in svedese *trettondagen*, Epifania) dopo Natale.

Per il resto non è casuale che i mesi seguenti, *thorri*, in cui cadeva un altro grande sacrificio ancora festeggiato dagli islandesi, il *Thorrablòt*, e *gòi* fossero legati a divinità della vegetazione, tale era l'angoscia provocata dal freddo, dalla notte e dalla prolungata sterilità del suolo. Ma, ancora una volta, non dobbiamo vedere questo periodo dell'anno sotto un aspetto esclusivamente drammatico. Né immaginarlo come un tempo di pura clausura. La neve e il ghiaccio erano anche occasioni di divertimento per quei popoli «sportivi» e presentavano il vantaggio di rendere facili le traversate di zone paludose, lunghe e penose nella bella stagione.

Mangiare e bere

Nelle pagine precedenti abbiamo parlato molto di banchetti per sottolinearne l'importanza. Mangiare e bere bene erano certamente fra i massimi piaceri del vichingo come accade in tutte le culture rurali dove il cibo non è sempre abbondante né raffinato e nelle economie di penuria dove non ci si permettono certo scorpacciate tutti i giorni. Non che le provviste fossero particolarmente avare ma ci troviamo, tutto sommato, in paesi poveri dove i pasti quotidiani dovevano essere semplicissimi.

Si consumavano, innanzitutto, due soli pasti al giorno. Il primo era di gran lunga il principale, pratica che i paesi germanici hanno più o meno conservato, con le loro prime colazioni abbondanti. Era il *dagverdhr* o *dögurdhr* che si consumava a *dagmàl*, cioè verso le nove di mattina, conclusi i primi lavori della fattoria, in particolare il governo delle bestie. Il secondo, il *nàttverdhr*, l'equivalente del nostro pranzo, si consumava la sera, finiti i lavori della giornata, verso *nàttmàl* (alle nove di sera).

Colgo l'occasione per introdurre un rapido cenno al modo in cui si divideva la giornata.[15] Si confronti, qui sotto, il diagramma delle ventiquattro ore disposte secondo la posizione del sole e dei punti cardinali.

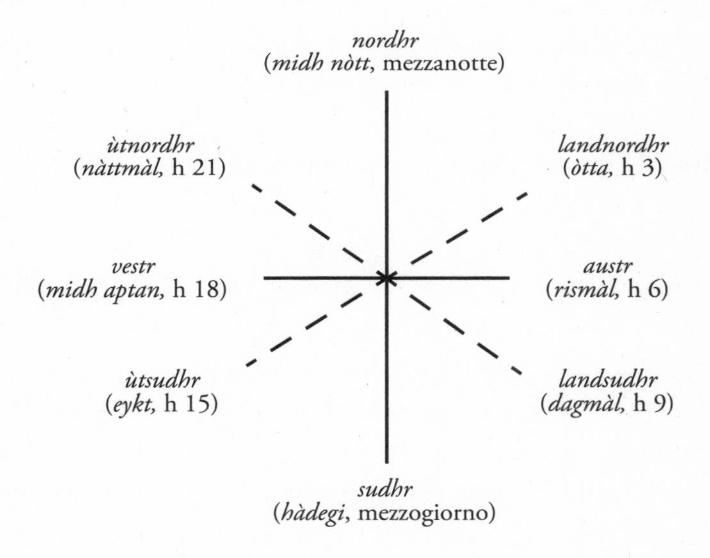

A seconda delle stagioni le ore indicate potevano variare fino a un'ora ma lo schema resta valido. Ci si alzava a *rismàl*. Non pare che le abluzioni mattutine rappresentassero la

[15] Il termine preciso è *dægr*, distinto dal più neutro *dagr*. Ho mutuato questo schema dal testo di V. Gordon, *An Introduction to Old Norse*, 2ª ed., 1957.

norma ma sappiamo che i vichinghi praticavano la sauna dove si recavano in generale il sabato, *thvåttdagr* (giorno del «lavaggio» e del bucato che si faceva con sostanze contenenti soda, come il liquame di vacca). Alle nove si faceva colazione e a mezzogiorno probabilmente si consumava un pasto leggero (che forse va spostato intorno a *eykt* che in epoca cristiana corrisponderà alla nona, verso le quindici). Non vogliamo dire che la giornata fosse suddivisa in parti di tre ore con assoluto rigore: le lunghe notti d'inverno e le lunghe giornate d'estate costituivano periodi in realtà ben più netti rispetto ai tempi di lavoro. Ma questo quadro ci è sembrato comodo.

Eravamo rimasti al pasto. Come dovunque, nel Medioevo, la padrona di casa confezionava una salsa densa, simile all'attuale ketchup, sempre pronta; i cibi «tuttofare» erano una specie di minestra densa, *grautr*, a base di cereali (che ricordava probabilmente il porridge inglese e il *gröt* scandinavo) che veniva accompagnata da «pane», in realtà gallette, cioè «pane croccante» (svedese *knäckerbröd*, norvegese *flatbröd*, con tutte le possibili varianti) d'orzo e di farina d'orzo ottenuta con una mola azionata a mano o nel mortaio. Esistevano anche mulini ad acqua (*mylna*) il cui nome però basta a dimostrare l'origine latina (*molina*). Su questo «pane» si spalmava del burro, che veniva sempre salato per facilitarne la conservazione e tenuto in mastelli o vasi che ne rendevano comodo il trasporto durante la navigazione. Il piatto forte era costituito dal pesce – più spesso secco (*skreidh*) che fresco – in genere bollito, talvolta cotto alla griglia e consumato con alghe anch'esse secche o verdure, come piselli o rape. La carne era piuttosto rara. Di norma probabilmente veniva prima battuta, poi bollita come si fa ancora in Europa centrale; sono stati portati alla luce dagli archeologi anche molti utensili per cuocerla alla griglia, alcuni dei quali pratici e originali come un lungo spiedo di ferro che termina in una spirale dello stesso metallo. Si usavano piatti, o più esattamente scodelle, di legno e ogni commensale aveva il proprio coltello e il proprio cucchiaio di legno o di corno. La forchetta non esisteva: era sconosciuta ovunque.

Piatti concavi di legno e taglieri dimostrano che non era ignota la pasticceria: si preparavano dolci con il miele delle api che si ricavava affumicando gli alveari. Si usavano in gran numero zuppe e decotti: un po' ovunque sono stati trovati caldaie marmitte e bollitori con mestoli dal manico lungo per mescolare i liquidi e servirli. I prodotti derivati del latte erano numerosi e vari. I principali erano lo *skýr*, una specie di latte cagliato del quale i vichinghi erano ghiotti (da non confondere con l'attuale *skýra* islandese, un formaggio fresco molto cremoso) e il *skýra*, siero di latte che costituiva la bevanda abituale. Il formaggio, *ostr*, certamente di capra, entrava nel *menu* vichingo ed era calato in uno stampo per dargli forma. In certi testi, visto che abbiamo parlato di *menus*, si trova l'elenco *slàtr*, *skreidh ok ostr*, carne, pesce secco e formaggio, indicativo delle disponibilità.

La frutta non era del tutto assente, anche se naturalmente non era abbondante né varia come nei paesi meridionali. I nostri testi citano solo le mele, in riferimento alla Danimarca e alla Svezia meridionale (anche se il termine *epli* si incontra spesso in contesti diversi riferito un po' a qualsiasi frutto: ma sono state trovate mele vere in alcune tombe), le nocciole e le noci, che hanno una parte di primo piano in certi miti, e soprattutto ogni specie di bacche (singolare *ber*) con le quali si preparava anche una soia di vino, *berjavin*. È evidente che la tavolozza di cui disponeva la padrona di casa per comporre i pasti non era illimitata. Divertente sarà, da questo punto di vista, lo sforzo che avrebbero fatto i traduttori-adattatori di testi cortesi, francesi o tedeschi, per presentare i cibi «esotici» di cui parlavano. Bisogna senz'altro ammettere che dal punto di vista gastronomico quei paesi non erano certamente raccomandabili.

Le nostre fonti, infatti, significativamente insistono assai più sulle bevande, sul bere, che sul cibo propriamente detto: il termine *drykkja* o *drekka* (il bere, la bevanda) spesso equivale a «banchetto». Più che della soddisfazione di un bisogno elementare si trattava, in questo caso, di un gesto conviviale la cui importanza è ben comprensibile in una società di tipo cellulare quale quella che abbiamo descritto, in cui l'ospitalità era di rigore. Non si «celebravano» uno *jòl*, un matrimonio, dei funerali, ma li si «beveva».

Detto questo, che cosa si beveva a parte l'acqua e il latte? Innanzitutto la birra, ma il termine *öl*, che la definisce, indicava prodotti diversi di malto, d'orzo, più raramente di luppolo fermentato e qualche volta arricchito con spezie. I testi non sottolineano sempre nettamente le differenze, ma questa bevanda viene chiamata in almeno tre modi: *öl*, *bjòrr* e *mungàt* ed era sempre conservata nei tini. La sua fabbricazione doveva essere una faccenda delicata e importante e talvolta era affidata alle cure di un «tecnico»: alcuni avevano fama di farla fermentare, altri no. Sembra che il termine *mungàt*, nonostante il significato letterale di «ghiottoneria», si dicesse soprattutto della birra di modesta gradazione mentre la *bjòrr* sarebbe stata più forte (gli *Alvìssmàl* sottolineano che così si chiama la birra presso gli Asi); *öl* era la birra molto forte, oppure la birra *tout court*. Il vino era importato e la sua fortuna fu esclusivamente letteraria. Il mito secondo il quale Óđhinn si sarebbe nutrito esclusivamente di vino è evidentemente simbolico, e richiama il significato del nome del dio (*óđhr*, ebbrezza, *furor* estatico). Ma la bevanda per eccellenza, tipicamente indoeuropea era l'idromele, *mjöđhr*, a base di miele come indica il suo nome in italiano. Dovevano esistere anche birre addizionate con miele e spezie e tutto fa pensare che spesso quando leggiamo *öl* dobbiamo intendere *mjöđhr*.

Tutte queste bevande però dovevano essere probabilmente forti e i vichinghi non sembrano avere retto facilmente l'ingestione di bevande alcooliche. Non solo l'ebbrezza era per così dire la conclusione obbligata di ogni banchetto, ma testi come la *Saga di Egill, figlio di Grímr il Calvo* non ci risparmiano particolari ripugnanti o truculenti su quei raduni. Si beveva in recipienti a corno, naturali o di metallo o legno, spesso decorati artisticamente, dipinti, incisi, arricchiti da piastre di metallo, che venivano disposti su supporti ingegnosi. I bicchieri, sempre senza calice, venivano importati soprattutto dalla Renania. Si usavano anche coppe senza piede, molto svasate, come indica l'arazzo della regina Matilde. Si trattava comunque di recipienti che era praticamente impossibile posare in tavola: bisognava vuotarli appena riempiti e ciò favoriva quell'ubriachezza di cui abbiamo parlato prima.

Esistevano riti di tavola che possiamo ricostruire in base a quanto ci narrano le saghe, soprattutto a proposito del modo in cui si beveva. In generale si beveva in circolo, e ognuno quanto il proprio vicino. Talvolta si beveva anche da soli in corni più piccoli. C'era anche l'abitudine di bere in due o fra uomini o fra uomo e donna e in questo caso le intenzioni dell'uomo erano chiarissime. In linea di massima il corno circolava in tondo o passava, a turno, da una fila all'altra dei commensali. In ogni caso, bere forte era ritenuto una grande prodezza, un vero eroe doveva saper vuotare molti corni senza posa,[16] a costo di vomitare, cosa in apparenza senza conseguenze. Il prestigio di cui godevano i grandi bevitori è documentato dalla *Saga di Egill* prima citata e soprattutto dalla divertente relazione che Snorri Sturluson fece del viaggio di Thórr presso Útgardhaloki.[17]

Non so se, nel complesso, il banchetto fosse più apprezzato per i cibi che vi si consumavano o per l'occasione che offriva di passare in compagnia parecchie ore, di conversare, cosa che doveva essere rara, di scherzare e di celebrare la memoria dei propri antenati. Nel capitolo sulla vita intellettuale (p. 294) è citata la relazione di un grande banchetto che si tenne a Reykjahólar in Islanda nel XII secolo: più che sul mangiare e sul bere – che non vengono commentati – l'autore richiama l'attenzione su aspetti che per noi sono oggi complementari al banchetto vero e proprio...

Spostarsi per via di terra

A questo punto, per completare il capitolo, dirò qualcosa sui sistemi di spostamento diversi dalla nave, che sarà studiata a parte.

[16] Si veda di R. Boyer, «Dans Upsal où les jarls boivent la bonne bière», *Actes du colloque de Rouen*, Rouen 1992.
[17] Capitolo XLVI della *Gylfaginning*, *Edda in prosa*.

I vichinghi si spostavano di solito a cavallo, che era il mezzo di locomozione per via di terra più diffuso. Vedremo, nel capitolo dedicato al tempo libero, quanta passione dedicassero a questo animale. A rischio, però, di deludere ancora una volta il lettore, non voglio fare dei vichinghi dei campioni di alta equitazione... I loro cavalli erano piccoli, simili a quelli che si incontrano ancor oggi in Islanda, di taglia intermedia fra il *pony* e il cavallo «normale». Una simile cavalcatura era di resistenza eccezionale e non aveva grosse esigenze alimentari. Aveva un passo particolarmente sicuro ed essendo di taglia piccola poteva essere imbarcato più facilmente. Quasi sempre si dimentica che le navi vichinghe trasportavano, oltre all'equipaggio, un buon numero di cavalli che servivano alle ricognizioni e ai colpi di mano improvvisi che erano la specialità di quei «guerrieri». L'arazzo della regina Matilde a Bayeux ci mostra come Guglielmo il Bastardo trasportasse i cavalli per sbarcarli al momento delle ostilità; essi venivano fatti sdraiare sul fondo dell'imbarcazione e legati strettamente, salvo che per le traversate con la bonaccia. Non si pensi del resto che fra la taglia del cavallo e quella del cavaliere ci fosse una disparità tale da diventare ridicola. La traduzione errata di un soprannome famosissimo in Francia va in questa direzione: si tratta di *Göngu-Hròlfr*, per i francesi Rollon, primo duca di Normandia che sarebbe stato così chiamato perché era tanto alto che non poteva montare a cavallo in quanto le sue gambe sarebbero strascicate a terra. In realtà quell'appellativo proviene da *göngumadhr*, vagabondo, camminatore, perché quel cavaliere era «senza terra» ed era costretto a spostarsi finché non avesse trovato finalmente una proprietà. Per tornare al cavallo vichingo e al suo cavaliere, ricordiamo che gli scandinavi erano forse alti rispetto ai loro contemporanei occidentali o meridionali ma non rispetto alle nostre categorie contemporanee e in ogni caso sarebbe addirittura assurdo paragonarli agli scandinavi del XX secolo. Non c'era quindi disparità flagrante fra il cavallo di taglia media e il suo cavaliere.

Questi cavalli potevano essere aggiogati a carri a quattro ruote. Ne è stato trovato un esemplare ben conservato nella nave di Oseberg (IX secolo, Norvegia). Il sistema di traino era molto ingegnoso: prevedeva attacchi che legavano il collare del cavallo al mozzo delle ruote; il timone era poco usato. Questi carri non potevano trasportare carichi molto pesanti ma erano utilissimi, anche per gli spostamenti delle persone. Lo stesso si dica delle slitte anch'esse trovate sulla nave di Oseberg, e fatte in modo da poter essere trascinate da cavalli. D'inverno naturalmente erano più pratiche dei carri. Dovevano essere trainate da due cavalli legati ai due lati di un timone e si suppone che il cocchiere montasse uno dei cavalli.

Avremo anche occasione di parlare degli sci a proposito degli sport dei vichinghi: ci limitiamo qui a dire che sono un'antichissima invenzione nordica probabilmente anteriore agli scandinavi e che evidentemente erano usati dai vichinghi con l'ausilio delle racchette.

V

La vita in mare

Era necessario insistere un po' sulla vita quotidiana a terra perché tendiamo troppo a identificare il vichingo con la sua nave senza renderci conto che, invece, questi vi trascorreva solo alcune settimane, al massimo qualche mese e mai di seguito: pochi giorni di traversata o di cabotaggio, poi sbarcava per svolgere le sue attività mercantili o per colpi di mano rapidi (*strandhögg*) o più elaborati. Sarebbe assurdo farlo vivere a misura di nave. Essa infatti, nonostante le straordinarie qualità tecniche, non doveva offrire ai suoi passeggeri grandi comodità.

Altre ragioni spiegano quanto abbiamo già detto. La nave vichinga (*knörr*, *skeidh*, *langskip*, *karfi*, *skúta* e talvolta *byrdhingr*) non era molto capace: imbarcava in media una quarantina di uomini con viveri, materiali e carico cui vanno aggiunti i cavalli, indispensabili per le ricognizioni a terra e le incursioni. Quegli scafi privi di ponte non potevano assolutamente servire da luogo di soggiorno appena un po' prolungato. La vita a bordo non doveva essere delle più facili e lo spazio disponibile era limitato al minimo.

Eppure è questa prestigiosa imbarcazione che non solo ha permesso, prima di ogni altra causa, lo sviluppo del fenomeno vichingo, ma ne ha garantito il successo duraturo. Sono più di mille anni che l'Occidente non ha smesso di estasiarsi rapito, e al tempo stesso spaventato, ma sempre appassionato di fronte alle imprese dei «conquistatori del mare». Ed è assolutamente esatto che tali imprese non avrebbero potuto avere luogo senza la nave cui dunque bisogna prestare seria attenzione.

Infatti non c'è dubbio che essa abbia svolto una funzione fondamentale, che abbia avuto da sempre un posto preponderante nell'universo fisico e mentale dello scandinavo. Uno sguardo gettato a caso su una carta geografica basta per rendersi conto della onnipresenza dell'acqua (dei mari, dei laghi, dei fiumi, dei fiordi, delle paludi) a queste latitudini e quindi della necessità assoluta di un mezzo di trasporto che trionfi su questo ostacolo. Non può essere un caso se i tetti delle case lunghe che abbiamo descritto avevano la forma di una nave capovolta né che a partire dall'età del ferro le sepolture collettive fossero segnalate da allineamenti di steli che visti dall'alto disegnavano la pianta dello scafo di una nave, o che, infine, intorno all'VIII-IX secolo (e certamente anche prima) i personaggi di maggior rilievo di questa società si siano fatti seppellire in nave, come a Oseberg: probabilmente ripercorrevano una tradizione già attestata nelle incisioni rupestri dell'età del bronzo (1500-400 a.C.) dove si osserva una nave di forma caratteristica, detta nave a pettine, che trasportava le anime dei trapassati. Uno dei più bei miti dell'*Edda*, il mito dei funerali di Baldr, il cui corpo depositato in una nave incendiata scompare al largo coincide benissimo con l'insieme di queste rappresentazioni. A proposito di mitologia, poi, non è sorprendente che questa religione conosca più di una divinità marina e che la nave si trovi al centro di molti miti. Tale mezzo di locomozione non può essere certamente sorto *ex abrupto* nell'VIII secolo proprio per soddisfare le ambizioni e i propositi dei vichinghi. Evidentemente esso deve avere avuto una lunga preistoria come attestano, se ce ne fosse stato bisogno, antenati come gli scafi di Nydam in Danimarca che risalgono a parecchi secoli prima dell'era vichinga e già presentano le caratteristiche principali del *knörr* o dello *skeidh*: hanno la bordatura montata a varea e hanno una forma assolutamente tipica con poppa e prua quasi simmetriche e presentano un remo-timone a tribordo di poppa, che è una delle trovate più geniali degli scandinavi.

C'era dunque qualche cosa di assolutamente naturale nel fatto che la nave sia stata in primo piano fra i pensieri dei vichinghi. La sua elaborazione esigeva, già un tempo, un'ingegnosità e un'abilità notevolissime. L'archeologia e documenti come l'arazzo della regina Matilde a Bayeux integrano utilmente i testi. Un esempio: Snorri Sturluson[1] racconta con amorosa attenzione, nella *Saga di Óláfr Tryggvason*, come il re Óláfr avesse fatto costruire il celebre Lungo Serpente, uno degli *knerrir* (plurale di *knörr*) più prestigiosi del mondo nordico. Il capomastro era un certo Thorbergr Skafhögg (nel cui nomignolo è implicita l'idea di un abile uso del coltello da carpentiere). Per una ragione che ignoriamo, Thorbergr dovette assentarsi a lungo proprio mentre veniva completata la bordatura. L'indomani del suo ritorno

[1] Nella *Heimskringla*, cap. LXXXVII. Si veda la traduzione francese a cura di R. Boyer della *Saga di Óláfr Tryggvason*.

si vide che il capodibanda era coperto di incisioni fatte con uno strumento in grado di penetrare nel legno di sbieco e perciò gli artigiani rifiutarono di continuare il lavoro. Il re, messo al corrente, convocò Thorbergr che confessò di essere l'autore di quel sabotaggio e riparò i danni provocati da quei colpi di sbieco (*skylihögg*) che aveva inferto egli stesso. L'episodio è ambiguo: forse il capomastro voleva dimostrare la sua insostituibilità. Ma il testo è prezioso per una ragione tecnica. Non c'è bisogno di scervellarsi per capire quale fosse lo strumento di cui Thorbergr si era servito per guastare il capodibanda della sua nave, così come per ripararlo: era una specie di accetta o pialla con manico come quelle che si vedono rappresentate nella sezione 35 dell'arazzo della regina Matilde e come ne sono state riportate alla luce in varie località. Si aggiunga a ciò il fatto che, soprattutto nel nostro secolo, scrupolose ricostruzioni effettuate in base a scoperte archeologiche norvegesi (Gokstad) e danesi (Skuldelev), entrambe esposte all'ammirazione dei visitatori e studiate minuziosamente dagli esperti[2] hanno permesso di ripercorrere le rotte dei vichinghi restituendo anche i particolari tecnici della loro navigazione.[3]

Così, paradossalmente, siamo meglio informati su questa imbarcazione che sul suo reale utilizzo. Ne abbiamo anche

[2] Il tema è vastissimo e ha dato luogo a una ricca messe di studi. Il miglior lavoro introduttivo è a mio parere la voce «Skibstyper» del *Kulturhistoriskt Lexikon f. nord. medeltid*, redatta dal migliore specialista vivente, Ole Crumlin-Pedersen, con una lunga bibliografia della quale ricordiamo soprattutto gli studi di A.W. Brøgger, A.E. Christensen, O. Olsen e O. Crumlin-Pedersen stesso (in «The Skuldelev ships», 1958 e 1967). In francese è interessante quanto è stato scritto nel numero 30, luglio 1987, della rivista «Le Chasse-marée», pp. 16 ss.

[3] Si veda la rivista citata nella nota precedente.

potuto ricostruire la lenta evoluzione a partire dall'antenato più remoto trovato a Nydam in Danimarca, che potrebbe risalire al IV secolo. È evidente – non fosse che per l'ampiezza del vocabolario nautico che l'antico scandinavo ha lasciato in eredità alle lingue europee – come questa nave abbia rappresentato per tre secoli (IX, X e XI) una specie di ideale. Con J. Graham-Campbell potremmo dire che «durante l'età vichinga e qualche tempo dopo la nave dominante nell'Europa nord-occidentale fu [di] tipo nordico: la nave vichinga nelle sue diverse forme».[4] Questo aspetto non può essere né attenuato né tanto meno taciuto: il vichingo è, innanzitutto, la sua nave. La sua nave è la ragione del suo successo finché sarà utilizzabile, in forza della sua plasticità ai bisogni. Appena essa, per diverse ragioni, divenne obsoleta i vichinghi furono superati con essa e si chiuse così un intero capitolo di storia. Qualsiasi seria ricerca sullo straordinario fenomeno della storia dei vichinghi non può fare a meno di concentrare l'attenzione innanzitutto su di essa.

La nave dunque fu al centro delle cure quotidiane del vichingo non solo perché ne sottendeva i progetti, i sogni e i ricordi ma, più piattamente, perché bisognava costruirla e ripararla continuamente non solo in vista di grandi imprese. Non sempre si trattava di imbarcarsi per traversare direttamente l'Atlantico o per andare da quella che sarebbe diventata Stoccolma a Bisanzio passando per il Baltico e la rete dei fiumi russi fino al Mar Nero. Non che tali viaggi, giustamente prestigiosi ai nostri occhi, non abbiano occupato i vichinghi, ma è abbastanza naturale che di solito essi abbiano atteso con estrema cura ad attività più semplici e

[4] *The Viking World*, cit., p. 43.

più urgenti: pescare, andare a caccia di animali da pelliccia, cercar legna nei boschi o semplicemente andare a trovare un amico o un parente. Per questi modesti e quotidiani spostamenti la nave era certamente il mezzo di locomozione più sicuro.

Esistevano del resto altri tipi di imbarcazione oltre allo *knörr* o *skeidh* o *langskip*. I tre termini sono sicuramente equivalenti se non intercambiabili, anche se teniamo conto della necessaria evoluzione per cui la nave di Gokstad (Norvegia) che risale al IX secolo presenta notevoli differenze di struttura rispetto a quella di Skuldelev 2 (XI secolo). La ricchezza del lessico che abbiamo già accennato è istruttiva, ma è anche importante osservare come dal più piccolo al più grande dei modelli a noi noti a qualunque destinazione fossero rivolti i principi costruttivi fondamentali restino identici. Non c'erano dunque differenze veramente radicali fra il *fœringr* – una delle scialuppe o barche trovate nella nave di Gokstad il cui nome significa che aveva quattro remi – e il grande *langskip* che poteva arrivare a 28 metri di lunghezza e a 4,5 metri di larghezza al centro. La denominazione della barca sulla base del numero di remi è abituale: *tȯlfceringr* sarà la barca a dodici remi, *threttȧnsessa* quella a tredici «sedili» cioè panche per rematori.

Dicevamo che la barca di Gokstad misurava 6,5 metri per 1,4; la *ferja*, che era una normale nave da pesca, 12 per 2,5; la *skůta*, un'imbarcazione da cabotaggio «tuttofare» 13,5 per 3,2 (è il relitto numero 3 di Skuldelev); il *karfi*, più veloce e certamente assimilabile a un *langskip* (letteralmente «lunga imbarcazione») 18 per 2,6. La nave di Skuldelev numero 1 sarebbe uno *skeidh* (16,3 per 4,6); quella di Gokstad uno *knörr* che potrebbe essere *la* vera e propria nave vichinga adatta sia ai commerci sia alle incursioni belliche. Non sono però certo che questa distinzione fosse assoluta: ritengo invece che, tranne rare eccezioni in uso forse presso i re, il termine *herskip*, letteralmente «nave da guerra», non si applicasse a un particolare modello di nave. La nave numero 2 di Skuldelev è un particolare tipo di *langskip* (metri 28 per 4,5 in tutto). E il superbo scafo di Oseberg, che era una nave-tomba riutilizzata per la circostanza, aveva il bordame troppo basso per poter navigare in alto mare. Era un'imbarcazione da cerimonia come si può osservare chiaramente dalla sontuosità delle decorazioni.

I termini «tecnici» che ho appena enumerato sono pressoché tutti poco attendibili perché i nostri autori ben raramente si danno la pena di fornire le necessarie precisazioni e avendo essi scritto nel XIII secolo non sempre sono in grado di comprendere il significato esatto dei vocaboli che usano. Ad esempio, la decorazione di prua, spesso, per metonimia designava l'intera nave. Dunque: il Bisonte, l'Ariete, il Serpente, la Gru a seconda dell'animale più o meno stilizzato scolpito sulla ruota di prua. Ora, statisticamente, per così dire, questa figura rappresentava il più delle volte un drago, *dreki* in antico norreno, plurale *drekar*, da cui certamente proviene l'assurdo, indeclinabile «drakkar» adottato innanzitutto in Francia, che combina un errore di numero, uno di morfologia e uno di ortografia. Comunque, quando un testo parla di *snekkja* – termine in relazione con l'idea di serpente – potrebbe indicare una varietà di *langskip* ma quest'ultimo termine è a sua volta poco chiaro: perciò siamo più o meno allo stesso punto. Non temo di insistere: se non per modelli molto piccoli visibilmente concepiti per usi diversi dal trasporto di merci, la nave vichinga, con le sue varianti, serviva probabilmente a tutti gli scopi immaginabili ed era perfettamente in grado di adattarsi ai bisogni e alle abitudini di colui che l'aveva concepita e la utilizzava.

Non voglio qui intraprendere uno studio altamente specialistico e tecnico di quella meraviglia che è la nave vichinga: per questo ci sono opere specializzate.[5] Voglio solo attirare l'attenzione su alcuni aspetti rilevanti dello *skeidh* e dei suoi usi possibili: la sua immagine è quella, familiare al lettore, di una nave simmetrica, con poppa e prua egualmente rialzate, lo scafo montato a varea, il grande albero maestro con la vela rettangolare, i lunghi remi che scendono lungo lo scafo decorato dagli scudi dipinti o dorati allineati in bella vista lungo la bordatura. Ma scendere nei particolari pratici è un compito ben più ingrato. Infatti, lo ripetiamo ancora una volta, la costruzione di questa nave era impresa lunga: Snorri Sturluson ci spiega che alla data in cui egli scriveva la *Saga di Óláfr Tryggvason*, il 1220, a Nidharós (Trondheim) ancora si vedevano le vestigia del cantiere dove era stato fabbricato il Lungo Serpente cui abbiamo fatto cenno poco fa, costruito probabilmente nel 999. E l'impresa richiedeva la cooperazione di un gran numero di *smidhir*. Fabbricare una nave faceva parte della vita quotidiana del *bóndi* che, per definizione, dedicava a questa impresa buona parte del suo tempo.

La prima fase consisteva nel tagliare con l'ascia – lo strumento principale cui si affiancavano varie accette e sgorbie – la chiglia che, prima caratteristica rilevante, era fatta di un pezzo solo, un tronco in genere di quercia ma anche di fras-

[5] Cfr. sopra la nota 2. Interessanti disegni tridimensionali nell'opera di J. Graham-Campbell, *The Viking World*, cit., pp. 46-47.

sino, di tasso, di pino o abete. Questo scafo veniva fissato con cavi di metallo o perni di legno alla ruota di prua e al telaio di poppa, simmetrici e rialzati nella nota, caratteristica foggia. Tale chiglia scavata in un solo tronco contribuiva a garantire la qualità fondamentale della nave: la sua «elasticità». Poi si disponevano i fasciami, che venivano montati a varea in modo che le tavole si sovrapponessero parzialmente un po' come le tegole di un tetto. Esse venivano poi inchiodate e gli interstizi calafati con canapa incatramata. La stabilità dell'insieme era garantita da madieri abilmente modellati in modo da adattarsi alla forma interna dello scafo.

Venivano poi le travi trasversali che mantenevano i madieri in posizione, e i trincarini che correvano longitudinalmente in alto rispetto ai capibanda. Si installava anche la base dell'albero maestro, altro capolavoro di abilità, che era a forma di pesce come si vede chiaramente nella nave di Gokstad. Vi si introduceva l'albero al quale questa sorta di piede garantiva un certo gioco in senso longitudinale. Restava da montare una piccola piattaforma, sul davanti e qualche volta a poppavia, che delimitava una sorta di stiva in mezzo alla nave dove prendevano posto il carico, i cavalli e qualche capo di bestiame che certamente i colonizzatori dell'Islanda dovettero portare con sé nell'isola dove contavano di stabilirsi.

Non restava che scolpire la figura di prua, mobile. Abbiamo detto che spesso rappresentava una testa di animale o di mostro. Oltre al valore decorativo doveva avere una funzione religiosa: si riteneva che terrorizzasse gli spiriti tutelari o *landvættir* (l'equivalente scandinavo del *genius loci*) dei luoghi dove si abbordava con intenzioni ostili e ciò spiega anche perché accostando in rive amiche venisse rimossa.

La vela era di *vadhmål*, rettangolare (in generale più alta che larga) e fatta di teli verticali cuciti insieme, anche se alcune pietre istoriate di Gotland suggeriscono altre possibilità. A prora, a poppa e talvolta lungo la tavola superiore del bordame venivano praticati dei fori dove scorrevano i remi; la forma ingegnosamente studiata di quegli orifizi permetteva di far risalire in barca il remo senza farlo passare sul parapetto. I remi erano lunghi e a pale anch'esse lunghe: la nave veniva mossa a remi o a vela.

Il pescaggio esiguo della nave le permetteva di muoversi agilmente in fiumi poco profondi così come in alto mare. Ma in quest'ultimo caso, probabilmente, capitava che imbarcasse molta acqua come dimostrano le molte sassole trovate dagli archeologi. Ho già detto che la navigazione in questo tipo di imbarcazione non aveva niente della crociera di piacere: tutti dovevano stare continuamente all'erta e al lavoro.

Anche il timone merita la nostra attenzione: era un remo con manico corto e pala larga fissato a tribordo di poppa con una correggia di cuoio articolata ad angolo retto su una sbarra facilissima da manovrare. La maneggevolezza dell'imbarcazione era quindi del tutto eccezionale: poteva virare di bordo in uno spazio molto esiguo. Una banderuola fissata all'albero maestro – ne sono state trovate a Söderala, in Svezia, di elegantemente lavorate – indicava la direzione del vento.

L'impressione globale di chiunque abbia navigato in scafi di questo genere è di una agilità – ho parlato di «elasticità» – eccezionale. Lo *skeidh* non affrontava l'onda frontalmente, l'assecondava, piegandosi in apparenza alla sua legge senza venir meno alla propria destinazione. È certamente questa la ragione per la quale in poesia lo *skeidh* richiamava spontaneamente il paragone con un serpente oscillante sulle onde. In un certo senso si può dire che si attorcesse secondo l'onda, per non scontrarsi mai bruscamente con l'ostacolo.

Aggiungiamo che al suo interno si poteva anche allestire una tenda con un'armatura di legno, coperta di *vadhmål*, dove ci si poteva riparare nelle traversate con la bonaccia o durante le soste nei porti. Naturalmente i vichinghi non ignoravano l'ancora.[6] Quanto alla decorazione, precisiamo che era possibile sospendere, a uno speciale dispositivo lungo il bordame, gli scudi di solito rivestiti di metallo brillante o dipinti di colori vivaci; l'imbarcazione assumeva un aspetto elegante e fiero. Con un ingegnoso sistema si poteva ripiegare rapidamente la vela lungo il pennone principale: vela e albero venivano posati sul fondo della nave senza intralciare i movimenti dei rematori sui sedili che a mio parere non potevano ospitare più di uno o al massimo due uomini. Dubito che di norma siano esistite navi espressamente allestite per la guerra (*herskip*). Mi sembrano anche inattendibili le affermazioni di Snorri Sturluson nella *Saga di Ólåfr Tryggvason* secondo le quali l'equipaggio del Lungo Serpente era di alcune centinaia di uomini. Dato che, come conferma anche Snorri navi di questo tipo dovevano costare molto e che la vera vocazione del vichingo non era di fare innanzitutto la guerra, credo che lo *knörr* dovesse sempre essere ambivalente, tranne qualche caso eccezionale, destinato ai grandi di questo mondo. Il «capitano» stava di solito a poppa sulla sopraelevazione che abbiamo descritto, la *lypting*, mentre le truppe scelte stavano sulla sopraelevazione

[6] È estremamente interessante notare che il termine norreno che significa «ancora» è *akkeri*, mutuato dal frisone. Dunque l'arte nautica degli scandinavi doveva probabilmente molto ai precursori frisoni. La stessa osservazione dovrebbe valere anche per il commercio.

di prua, o *sax*, e alla loro avanguardia lo *stafnbùi* (uomo della ruota di prua) che era scelto per la sua pugnacità.

In omaggio al «mito vichingo» diremo qualcosa della battaglia navale, anche se gli esempi incontestabili giunti fino a noi non sono numerosi e riferiscono soprattutto di scontri fra scandinavi. Le nostre fonti in proposito sono esclusivamente letterarie e sono ricostruzioni (come la *Heimskringla*) o riguardano epoche nettamente posteriori rispetto all'età vichinga (come la *Sturlunga saga*).

Prima di una battaglia navale era necessario disporre la flotta in ordine di battaglia (*fylking*): le navi venivano cioè legate in modo da formare una linea al centro della quale stava l'imbarcazione del capo. Ricordiamo che qualsiasi scontro, per mare come per terra, si riteneva concluso nel momento in cui il capo era personalmente atterrato. Una volta a terra egli veniva circondato da una sorta di trincea di scudi (*skjaldborg*) che il nemico si sforzava di spezzare. Le ostilità si aprivano con una grandinata di proiettili di ogni specie, soprattutto pietre, perché le navi ne trasportavano sempre una buona quantità a fine di garantirsi una certa stabilità. Più avanti parleremo dell'armamento del vichingo. Entravano poi in campo frecce (i vichinghi erano buoni arcieri), lance, spiedi, giavellotti finché si rendeva possibile l'arrembaggio: lo scopo era di mettere la nave avversaria fuori combattimento smantellandola e sterminandone l'equipaggio, i cui membri potevano battersi a oltranza o chiedere tregua (*gridh*, che potrebbe tradursi con «grazia») in cambio di una taglia o di un riscatto. La nave così sconfitta diventava *ipso facto* proprietà del vincitore.

Questi i dati essenziali. Per maggiori particolari si leggano testi più o meno leggendari come la *Saga dei vichinghi di*

Jòmsborg[7] o una saga di contemporanei, la *Saga di Thòrdhr Kakali* nella *Sturlunga saga.*[8]

Torniamo alla nostra nave. Restano aperti numerosi problemi che l'acume dei ricercatori non è ancora riuscito a risolvere. Ad esempio: come si orientavano i vichinghi in mare, dato che non conoscevano la bussola? Diciamo senz'altro che le soluzioni fin qui proposte sono insoddisfacenti. C'è chi ha voluto risolvere l'enigma invocando la «pietra solare» di cui parlano alcuni testi che dovrebbe essere una varietà di quarzo con la proprietà di indicare la posizione del sole anche con il tempo nuvoloso (oggi sappiamo che si trattava di una pietra preziosa, un cristallo apprezzato come tale).[9] Nemmeno una bacchetta con delle tacche trovata a Canterbury e un disco di legno con incisioni triangolari scoperto in Groenlandia nel 1948 e risalente, grosso modo, al 1200 forniscono una soluzione convincente: secondo una credibile ricostruzione il disco doveva essere diviso in trentadue sezioni in conformità con un uso invalso alla fine del Medioevo, ma in epoca assai posteriore a quella vichinga: disponeva di una lancetta che si muoveva intorno a un asse centrale forse per indicare la direzione; non è escluso che alcune di quelle tacche, sottolineate da scalfitture, designassero i punti cardinali.

Probabilmente i vichinghi si orientavano in base alla loro perfetta conoscenza dei venti, delle correnti, degli spostamenti dei banchi di pesci, del volo degli uccelli, tramandata

[7] Capitoli XXXI-XXXIV nella versione ÀM 291, 4to.
[8] Capitoli XXIX ss.
[9] Esaustivo in proposito è il lavoro di T. Ramskou, *Solstenen. Primitiv navigation i Norden før kompasset*, Rhodos, Copenaghen 1969.

per tradizione orale. Ripeto comunque che le autentiche scoperte (Islanda, Groenlandia, forse Labrador) non sono numerose nella storia dei vichinghi.

Gli itinerari che essi seguivano erano invece noti a loro e ai loro antenati da tempo immemorabile e fu necessaria l'eccezionale convergenza di fattori storici, verificatasi all'inizio del IX secolo, per trasformare il fenomeno vichingo fino a farne il fatto che conosciamo. Il vichingo che partiva, in generale, non contava di far scalo molto lontano come prima tappa, possedeva «istruzioni» ben precise fondate su un'esperienza remota e sapeva dove avrebbe potuto, a ogni scalo, recuperare informazioni preziose per i suoi successivi spostamenti. Anche per traversate impressionanti come quella che partiva da Trondheim e terminava a Reykjavìk – impresa che nelle saghe è data come normale e che comunque non suscita particolari commenti – guardiamo una carta geografica e scopriremo che il Mare del Nord e l'Atlantico sono cosparsi a distanza regolare di isole e isolotti (le Orcadi o Shetland, poi le Faer Øer) le quali, se l'orientamento iniziale era corretto e veniva mantenuto, costituivano altrettante tappe verso la meta. Tutto farebbe pensare che gli scandinavi avessero anche buone conoscenze astronomiche e una conoscenza sicura della configurazione delle coste. Comunque, per tornare a quanto ho appena affermato, se le loro spedizioni – che si svolgevano lungo le coste o con traversate relativamente brevi di mari come il Baltico o il Mare del Nord e il Mar Bianco – erano possibili, per la maggior parte, senza ricorrere a tecniche «scientifiche», una traversata, ad esempio, da Björgvin a Bergen a sud dell'Islanda, che poteva richiedere delle settimane, anche con tappe note e sicure non si poteva orientare secondo mezzi puramente empirici, per non parlare delle insuperabili difficoltà poste dal passaggio dall'Islanda alla Groenlandia e di là all'America del Nord (se dobbiamo credere a questa tradizione). Le relazioni circostanziate delle loro peregrinazioni che marinai come Ohthere e Wulfstan[10] rivolsero al re Alfredo di Wessex, non ci illuminano in proposito perché né l'uno né l'altro affrontarono l'Atlantico. Eppure i vichinghi dovevano disporre di strumenti attendibili: ma allo stato attuale delle conoscenze possiamo avanzare solo ipotesi.

La vita a bordo, come ho già suggerito, non doveva essere delle più facili, soprattutto durante le traversate lunghe. Il cibo – pesce secco, carne secca e salata, burro salato, alghe secche, gallette, una riserva d'acqua potabile gelosamente conservata in secchi con coperchio – era limitato, il posto disponibile scarso. Si usava consumare i pasti a due a due: ogni marinaio aveva il suo compagno di cibo. Si dormiva in condizioni «spartane», l'igiene era ridotta al minimo. Non bisogna però dimenticare che le traversate lunghe non erano la norma che era invece rappresentata dal cabotaggio, con scali frequenti nel corso dei quali nelle situazioni pacifiche si sbarcava il materiale «da campeggio», quelle tende sostenute da impalcature di legno di cui abbiamo parlato, e si cucinava a terra con le provviste acquistate sul posto. In altri casi si organizzavano gli *strandhögg*, colpi di mano rapidi il cui scopo era la rapina, soprattutto di oggetti preziosi, viveri e bestiame.

Una delle tattiche più note consisteva nell'appostarsi in un'isoletta situata in adeguata posizione, per esempio alla

[10] Queste relazioni sono riferite con maggiori particolari in *Les Vikings...*, cit., pp. 132 ss.

foce di un fiume o nelle sue vicinanze, non lontano da una città ricca o da un'opulenta abbazia o dalla sede di una grande fiera: Oisel o Jeufosse per la Senna, con Rouen e Parigi a poca distanza; Thanet per il Tamigi, nei pressi di Londra; Noirmoutier e Groix per la Loira; Nantes non distante da tante belle abbazie ecc.). Là i vichinghi aspettavano il momento propizio, un giorno di gran festa o di fiera, sbarcavano velocemente i cavalli trasportati a tale scopo o rubati sul posto, si precipitavano direttamente nella località più vulnerabile che saccheggiavano senza riguardi non trascurando di portar via anche degli «schiavi» che rivendevano al più vicino mercato specializzato in questa particolarissima «merce». Poi *incendiavano* – un punto in genere passato sotto silenzio, ma fondamentale – per scoraggiare i tentativi di immediato inseguimento e avere così il tempo di riguadagnare in tutta fretta la nave. Allora si reimbarcavano per far ritorno al punto di partenza, oppure per salpare verso nuove località dove ripetere l'operazione o, ancora, per far ritorno a casa. Ma scommetterei che la tattica del punto di ancoraggio sicuro perché invulnerabile prevalse a lungo, soprattutto nelle due prime fasi del movimento (cioè dall'800 all'850 e dall'850 al 900, almeno in occidente). Ad esempio mi ha colpito il fatto che a Groix sia stata trovata una nave-tomba inumata sotto un'altura.[11] Mi sembra chiaro che, se un capo

[11] Non sono rimaste che le scarse vestigia che si possono visitare nel Museo delle antichità nazionali di Saint-Germain-en-Laye. È una questione che mi ha sempre interessato. Mi sembra inattendibile che questa nave-tomba sia stata un fenomeno unico, anche nella sola Groix, mentre mi sembra evidente che l'isola dovette fungere da scalo o da base di retrovia. La presenza di altre piccole alture suggerisce che potrebbero essere fatte altre scoperte nella zona.

venne inumato laggiù in questo modo, i vichinghi dovevano disporre, in quella località situata in posizione perfetta per le loro esigenze, di una specie di scalo ben noto e frequentato regolarmente. Probabilmente la cerimonia funebre fu celebrata nelle debite forme rievocate dalla straordinaria relazione che un diplomatico arabo del Califfato, Ibn Fadlan, fece dei funerali di un capo rūs svoltisi sulle rive del Volga nel 922.[12] A mio parere l'inumazione di Groix non poté essere un fatto casuale né eccezionale. Groix doveva essere una base arretrata, frequentata regolarmente e ben nota.

Il mare e la nave, senza i quali il vichingo non sarebbe nemmeno concepibile, dominano, come c'era da attendersi, questo capitolo. Non è questa la sede per precisare gli itinerari più frequentati dai vichinghi, a nord, a est e a ovest,[13] né per attardarsi nella descrizione delle imprese colonizzatrici che furono in grado di realizzare nel Danelaw inglese, nelle isole dell'Atlantico settentrionale, Islanda e Groenlandia, nei futuri principati di Novgorod-Hólmgardhr e di Kiev-Kœnugardhr e in Normandia.[14] Tutto ciò è argomento di «storia» in senso proprio. Ma trattando della loro vita quotidiana, è naturale che li seguiamo nei minimi particolari delle loro attività fuori casa che, al di là dei compiti domestici di cui abbiamo già parlato, costituivano la ragione della loro esistenza.

[12] La traduzione dall'originale arabo a cura di Marius Canard si può consultare in *Ibn Fadlan: Voyage chez les Bulgares de la Volga*, Sindbad, Paris 1988, pp. 76 ss. e anche in R. Boyer, *L'Edda poétique*, cit., pp. 35 ss.
[13] Per maggiori particolari si veda *Les Vikings*..., cit.
[14] Precisiamo – si tratta di un fraintendimento frequente – che a conquistare l'Italia meridionale, e più stabilmente la Sicilia, furono esclusivamente i Normanni di Normandia di Roberto il Guiscardo, che niente avevano più a che vedere con i vichinghi.

C'è un'idea che mi è particolarmente cara e che ho difeso spessissimo e in molte occasioni:[15] i vichinghi a mio parere furono commercianti dotati e bene addestrati, favoriti certamente da un felice concorso di circostanze,[16] abilmente sfruttate, e che seppero mostrarsi buoni guerrieri, ma solo nel caso che ciò fosse possibile e praticabile. Mi sono sempre battuto al fine di contestare quell'aspetto del loro mito, nato dalle relazioni dei cronisti terrorizzati, che quasi sempre erano chierici cristiani vittime privilegiate di quei predoni, che ne faceva degli invincibili banditi stupratori, incendiari e saccheggiatori, mentre lo furono solo occasionalmente e con una violenza certamente inferiore a quella esercitata esattamente nello stesso periodo da saraceni e ungheresi. Essi si imbarcavano per commerciare, conoscevano benissimo i grandi mercati dell'epoca come Dorestad (nei Paesi Bassi), Londra, Dublino, Rouen, Nantes, lungo la strada dell'Ovest (*vestrvegr*); Murmansk e Arcangelo lungo la strada del Nord; Truso, Wiskiauten e Grobin sulle rive del Baltico (il mare che controllavano meglio e nel quale disponevano di un centro attivissimo quale l'isola di Got-

[15] Ad esempio, oltre che nel più volte citato *Les Vikings...*, in «Les Vikings: des guerriers ou des commerçants?», *Les Vikings et leur civilisation...*, pp. 211-240.

[16] Ricordiamo qui riassuntivamente le teorie esposte dal grande storico belga Henri Pirenne nel 1937 nel suo *Mahomet et Charlemagne* (trad. it. *Maometto e Carlomagno*, Laterza, Bari 1969) che faccio interamente mie: attraverso il Mediterraneo nel corso dei millenni si svolsero senza interruzioni continui scambi fra l'Oriente e l'Occidente europei; ciò spiega il prodigioso sviluppo delle culture del Vicino Oriente, soprattutto di quelle greca e latina. Intorno all'VIII secolo gli arabi interruppero quella comunicazione imponendo all'asse degli scambi di spostarsi verso Nord – mar Baltico e Mare del Nord – e i frisoni e gli scandinavi in questo processo svolsero un ruolo di primo piano.

land) e, sulla strada dell'Est, Staraïa Ladoga (che chiamavano Aldeigjuborg), Jaroslav, Bulgar (che incrociavano con le grandi piste carovaniere orientali dirette verso Khwarezm, Bukhara, Samarcanda, Tashkent, tutti luoghi che essi conobbero), o Gnezdovo (Smolensk), Berezanyi (a nord del Mar Nero) e infine Bisanzio che fu una delle principali mete delle loro incursioni ma dove si presentarono, tranne rare eccezioni, solo in forma pacifica.

«In patria» disponevano di grandi centri bene attrezzati dove gli archeologi hanno svolto approfondite ricerche, come Helgö o Birka non lungi dall'attuale Stoccolma (che non esisteva ancora) o Kaupangr nel fiordo di Oslo e soprattutto Haithabu-Hedeby in Danimarca, per citare solo i principali. Si può affermare che, se si esclude, ma non del tutto, il bacino mediterraneo, essi abbiano percorso tutti i mari europei e tutti i grandi fiumi a condizione di trovare lungo il percorso uno o più luoghi propizi alle loro attività mercantili. Le iscrizioni runiche da essi incise sono chiarissime in proposito: X è morto in «Grecia» cioè nell'Impero bizantino; N vi si recò per «guadagnare ricchezze per il suo erede» ecc. Partire «per acquistare ricchezze» è una specie di motivo ricorrente di questo tipo di «letteratura».

Due erano evidentemente i modi per «acquistare ricchezze» e l'iscrizione runica di Gripsholm (Svezia) autorizza tutte le interpretazioni. Essa celebra uomini che «si spinsero arditamente lontano a cercare oro e in oriente diedero cibo all'aquila»: una formula convenzionale per dire che abbatterono dei nemici. Sottolineiamo l'ambivalenza della formulazione: commerciare (cercare oro) e agire *manu militari* (dare cibo all'aquila). Infatti sarebbe ridicolo anche considerare i vichinghi come tranquilli e timorati mercanti. Il mestiere del mercante, soprattutto del mercante ambulante, intorno al X secolo, d'altra parte non era certo di tutto riposo. La stessa formula «mercante ambulante» non è esatta. Ogni vichingo-varego, infatti, doveva avere itinerari precisi e località nelle quali faceva regolarmente ritorno. Andava di mercato in mercato, di *vicus* in *vicus*, e proprio da questa caratteristica probabilmente traeva il suo nome. Non era dunque un vero e proprio mercante ambulante che la sera non sapeva dove si sarebbe diretto l'indomani. E non bastava avere merci interessanti da vendere, bisognava essere in grado di proteggerle e di venderle a condizioni «oneste» e di difendere anche il ricavato. So di dire cose ovvie, ma tutte queste circostanze non vanno mai dimenticate.

Bruto lubrico e predatore o tranquillo commerciante: come al solito la verità sta nel mezzo. Ma il vichingo non se ne discosterà nemmeno quando sovrani incapaci e vili come Aethelred the Unready (l'Indeciso) e Carlo il Semplice si comporteranno in modo che sarebbe stato assurdo non imporre la legge della spada, ad esempio imponendo quelle taglie (*danegelds*) che i predatori esigevano in cambio della loro partenza e il cui importo andò continuamente crescendo. Ciononostante, al di fuori delle grandi incursioni promosse alla fine dell'epoca vichinga dai re danesi Sveinn dalla Barba Biforcuta e Knútr il Grande, suo figlio, contro l'Inghilterra, non si diedero casi attestati di spedizioni deliberatamente ed esclusivamente militari. Bisogna anche precisare che tali movimenti a vasto raggio si conclusero ben presto in scacchi e segnarono la fine di tutta la storia vichinga.

I tempi, insomma, erano duri. Non era pensabile, in Occidente come nel Vicino Oriente, che dei commercianti partissero per fare i loro traffici in tutta tranquillità. Bisognava essere capaci di mercanteggiare, acquistare, vendere, barattare, e difendere il proprio guadagno e anche di cogliere le occasioni opportune senza troppi scrupoli. La bilancia per pesare le monete spezzate in una mano, la spada a doppio taglio nell'altra: ho usato spesso questa immagine che mi sembra fortemente simbolica. I luoghi e le circostanze avrebbero deciso quale dei due strumenti avrebbe prevalso di volta in volta. Infatti in tutta la Scandinavia sono stati riportati alla luce molti oggetti e «tesori» sepolti per sicurezza. Il numero degli oggetti che potrebbero attestare un'attività di rapina non è elevatissimo mentre i veri e propri mucchi di monete delle più diverse provenienze intatte o a pezzi (per completare il peso perché le trattative si svolgevano secondo il peso del metallo prezioso e non al corso di una determinata moneta: il raggio d'azione del commerciante vichingo era troppo vasto per permettere quest'ultima soluzione) attesterebbero pratiche puramente commerciali più che furti e rapine. Mercante per definizione, guerriero occasionale: ecco chi era un vichingo. Quando ci si renderà conto, del resto, che popolazioni numericamente così modeste, allora come oggi, non avrebbero assolutamente potuto fornire le orde urlanti e innumerevoli che l'immaginazione popolare da mille anni teme di veder irrompere dal Settentrione?

Seguiamo dunque il nostro vichingo-varego, per esempio, da Kaupangr, in Norvegia. Avrà preparato la sua spedizione con estrema cura. Il suo *knörr* sarà stato riparato e rimesso a nuovo: tavole sostituite, calafatura rifatta da cima a fondo, revisione della vela e dei cordami di pelle di foca. Avrà scelto attentamente l'equipaggio perché un viaggio come quello cui si apprestava non sarebbe stato di tutto riposo. Aveva bisogno di uomini giovani e nel pieno delle forze in grado di remare vigorosamente, affrontare le tempeste, trascinare la nave su tronchi d'albero nei passaggi più difficili o trasportarla a spalla per distanze talvolta considerevoli: non erano nemmeno da escludere gli incontri pericolosi. Aveva anche bisogno di assistenti in grado di aiutarlo nelle trattative e di far numero sia per scoraggiare l'eventuale avversario sia per impressionare gli acquirenti. Era molto probabile che la maggioranza dei membri dell'equipaggio fosse più o meno interessata, in senso proprio, all'iniziativa. Con molti di essi doveva avere stretto *félag* e molti dovevano essere addirittura suoi parenti. Dunque l'equipaggio non era certamente scelto a caso. Inoltre ognuno dei suoi uomini e lui stesso avevano convenuto una somma che rappresentava il prezzo che ogni marinaio chiedeva per la sua prestazione o che costituiva la sua percentuale sui guadagni della spedizione. Talvolta i membri dell'equipaggio si preparavano a fare anche traffici personali e imbarcavano merci proprie. Non voglio dire che assolutamente nessuno si imbarcasse per amore dell'avventura (in realtà non ne sappiamo niente) ma temo che motivazioni così romantiche fossero ben rare. Una volta di più, si trattava di «acquistare ricchezze»...

Torniamo al nostro *styrimadhr* (letteralmente «colui che stringe il timone», il capitano), che era il proprietario della nave o l'organizzatore della spedizione. Avrà dovuto prevedere con grande cura due elementi: un armamento efficace per sé e per i suoi uomini e un carico redditizio. Precisiamo meglio.

L'armamento innanzitutto, per indulgere, almeno una volta, al luogo comune. I codici precisano in che cosa doveva consistere. Per conciliare le diverse versioni che ne abbiamo, diremo che la panoplia del vichingo comprendeva: un'ascia, una spada, una lancia, un arco con delle frecce e un casco, una cotta di maglia e uno scudo.

L'ascia era l'arma tipica del vichingo, più della spada anche se non godeva dello stesso prestigio. Ne esistevano tipi diversi a seconda della lunghezza del manico e della larghezza della lama. Era un'arma temibile soprattutto nella versione a lama larga (*breidhöx*) e a manico lungo (*bolöx*). Il tipo «a corna» (*snaghyrnd öx*), cioè con la lama che terminava con una punta su ogni lato serviva per gli assalti e gli arrembaggi. La lama poteva avere incrostazioni d'argento, come lo splendido esemplare di Mammen (Danimarca). L'ascia poteva servire anche come arma da lancio. Non dimentichiamo che era uno strumento usuale del carpentiere e del falegname. Nella sezione 37 dell'arazzo della regina Matilde si può osservare che l'ascia con le frecce fu, simbolicamente, la prima arma portata dai vassalli normanni in marcia verso Hastings. Essa era particolarmente citata nei *kenningar* degli scaldi e, se le più belle spade venivano spesso appese alle pareti della *skåli*, le asce venivano disposte in speciali rastrelliere.

La spada era però l'arma più apprezzata. Era lunga ma manovrabile con una mano sola, a doppio taglio e dotata di una caratteristica impugnatura isolata da due else parallele la superiore delle quali era arricchita o sostituita da un pomolo rotondo o conico. Non era un'arma di ottima qualità: i testi della *Sturlunga saga* spesso ci descrivono i belligeranti costretti a fare una pausa per raddrizzare con il tallone la lama piegata; le lame di pregio venivano dalla Renania ed erano orgogliosamente firmate dai loro fabbricanti (Ingleri, Ulfbert). Ma la spada era l'arma nobile per eccellenza e la lama e soprattutto il pomolo e anche il fodero erano adorni e decorati amorosamente, e spesso recavano incise delle rune.

Bisogna distinguere fra la lancia come arma da lancio nella forma del giavellotto o chiaverina (probabilmente *geirr*), ancora una volta illustrati nell'arazzo di Bayeux, e la lancia come arma da stocco o spiedo (*spjót*) che poteva anche essere lanciata a distanza e di cui i vichinghi si servirono a cavallo da quando adottarono le staffe – probabilmente una scoperta proveniente dall'Oriente – che permettevano di assestare il colpo con maggior forza. I ferri di lancia e il manicotto per afferrarla erano anch'essi decorati, incisi, damaschinati; caratteristica la loro forma a triangolo allungato. I ferri erano oggetti costosi e spesso disponevano di una specie di fermo, una sbarretta di metallo perpendicolare alla base del ferro, che probabilmente permetteva di recuperare più facilmente l'arma dopo avere inferto il colpo.

Restano da descrivere l'arco e le frecce che erano molto apprezzate e che proprio in epoca vichinga subirono probabilmente l'influenza delle armi magiare contemporanee. Da tempo si è osservato che una delle ragioni della valentia guerresca dei vichinghi dipendeva dalla loro adattabilità (qualità che sapevano mostrare in ben altri campi) e dal completo rinnovamento che seppero operare nel loro armamento rispetto a quello di due secoli prima, cioè dell'epoca detta di Vendel. Su questo torneremo. Un buon arciere godeva certamente di grande stima e rispetto. Una specie di eroe divinizzato, Egill, fratello del semidio Völundr, è noto come arciere modello e l'arco è l'attributo di un dio poco noto, Ullr (il cui archetipo potrebbe essere l'arciere delle incisioni rupestri dell'età del bronzo); l'autore della *Saga di Njàll il Bruciato* non nasconde la sua ammirazione per Gunnarr di Hlídharendi, eccellente arciere.

Naturalmente esistevano moltissime varianti dei modelli qui descritti: la *sax*, ad esempio, o spada a un solo taglio, e il coltello che si portava appeso alla cintura e dal quale il vichingo non si separava mai.

Faremo poi un cenno, fra le armi da difesa, all'elmo che non era *assolutamente mai* con le corna. Questo tipo di copricapo probabilmente era in uso molti secoli prima: le «corna» erano senza alcun dubbio attributi di carattere religioso e cultuale. Era assolutamente desueto nell'800, e da molto tempo.

L'«elmo» vichingo, di cui sono stati trovati davvero pochissimi esemplari, era probabilmente conico e completato da un nasale, ma più probabilmente consisteva in un copricapo conico, di cuoio pesante più spesso che di metallo, al quale si aggiungevano delle specie di occhiali del tipo dei nostri «da motociclista» saldati a una linguetta di metallo che proteggeva il naso. Le saghe di contemporanei citano anche il gorgerino e i proteggiguance che probabilmente derivavano da modelli occidentali introdotti più di recente.

Lo scudo (*skjöldr*) era rotondo, di legno, di solito di tiglio (infatti lo *heiti* scaldico più comune per «scudo» è *lind*, «tiglio») qualche volta ricoperto di metallo e dipinto o istoriato anche se le «armi» araldiche poi introdotte in Occidente erano sconosciute a questa cultura. Lo scudo tipico del cavaliere occidentale risaliva, se mai esistette, a epoche più antiche: il modello più corrente era la *targa* o la *rönd* (rotella), impugnata con una correggia di cuoio e con il centro protetto da un bugno di metallo decorato. Molti poemi scaldici ci descrivono, secondo una diffusa e radicata tradizione indoeuropea, begli scudi istoriati: segno che si trattava di un'arma, oltre che da difesa, da parata.

Frequente era l'uso della cotta di maglia ad anelli (*brynja*); forse era noto anche il tipo a piastre di metallo. Secondo l'arazzo della regina Matilde, le cotte erano lunghe fino alle ginocchia ma può darsi che questo tipo sia decisamente più recente (ricordiamo che l'arazzo risale all'XI secolo, che segna la fine dell'età vichinga).

A conclusione di questi cenni s'impone un'osservazione molto importante: il vichingo in tenuta da battaglia non corrisponde assolutamente alla solita immagine popolare. Bertil Almgren ne ha tentato una ricostruzione, fondata sulle testimonianze più inconfutabili, che sorprenderà il lettore.[17] Egli confronta un guerriero a cavallo la cui immagine si fonda sulle scoperte portate alla luce a Vendel e a Valsgärde in Svezia e a Sutton Hoo in Inghilterra e che risale al VI secolo, duecento anni almeno *prima* dell'età vichinga (con la sua lunga lancia, il casco di metallo, protetto da una rete anch'essa di metallo, il lungo scudo, la lunghissima spada, la cotta di maglia, montato su un cavallo sommariamente bardato, perfettamente rispondente appunto al luogo comune) con il cavaliere vichingo della ricostruzione più rigorosa consentita dalle scoperte archeologiche. Il risultato è stupefacente: il ritratto che ci si presenta ricorda quello di un cavaliere asiatico – l'autore cita i guerrieri del Turkhestan del VIII secolo – con pantaloni «da golf» chiusi

[17] Si troverà a questo proposito un'impressionante illustrazione basata sulle acquisizioni accertate dall'archeologia nell'opera di B. Almgren e altri, spesso qui citata, *Vikingen...*, p. 229. Si confronti, nella pagina precedente della stessa opera, la figura del «precursore» del VI secolo.

da fasce gambiere, la lunga tunica ad alamari, il cappello di pelliccia, la spada con il pomolo, arco e faretra piena di frecce, mentre il suo cavallo è bardato con le staffe, novità di origine probabilmente tedesca. Ecco un vero guerriero vichingo: tanto peggio, se ricorda più un ungherese che uno scandinavo «tipico».

Della battaglia propriamente detta, delle sue strategie e tattiche non dirò niente per la semplice ragione che niente ne sappiamo. Abbiamo già osservato che le battaglie in campo aperto combattute da vichinghi ci sono praticamente sconosciute. Essi erano specialisti del colpo di mano e del *commando*, che non richiedevano un particolare valore militare. Se questo esistette va dedotto dai poemi eroici necessariamente sospetti come fonti oggettive o, come per le battaglie navali, dalle saghe di contemporanei molto più recenti dei vichinghi. Forse esistette – Cesare già ne parla – una formazione a cuneo detta *fylkja hamalt*, in cui il capo si disponeva probabilmente nella punta avanzata (*rani* che significa propriamente «grugno di maiale», da cui il termine *svinfylking*, formazione di battaglia a grugno di maiale il cui inventore sarebbe stato il dio Ódhinn) dello schieramento o *fylking* che a un segnale avanzava a passo di corsa contro il nemico nel quale penetrava, dunque, come un cuneo. Il *fylking* presupponeva due braccia o ali laterali, ognuna delle quali era comandata da un responsabile di alto rango, e un corpo mobile che a tempo debito si recava nelle posizioni strategicamente più adeguate.[18] Ma queste

[18] La questione è studiata con dovizia di particolari, ma a partire dalle saghe di contemporanei, in R. Boyer, *La guerre en Islande à l'âge des Sturlungar: armes, tactique, esprit*, in «Inter-Nord», n. 11, dicembre 1970, pp. 184-202.

sono belle ipotesi teoriche adatte a soddisfare l'appassionato di studi militari. Il rispetto della verità mi costringe invece a dire che molte descrizioni di «battaglie» offerteci dalla *Sturlunga saga* non sono così complesse. Le relazioni di battaglie, nelle quali peraltro non erano mai coinvolte più di una o due centinaia di persone, ci propongono innanzitutto, come per le battaglie navali, un diluvio di pietre e proiettili vari seguito da un confuso corpo a corpo.

Lasciamo ora da parte questa indispensabile digressione e torniamo al «nostro» vichingo impegnato nella preparazione della sua spedizione. Egli avrà accuratamente chiuso, in una delle molte casse di cui è provvista la sua nave, armi per sé e per i suoi uomini. Ma avrà anche ammassato accuratamente le merci che avrebbe commerciato e che vale la pena di passare in rivista. Abbiamo già parlato del *vadhmål* che avrebbe dovuto servire da moneta di scambio soprattutto nei paesi scandinavi propriamente detti ma che costituiva una merce apprezzata anche nell'Europa dell'epoca. Ricordiamo che la nave vichinga non poteva trasportare merci pesanti in grandi quantità e ciò in qualche modo condannava gli scandinavi a commerciare oggetti di pregio in quantità modeste e facilmente trasportabili, quali le pellicce e le pelli (martora, zibellino, scoiattolo, volpe azzurra, visone, ermellino, castoro) che si trovavano in abbondanza soprattutto nel nord della Norvegia e della Svezia e che il vichingo cacciava personalmente o estorceva ai samoiedi sotto forma di imposta (ne abbiamo un esempio eccellente nel capitolo CXXXIII della *Saga di sant'Óláfr*); l'avorio soprattutto di tricheco che era allora assai più diffuso che ai nostri giorni, la steatite che serviva a fabbricare ogni sorta di utensili e di cui esistevano grandi giacimenti in Norvegia e l'ambra che consisteva in resina fossile, molto abbondante sulle rive meridionali del Baltico e con cui allora come oggi si costruivano gioielli e oggetti artistici.

Queste merci egli le barattava, vendeva, trattava con sale e vino se le trattative si svolgevano in Francia (da qui l'importanza che aveva per lui Noirmoutier, uno dei maggiori centri del commercio del sale nel Medioevo); grano, stagno, miele e argento in Inghilterra; terrecotte e vetri, abiti e belle armi nell'Europa centrale e germanica; cera e miele nei paesi slavi; seta e spezie, vini e gioielli a Bisanzio e lungo tutti i punti d'incontro della strada dell'Est con le grandi piste delle carovane che venivano dall'Oriente. E ovunque catturava schiavi per rivenderli alla prima occasione: era questo, certamente, uno dei principali obiettivi degli *strandhögg*. Può darsi addirittura che i vichinghi fossero i principali specialisti di quel commercio in Occidente. Bisanzio a est, Hedeby a ovest furono infatti i due centri principali di questo traffico nei secoli che stiamo prendendo in esame. Aggiungo qui infine un aspetto importante che non viene quasi mai messo in luce adeguatamente: i vichinghi un po' ovunque si vendevano come mercenari. Questo tema dovrebbe essere studiato più da vicino perché credo che sia alla base di molte colonizzazioni in quanto forniva agli scandinavi una eccellente occasione per valutare le possibilità di accoglienza dei territori così «visitati».

Più che moltiplicare i commenti, preferisco introdurre a questo punto una citazione del resoconto fatto dal diplomatico arabo Ibn Fadlan già citato. Egli ci parla dei Rūs, cioè dei vareghi o vichinghi operanti sulla strada dell'Est, quindi, probabilmente, di svedesi. Si obietterà che i vareghi non rappresentano tutti i vichinghi, che gli usi qui descritti, per esempio l'adorazione di idoli di legno, non sono attestati altrove, che questo testimone arabo potrebbe fornirci in realtà niente altro che una interpretazione personale di quanto ha visto nel 922. È vero, ma dobbiamo riconoscere che, ad esempio, nessuna delle numerose testimonianze che gli arabi ci hanno tramandato sui vichinghi parlano del loro valore in battaglia. Ecco il testo:[19]

> Ho visto i Rūs che erano venuti per il loro commercio e si erano insediati presso il fiume Atil. Non ho mai visto corpi più perfetti dei loro. Per statura, ricordano delle palme. Sono biondi e di incarnato vermiglio. Non portano né tuniche né caffetani ma una veste che copre un solo lato del corpo e lascia una mano libera. Tutti portano un'ascia, una sciabola e un coltello da cui non si separano mai. Le loro sciabole hanno la lama larga striata di scanalature, come le sciabole franche [...] Tutte le loro donne hanno sul seno un cofanetto di ferro, d'argento, di rame, d'oro o di legno, a seconda del grado di ricchezza e della importanza sociale del loro marito. In quella scatoletta rotonda portano un coltello, il tutto sospeso sul seno. Al collo portano collane d'oro e d'argento perché appena un uomo possiede diecimila dirhams fa confezionare a sua moglie una collana, e quando ne possiede ventimila ne fa fare due e così di seguito per cui, appena la sua ricchezza aumenta di diecimila dirhams, aggiunge una collana a quelle che sua moglie già possiede; dunque ogni donna può portare al collo molte collane. I gioielli che ritengono più preziosi sono composti da perle di vetro verdi, della stessa fabbri-

[19] *Ibn Fadlan: Voyage chez les Bulgares de la Volga*, cit., pp. 72-75.

cazione degli oggetti di ceramica che si trovano sulle loro navi. Le pagano a un prezzo esagerato; infatti acquistano ognuna di quelle perle per un dirham. Ne fanno collane lunghe per le loro donne.
Sono le creature più sporche che Dio abbia creato. Non si lavano dalla contaminazione prodotta da urina ed escrementi, non si lavano dopo i rapporti sessuali, non si lavano le mani dopo il pasto. Sono come asini selvatici. Quando arrivano dalle loro terre ancorano le navi sul fiume Atil che è un grande fiume e costruiscono sulle sue rive grandi case di legno. In una sola casa vivono da dieci a venti persone più o meno. Ognuno di loro ha un letto sul quale si sistema. Con loro stanno belle fanciulle schiave, destinate ai mercanti. Ognuno di essi, sotto gli occhi dei compagni ha rapporti sessuali con le giovani schiave. Talvolta un gruppo di loro si unisce in questo modo alla presenza di tutti. Se un mercante in quel momento entra per acquistare una schiava e lo trova intento a giacere con lei, l'uomo se ne stacca solo dopo avere soddisfatto il suo bisogno.
Quando arrivano in porto ognuno di essi esce dalla nave portando con sé pane e carne, cipolle, latte e birra e procede fino a un lungo palo di legno conficcato a terra e raffigurante un volto simile a quello di un essere umano; intorno stanno degli idoletti dietro i quali stanno altri lunghi pali confitti a terra. L'uomo si prosterna allora davanti al grande idolo dicendo: «O mio Signore, sono venuto da un paese lontano e ho con me tante giovani schiave, tante pelli di martora...» e continua finché non ha enumerato tutto quello che ha portato con sé da vendere. Poi dice: «Ti ho portato questo dono». Quindi lascia ciò che ha con sé davanti al palo di legno e dice: «Vorrei che

mi facessi il favore di mandarmi un mercante con dinari e dirhams in quantità e che mi acquisti quello che desidero e che non entri in contestazione con me in quanto dirò». Poi se ne va.
Se trova difficoltà a vendere, e il suo soggiorno si prolunga, torna con un altro dono una seconda, poi una terza volta. Se non riesce a ottenere ciò che vuole porta a ognuno degli idoli piccoli un dono e gli chiede la sua intercessione dicendo: «Sono le mogli di nostro Signore, e le sue figlie». E così continua rivolgendo una richiesta a ogni idolo sollecitandone l'intervento e umiliandosi davanti a essi.
Talvolta la vendita è facile e allora dopo avere venduto dice: «Il mio Signore ha soddisfatto i miei bisogni e devo ricompensarlo». Allora va a prendere un certo numero di montoni o di vacche, li uccide e distribuisce in dono una parte della carne, porta il resto e lo depone di fronte al grande idolo e ai piccoli idoli che lo circondano e sospende le teste di vacca o di montone ai pali confitti a terra. Quando arriva la notte, i cani vengono a mangiare tutto e chi ha fatto l'offerta dice: «Il mio Signore è soddisfatto di me e ha mangiato il dono che gli ho portato».

È innegabile che questo testo, nonostante gli evidenti errori e le molte oscurità e confusioni, è una sorta di *summa*. Traggo dalle note che il traduttore ha aggiunto a questa citazione le seguenti informazioni: Ibn Fadlan prima di questo passo aveva già raccontato che i Rūs stavano portando schiavi ai bulgari (nota 256); un altro arabo, Ibn Khordadhbeh, dice di essi che erano mercanti (*ibidem*); un terzo, Ibn Rusta, precisa che si servivano di pelli di scoiattolo, martora, zibellino come di moneta di scambio (nota

266); segnala anche che essi «rapiscono agli slavi uomini che vendono come schiavi presso i khazari e i bulgari» (nota 269) e che «il loro solo mestiere è il commercio delle pelli di martora, di scoiattolo e di altri animali da pelliccia» (nota 273). Quanto al «porto» di cui si parla a metà della nostra citazione potrebbe essere il grande mercato che sorgeva lungo il Volga, qui chiamato Atil, sul sito della città di Bulgar che ai tempi di Ibn Fadlan ancora non esisteva (nota 184). L'abbigliamento dei Rūs «che lascia una mano libera» ispira al traduttore, sensibile al fatto che portino «un'ascia, una sciabola e un coltello», la seguente osservazione: «Sono al tempo stesso dei commercianti e dei guerrieri e hanno quindi, al tempo stesso, armi e utensili» (nota 259). Cioè proprio quanto ho finora cercato di dimostrare. Soprattutto crediamo che il lettore avrà rilevato l'osservazione fatta all'inizio: che i Rūs *erano venuti a commerciare.*

Sarà ora certamente utile riordinare queste osservazioni sparse. Immaginiamoci un *bòndi* di Uppsalir – che sarebbe diventata l'attuale Gamla Uppsala, nei pressi di Uppsala – che pratica le attività del varego ogni anno. Siamo alla fine del nostro giugno. È risalito nel corso dei due mesi precedenti fino al golfo di Botnia per acquistare pellicce preziose o per cacciare personalmente zibellini, martore e scoiattoli. Ha reclutato nella sua famiglia, o fra gli amici, giovani dei quali si fida e che sapranno spalleggiarlo sia nelle trattative commerciali sia in caso di avversità. Ha affidato la fattoria a sua moglie assistita da uomini di una certa età, di sua fiducia. Il suo *knörr* è in buone condizioni e la parte del carico di cui non intende liberarsi prima di essere arrivato all'estero è accuratamente stivata. Ora immagineremo la spedizione e la seguiremo pazientemente.

Egli deve percorrere solo poche *vika* (l'equivalente nautico di *röst* che si applica invece alle distanze per via di terra e che probabilmente corrispondeva a circa sette-otto chilometri) per arrivare a Birka, che esamineremo con maggior dovizia di particolari più avanti. Là acquisterà o scambierà merci che rivenderà in tutto il corso del viaggio: oggetti di ferro lavorato, di bronzo, di cuoio, d'osso, gioielli e utensili. Così provvisto, se volesse potrebbe dirigersi direttamente a Gotland dove, curiosamente, il centro più attivo in quell'epoca non era Visby (che ebbe una fortuna clamorosa solo in seguito fino a diventare una delle grandi città anseatiche) ma Paviken, una ventina di chilometri più a sud e di là recarsi sulla costa baltica, dove sono stati riportati alla luce cimiteri «misti», con tombe di abitanti dei luoghi e di scandinavi, il che dimostra una specie di simbiosi di lunga data.

Ma questa volta il nostro personaggio avrà invece scelto di dirigersi decisamente a est-nord-est attraverso quello che oggi chiamiamo il golfo di Finlandia. Si fermerà nell'odierna San Pietroburgo e dirigerà il suo *knörr* sulla Neva che lo porterà direttamente al lago Ladoga. Lungo la riva sud di questo lago sorgeva un luogo chiamato Staraïa Ladoga in russo, Aldeigjuborg in antico norreno, una tappa ben nota agli svedesi che apriva la strada del percorso diretto a est, attraverso il Volga, verso Bulgar che, come indica il suo nome, era la principale città delle popolazioni che portano questo nome. Bulgar sorgeva alla strategica convergenza delle strade percorse dai Perm', cioè dagli abitanti del misterioso Bjarmaland dove le saghe leggendarie situeranno ogni sorta di avventure meravigliose;[20] la loro specialità era

[20] Studio complessivo di R. Boyer, in *Peuples et pays mythiques*, Actes du Ve

il commercio delle pellicce. Oppure il nostro mercante potrebbe incontrare una grande pista carovaniera proveniente dall'Estremo Oriente passando a sud del mare di Aral, attraverso il Khwarezm o Chorezm citato da molte iscrizioni runiche: Bukhara, Samarcanda e Taškent si trovano su questo itinerario. Si tratta, né più né meno, della via della Seta che giungeva fino in Cina, da cui d'altra parte proveniva la piccola statua di Buddha che è stata ritrovata a Birka. Bulgar dava anche accesso, verso sud, sempre lungo il corso del Volga, al mar Caspio, in particolare alla città di Itil che era la capitale dei khazari, ai quali bisognava versare un tributo ma che detenevano il prezioso argento arabo e che commerciavano anche il miele e la cera, e non disdegnavano il traffico degli schiavi. Da Itil era possibile fare la traversata del mar Caspio fino a Gorgān e di lì si poteva scendere fino a Bagdad. Un braciere di bronzo risalente all'800 circa, e proveniente probabilmente da questa città, è stato scoperto una cinquantina d'anni fa in Svezia, nascosto dietro una roccia. Da Gorgān lungo una delle grandi strade che riportavano a Occidente si partiva per Bisanzio, di cui riparleremo.

E siccome si tratta di avventure, e il nostro mito vichingo si nutre in buona parte di sogni avventurosi, solo guardando una carta geografica dell'Europa e dell'Oriente, più o meno all'altezza di Taškent, si può cominciare a sognare perché il nostro mercante audace e bene equipaggiato, partendo da Birka, avrebbe potuto veramente percorrere questo territorio.

Colloque du Centre de recherches mythologiques de l'Université de Paris X, a cura di F. Jouan e B. Deforge, Les Belles Lettres, Paris 1988, «Le Bjarmaland, d'après les sources scandinaves anciennes», pp. 225-236.

Il nostro personaggio adesso avrà preso le sue decisioni al momento di partire da Aldeigjuborg-Staraïa Ladoga, forse da solo ma – dato che apparteneva a una confraternita di mercanti legati da giuramenti di mutua assistenza certamente vincolanti (ricordiamo che il nome stesso di vareghi, *væringjar*, potrebbe derivare da questi giuramenti, *várar*) – più probabilmente in forma collettiva. È evidente che queste spedizioni non potevano svolgersi individualmente se non altro per ragioni di sicurezza. Probabilmente la sua confraternita si sarà data appuntamento ad Aldeigjuborg a una certa data per poi prendere la strada verso sud che passava per Novgorod-Hólmgardhr alla quale – secondo la *Cronaca di Nestore* probabilmente attendibile da questo punto di vista – i vareghi forniranno dei governanti e il loro sistema di organizzazione. La cronaca è esplicita in proposito: partendo dal «mare varego», il Baltico, lungo la Neva si arriva al grande «lago Nevo», cioè al Ladoga, quindi, attraverso la Volkhov, al lago Ilmen donde, lungo il Lovat, era possibile giungere a una certa distanza da Gnezdovo (l'attuale Smolensk). Là, come in altre località della Russia attuale, gli scavi archeologici hanno portato alla luce tracce scandinave accanto a reperti, ben più numerosi, esclusivamente slavi.

Bisogna però ricordare che nessuna via d'acqua era utilizzabile per un lungo percorso senza ostacoli. Abbiamo prove numerose che si spostava il *knörr* per via di terra facendolo rotolare su tronchi d'albero oppure lo si portava a spalle: i rilievi di legno che secoli dopo avrebbero decorato la *Historia de gentibus septentrionalibus* (1540-1555) di Olao Magno attestano entrambe le operazioni. Nella stessa opera si parla anche di martore e zibellini e scoiattoli cacciati dai vareghi prima di imbarcarsi. Non dimentichiamo che la nave vichinga, alleggerita del carico e sbarazzata della sua attrezzatura, poteva essere trasportata da un equipaggio medio di una ventina di uomini.

Eccoci giunti a Gnezdovo-Smolensk. Ormai non c'era che da seguire il Dniepr, che conduceva a Kiev-Kœnugardhr, un'altra «colonia» scandinava che ebbe la stessa storia di Novgorod-Hólmgardhr. Anche laggiù è stato riportato alla luce un cimitero che, tra l'altro, contiene tombe vichinghe. Kiev-Kœnugardhr, come è noto, ebbe un ruolo fondamentale nella storia della Russia medievale. Sarebbe dunque normale che mercanti provenienti dalla Svezia vi si siano diretti prima di intraprendere la loro navigazione sull'ultimo troncone del fiume verso il Mar Nero. Su questo percorso disponiamo per fortuna di una testimonianza di prim'ordine. Si tratta del *basileus* Costantino Porfirogenito che nel suo *De administrando imperio* scritto intorno al 950 rievoca con dovizia di particolari i vareghi che chiama Rhos e che segue da Grobin (a pochi chilometri da Riga) a Gnezdovo e di là a Kiev e da quest'ultima città a Berezany. Il suo racconto è di una tale ricchezza da meritare che ne fornisca lunghi brani:

> D'inverno, la vita dei Rhos è dura. Agli inizi di novembre i capi di tutti i Rhos lasciano Kœnugardhr insieme e si ritirano nei loro fortini circolari [il testo è oscuro e si può anche interpretare: vanno per affari] nella regione di [*testo illeggibile*] presso le tribù slave loro tributarie. Là passano l'inverno ma nel mese di aprile quando il Dniepr si è completamente scongelato fanno ritorno a Kiev.
> [Per viaggiare lungo i fiumi sostituiscono le loro navi con imbarcazioni locali.]

A Kiev distruggono le vecchie barche usate e ne acquistano di nuove dagli slavi che le costruiscono d'inverno abbattendo alberi nelle foreste. Tolgono le sassole, i banchi e gli accessori dalle vecchie barche e li trasportano sulle nuove. In giugno partono per la Grecia [Bisanzio]. Per qualche giorno la flotta dei mercanti si raduna a Vytechev, una fortezza dei Rhos proprio sopra Kiev. Quando la flotta è al completo, partono tutti a valle per affrontare insieme le difficoltà del viaggio.
[Le cause principali di tali difficoltà sono una serie di terribili cateratte e rapide del Dniepr nei pressi della attuale Dniepopetrovsk. Costantino ne descrive sette, la prima delle quali non è troppo pericolosa.]
Nel mezzo sorgono alte rocce scoscese che somigliano a isole; quando l'acqua le raggiunge e precipita su di esse fa un tumulto assordante e terrificante, ricadendo. I Rhos non osano navigare fra quelle rocce e perciò ancorano le loro barche vicino a riva e fanno scendere l'equipaggio ma lasciano il carico a bordo. Poi entrano nudi nell'acqua tastando il fondo con il piede per non inciampare sulle pietre. Intanto spingono la nave con delle pertiche, davanti, a metà e a poppa. Con tutte queste precauzioni avanzano in acqua attraverso le prime rapide presso la riva; appena le hanno superate riprendono a bordo il resto dell'equipaggio e proseguono il loro cammino.
[Ma si presentano poi difficoltà anche maggiori.]
Alla quarta delle grandi rapide [...] accostano tutti a riva con le loro imbarcazioni e gli uomini di guardia sbarcano. Queste guardie sono necessarie a causa dei peceneghi [tribù turche molto pericolose sempre intente a tendere imboscate]. Gli altri tolgono le merci dalle imbarcazioni e

> conducono gli schiavi incatenati per via di terra, per una distanza di sei miglia, finché non hanno superato le rapide. Quindi trasportano anche le barche al di là delle rapide in parte trascinandole in parte sollevandole a spalla, poi le rimettono in acqua, le ricaricano e vi risalgono per proseguire il viaggio.[21]

Questo circostanziato reportage è davvero appassionante, tanto più che corrisponde a dati che ci sono noti da altre fonti. Non abbiamo ragione di dubitare di quanto ci dice Costantino Porfirogenito per la semplicissima ragione che è possibile verificare alcuni particolari. Ad esempio, il Dniepr è pericoloso a causa delle sue rapide che Costantino Porfirogenito cita sia nella forma slava che in quella scandinava e i cui nomi non sono difficili da interpretare. Sono infatti Essupi (probabilmente *ei supi* o *ei sofi*, non c'è da bere o da dormire), Ulvorsi (*hòlmfors*: cascata, *fors*, presso l'isolotto, *hòlmr*), Gelandri (*gjallandi*, che contiene l'idea di urlare, fare rumore), Baruforos (*bàrufors*, la cascata che esige un trasporto: *fors*, cascata, e *bàru*, da *bera*, portare), Leanti (*hlaejandi*, la ridente da *hlaeja*, ridere), Strukun (il corridore, da *struk*, *strok*) e soprattutto Aïfor (*ei-fors*, non-cascata perché invalicabile). È straordinario che una iscrizione runica trovata a Pilgards nel Gotland citi Aïfor. Risale alla fine del X secolo, dunque appartiene ai migliori anni dell'epoca vichinga e dice:

[21] Citato dalla traduzione inglese a cura di R.J.H. Jenkins (I-II, Budapest 1949-1962) del testo di Costantino Porfirogenito, *De administrando imperio*, a cura di G. Moravcsik.

> Dipinta di vivi colori Hegbjörn e i suoi fratelli Rødvisl, Øysteinn e Ámundr hanno innalzato questa pietra alla memoria di Hrafn a sud di Rufsteinn.[22] Si sono spinti lontano in Aïfor.

Ciò che chiama Aïfor in «rhos», Costantino in russo lo chiama *neaset*, termine che si è conservato fino a oggi. È chiaro che Hrafn era perito nella traversata. E che il documento di prim'ordine che abbiamo appena citato, il *De administrando imperio*, merita tutta la nostra fiducia.

Sono anche citati incidentalmente i peceneghi. Il viaggio del nostro commerciante varego, per quanto pacifico nelle intenzioni, non sarebbe potuto essere un viaggio di piacere anche senza tenere conto delle difficoltà intrinseche che comportava. I vareghi si erano imposti alle popolazioni slave sia nel principato di Novgorod che in quello di Kiev. Non per questo regnava la pace perfetta. Da una parte c'era Bisanzio con la quale le relazioni non erano sempre improntate al «bello stabile». È anche naturale che in un itinerario così lungo i pericoli fossero numerosi: provenivano soprattutto da tribù nomadi, in linea di massima turche, come i peceneghi con i quali vari sovrani rūs, in particolare Igor-Yngvarr e Vladimir-Valdimarr, dovettero fare i conti. Ma anche popoli che abbiamo già incontrato come i bulgari e i khazari potevano essere egualmente minacciosi.

Supponiamo comunque che tutto fosse proceduto al meglio per il nostro mercante e che questi non avesse subi-

[22] Per spiegare il significato di questa parola si è ricorsi alle interpretazioni più singolari: la più attendibile potrebbe essere «pietra spaccata» e corrisponderebbe a una lastra di pietra emergente nella rapida detta in russo Nenasytec.

to la tragica sorte dello Hrafn della iscrizione di Pilgards. Eccolo dunque ormai giunto a Berezany sulla riva settentrionale del Mar Nero, non lontano dalla attuale Odessa, in un'isola.

È certo che questa località era ben nota ai vareghi: vi è stata trovata un'iscrizione runica, che è anche quella più orientale a noi nota, nella quale un certo Grani afferma di avere innalzato e fatto incidere una pietra in onore del suo compagno Karl: «Grani ha fatto questa tomba[23] per Karl, suo compagno».

E, visto che ci siamo, non resisterò alla tentazione di citare il grande runologo svedese S.B.F. Jansson il quale rievocando questa iscrizione, la sola che sia stata trovata lungo la strada dell'Est, scrive: «Karl era sepolto in un'isola le cui baie protette avevano accolto tante navi svedesi in viaggio verso oriente. Quando il viaggiatore arrivava dal nord con i pericoli delle cateratte del Dniepr, dei banchi di sabbia e dei fondali bassi e traditori ancora freschi nella memoria finalmente sfociava a Berezany in acque libere in cui di fronte alla prua della sua nave si apriva il Mar Nero, più grande del Baltico. Quando giungeva a Berezany da sud, lungo il viaggio di ritorno verso le baie coperte di dense foreste del Mälar o i porti sassosi di Gotland, poteva radunare le forze prima di essere costretto a remare aggrappato ai banchi nella lunga lotta contro le correnti del fiume e tutti gli altri ostacoli che sarebbero sorti lungo il cammino. Sarebbe giunto presto il momento di scaricare le merci per portare la nave a spalla, quindi di ricaricarla, il tutto nel caldo sof-

[23] Il testo sembra recare *hvålfr*, che implica l'idea di una volta, di un sotterraneo con il soffitto a volta.

focante dell'interno del paese appena attenuato dai venti della steppa e dalle piogge d'estate».[24]

Non sarebbe possibile esprimersi meglio. In ogni caso, è illuminante seguire gli itinerari che abbiamo descritto esaminando una carta geografica dove siano indicati tutti i luoghi che i vareghi avevano scelto per seppellirvi i loro tesori di monete arabe, bizantine od occidentali: le loro zone di spostamento si individuano così abbastanza precisamente.

Non è necessario fare grandi sforzi di immaginazione per ricostruire l'atmosfera di un mercato come Berezany. La nave trasportava tutto il necessario per stabilirsi a terra: era facile allestire le tende dai montanti triangolari che culminavano in figure scolpite e sbarcare il materiale per cucinare, in particolare il tripode di metallo cui si appendeva la marmitta. A fianco i vareghi esponevano le loro merci, soprattutto le balle di pelli e pellicce mentre gli schiavi li tenevano in serbo per Bisanzio.

Infatti la «grande città» – è il significato letterale del termine Mikligardhr che indica Bisanzio in antico norreno – restava la meta principale di quei viaggi, vera e propria piattaforma dove convergevano le strade provenienti da oriente, da nord (come quella che abbiamo seguito) e dal Mediterraneo che gli scandinavi non ignoravano. La strada dell'Occidente, in una delle sue varianti, dopo avere costeggiato la Francia e la Spagna varcava lo stretto di Gibilterra (Njörvasund in antico norreno) e raggiungeva il Mediterraneo toccando infine l'Italia oppure il sud della Francia. Ma il prestigio di Bisanzio era tutt'altra cosa. Non è questa la sede per fare la storia della città imperiale,

[24] S.B.F. Jansson, *The Runes of Sweden*, cit., p. 39.

ma non possiamo fare a meno di rilevare che l'età vichinga coincide con il periodo di maggiore prosperità di questa città. Tutta la ricchezza del mondo si può dire che transitasse di là e i vareghi ne approfittavano: fino a oggi nel sottosuolo della Scandinavia sono state trovate circa 100.000 monete d'argento arabo sepolte dai loro proprietari in generale per evitare il furto. Sono monete cufiche[25] che hanno per noi il merito di recare incisa la data di fabbricazione. Non è possibile accertare se fossero il prodotto di furto o di operazioni commerciali remunerative. Bisanzio dovette d'altra parte segnare gli scandinavi con influenze di ben altra natura. Così in Islanda sono stati trovati arazzi risalenti all'età vichinga evidentemente ispirati a motivi e anche a tecniche esecutive bizantine, come i bassorilievi di legno di Flatatunga che abbiamo già citato.

Non abbiamo dimenticato, intanto, il nostro varego. Non gli resta a questo punto che far ritorno verso il nord, dopo aver concluso probabilmente affari fruttuosi. La risalita di fiumi come il Dniepr doveva essere abbastanza «sportiva» e come osserva S.B.F. Jansson era necessario essere animati da un vivo desiderio di rivedere la propria terra per reimbarcarsi in questa avventura. Ma questi mercanti-avventurieri provavano tali sentimenti perché erano uomini di tempra ben solida.

Qui, come in Occidente, essi non disdegnavano nemmeno di fare i mercenari. Stranamente gli storici scandinavi e non scandinavi di solito trascurano questo aspetto, ma il fenomeno è attestato. Non bisogna mai dimenticare che essi partivano «per acquistare ricchezze» senza troppi scru-

[25] Così chiamate dal nome della città di Kufa in Mesopotamia.

poli sulla scelta dei mezzi. Il commercio, dunque, costituiva l'intelaiatura di base, ed era integrato nella misura del possibile dal saccheggio e anche dall'attività mercenaria. Ecco perché gli imperatori fecero appello agli scandinavi per costituire una guardia del corpo scelta che da loro prenderà persino il nome di Vareghi (con la maiuscola). Essa però non era costituita solo da scandinavi, anche se ne fecero parte personaggi di rango reale e di grande fama come Haraldr lo Spietato.[26] Sappiamo che vi militarono anche molti inglesi e più tardi normanni della Normandia. Ma è certo che uomini agguerriti come i vareghi (con la v minuscola) abbiano attirato l'attenzione del *basileus*.

Torniamo al nostro personaggio. Eccolo ripartito con il suo equipaggio, con lo *knörr* carico di seta, spezie, argento e gioielli in cofani ben chiusi e protetti. Tutto fa pensare che si trattasse di uomini allegri: è probabile che remando cantassero e i diplomatici arabi cui siamo ricorsi non hanno parole per esprimere tutto l'orrore che provavano udendo i suoni gutturali emessi dai Rūs. E la sera nei porti eseguivano danze (forse rituali) o mimi come quelli dei quali parla anche Costantino Porfirogenito.

Quanto abbiamo detto dei vareghi certamente potrebbe essere applicato anche ai vichinghi che si spostavano lungo la strada dell'Ovest, ma da quelle parti la sicurezza dei traffici era meno garantita ed era quindi di maggiore attualità l'immagine, cui abbiamo fatto ricorso così spesso, dell'ascia dal lungo manico chiamata a sostituire la bilancia per

[26] Se ne confronti la saga, che fa parte della *Heimskringla* di Snorri Sturluson, la cui traduzione è pubblicata da Payot, 1979.

pesare le monete. D'altra parte la mancanza di poteri forti in quelle regioni, lo smembramento dell'impero carolingio rendevano ben più frequenti e facili i colpi di mano che non avevano più niente di mercantile. Ma è chiaro – senza riprendere la rappresentazione che ho cercato di allestire per la strada dell'Est – che anche i vichinghi operanti in Occidente miravano innanzitutto ai grandi centri commerciali e che non si allontanavano mai dai grandi corsi d'acqua e dalle coste, cioè dalle loro imbarcazioni. Cerchiamo su una carta di Francia le località che secondo gli scrittori di cronache videro la presenza dei vichinghi. Sono Fontenelle, Jumièges, Rouen, Jeufosse, e poi Parigi, per la Senna; Abbeville e Amiens per la Somme; Nantes, Saint-Florentin-le-Vieil, Angers, Tours, Blois, Orléans per la Loira; Bordeaux e Tolosa per la Garonna; Arles e Lione per il Rodano. Tutti i centri commerciali importanti della Francia di quell'epoca. Mi sono dilungato sulla strada dell'Est perché è davvero impressionante che su territori di dimensioni così gigantesche gli scandinavi abbiano percorso fedelmente solo gli itinerari lungo i quali sorgevano centri e mercati importanti. Abbiamo già proposto all'ammirazione del lettore oggetti intelligentemente concepiti per il commercio. Aggiungeremo ora che con la stessa frequenza si incontrano anche oggetti molto più banali come la bilancia romana trovata a Mästermyr nel Gotland.[27]

Commercianti pronti a cogliere tutte le occasioni per fare lucrosi guadagni senza dover ricorrere alla difficile dialettica e alla forza di persuasione del mercanteggiamento.

[27] Riproduzione in Ole Klindt-Jensen, *Vikingarnas värld*, Stockholm, Forum 1967, p. 107.

Non voglio tornare a istruire un processo che mi è, comunque, caro:[28] mi limiterò a dire che i vichinghi non erano abbastanza numerosi per poter costituire veri e propri eserciti capaci di sconfiggere avversari bene organizzati. Potevano nella migliore delle ipotesi costituire il braccio armato di qualche signore locale impegnato in quelle contese intestine che furono la piaga dell'epoca. Così Pipino II d'Aquitania, nipote di Luigi il Pio, si alleò con i «danesi», secondo gli *Annali di San Bertino*, nell'857, allo scopo di saccheggiare Poitiers. Accortisi ben presto della situazione di crisi e disfacimento che scuoteva l'Europa e della loro efficacia, i vichinghi probabilmente compresero i vantaggi della guerra psicologica e fecero quanto stava in loro per imporre alle popolazioni locali le proprie condizioni: questo è del tutto naturale. Né i monaci spaventati ai quali dobbiamo quasi tutte le nostre «testimonianze» ci contraddiranno. Ma esse sono ambivalenti: non mancano casi nei quali i vichinghi si imbarcavano esclusivamente per affari mentre è ben difficile citare esempi di spedizioni a scopo soltanto militare.

Secondo noi bisogna ricorrere ancora una volta all'arazzo di Bayeux per illustrare la vita quotidiana dei nostri personaggi. È stato osservato che questo straordinario antenato del fumetto si sviluppa lungo due piani paralleli: quello intermedio in cui si svolge l'azione principale debitamente commentata e quelli (di cui non sappiamo in che rapporti stessero con il principale) delle fasce superiore e inferiore. Si osservi come – indipendentemente dal tema principale trattato al centro – le altre parti, tranne l'ultimissima che

[28] Costituisce il nucleo fondamentale di *Les Vikings...*, cit.

descrive la battaglia di Hastings, rappresentano solo azioni pacifiche, con esiti talvolta incantevoli come la scena dell'aratura e della semina nelle sezioni 9 e 10.

Lo *Speculum regale* che però esorbita dalla nostra epoca (si tratta di un'opera certamente norvegese che risale al 1260 circa) comincia significativamente – prima di parlare degli uomini della «mesnia» (*hirdh*) del re e del re stesso, dei suoi diritti e doveri – con un lungo capitolo sul mercante in cui si legge un'affermazione che doveva avere radici culturali antichissime: «Benché sia stato più uomo del re (= guerriero) che mercante, non biasimerei mai questa professione perché spesso la scelgono gli uomini migliori». Questo stesso testo usa il termine *farmadhr* che può indicare al tempo stesso un marinaio e un mercante. E J. Graham-Campbell, al quale molto deve questo capitolo, fa giustamente osservare[29] che la pirateria per quanto proficua non poteva garantire «entrate regolari» come quelle che potevano invece venire dalla vendita degli schiavi agli arabi in cambio di quell'argento che essi possedevano in grandissima quantità.

Chiudere il dibattito a questo punto non ci sembra impresa difficile: basterà gettare uno sguardo su una di quelle «città» commerciali tante volte citate nelle pagine che precedono. Sempre per sottolineare il mio punto di vista principale faccio notare che probabilmente le prime «città» che sorsero nel Nord come Hedeby (in Danimarca) o Bergen (in Norvegia) furono fondate dai re perché i sovrani scandinavi si accorsero ben presto che avevano tutto l'interesse a controllare il commercio e a garantirsi i proventi

[29] *The Viking World*, cit., p. 80.

della tassazione imposta ai mercanti. Abbiamo già detto che certe città a sud del Baltico come Grobin in Lettonia o Wollin alla foce dell'Oder (che forse coincide con la Jumne di Adamo di Brema, con la Jòmsborg della omonima *Saga* – che Adamo ci presenta come la più grande città dell'Europa del 1070), erano centri fiorenti in cui gli scandinavi lasciarono tracce durevoli. Ma una delle specificità dei vichinghi consiste nel fatto che essi instaurarono vie di collegamento regolari attraverso tutta l'Europa e buona parte dell'Asia o, più esattamente, «istituzionalizzarono» itinerari noti prima di loro e frequentati da tanto tempo ma non con la stessa costanza e regolarità.

Proviamo a immaginare di passeggiare per le «strade» – che in verità erano portici con il suolo lastricato da assi di legno – di Haithabu-Hedeby che un viaggiatore arabo bene informato come Al Tartushi ci presenta intorno al 950 come «una grande città». All'inizio del IX secolo un re danese particolarmente avvertito, Godfred, aveva fatto costruire in quel luogo una città per i mercanti frisoni e danesi che attraversavano lo Jütland alla base per evitare i pericoli del Sund e del Belt seguendo il celebre Danevirke, la lunga fortificazione che proteggeva tutta la Danimarca. Hedeby era ben protetta da una recinzione circolare di cui sono rimaste diverse tracce. La città era costituita da edifici rettangolari che misuravano in media 15 metri per 6, probabilmente magazzini per le merci, dove sono stati trovati frammenti d'ambra, di metallo, di pietra dell'Eifel con cui si costruivano le mole e di monete frisoni. In altri edifici più piccoli di graticcio con il tetto di canne (3 metri per 3) abitavano probabilmente i più poveri. Hedeby ebbe il suo periodo di fioritura dalla fine del X secolo alla metà dell'XI ed è stata scavata ripetutamente con metodo.[30] La sua ricostruzione[31] ci permette di farci un'idea perfetta di che cosa furono le «città» vichinghe che, come abbiamo detto, inizialmente non erano state concepite per ospitare una popolazione stanziale ma mercanti di passaggio. Ecco che cosa ci dice Al Tartushi:[32]

> È una grande città all'estremità più remota dell'oceano del mondo. All'interno di questa città ci sono dei pozzi d'acqua fresca. I suoi abitanti venerano Sirio a parte pochi che sono cristiani e hanno una chiesa. [...] Essi celebrano una festa radunandosi per onorare il loro dio e mangiare e bere. Chiunque abbatte un animale a fini sacrificali pianta un palo davanti a casa sua e vi attacca l'animale sacrificato che può essere un bue, un ariete, un capro o un cinghiale perché si sappia che ha fatto un sacrificio in onore del suo dio. La città non possiede grandi beni o ricchezze. Il cibo principale degli abitanti è il pesce, perché ce n'è in abbondanza. Se nasce un bambino lo gettano nell'acqua, in mare, per non doverlo allevare. [...] Inoltre le donne hanno diritto a proclamarsi divorziate. Si separano dal marito quando vogliono. Hanno un belletto artificiale per gli occhi; se se ne servono la loro bellezza non passa mai e anzi aumenta sia per gli uomini che per le donne. [...] Non

30 Prima da H. Jankuhn, poi da Schietzel.

31 Per esempio in *The Viking World*, cit., pp. 94-95.

32 Questo testo è citato in particolare da H. Birkeland in *Nordens historie i middelalder efter arabiske kilder*, in «Norske Videnskabs-Akademiets Skrifter», II, Hist. philo. Klasse, 2, Oslo 1954 che propone il *Libro di viaggio* di Ibrahim ibn Jakud, scritto intorno al 975. La mia citazione è tratta da G. Jones, *A History of the Vikings*, pp. 177 ss.

ho mai udito cantare più orribilmente di quelle genti, si direbbe che dalla loro gola esca un grugnito, come l'abbaiare di un cane ma ancora più bestiale.

Non siamo naturalmente tenuti ad aderire ai gusti estetici del nostro informatore, ma quanto ci dice ha l'accento della verità. E il fatto che la città non fosse ricca si spiega in quanto si trattava di un deposito commerciale transitorio.

Lo stesso si può dire di Birka sull'isola di Björkö oggi, nel Mälar a sud dell'attuale Stoccolma. Più ancora di Hedeby, essa si presentava chiaramente come un mercato. Risale agli inizi del IX secolo ed era protetta da una cinta di mura circolare, forse dominata a intervalli regolari da torri di legno, aperta verso il Mälar. Il sito era più «pagano» di quello di Hedeby, più vicino al continente già cristianizzato: gli scavi sono ancora in corso nelle circa tremila tombe contenute nei suoi cimiteri e nella zona detta di «terra nera» (perché composta da carbone di legna e detriti organici che vi si depositarono durante un secolo e mezzo di attività); ma quanto è stato finora riportato alla luce basta per stabilire che Birka, come Hedeby, è stata un centro artigianale dove si lavorava il ferro, si fondeva il bronzo, si facevano oggetti di cuoio e di osso; e anche un mercato.

Eloquente in proposito è il numero di pesi che vi sono stati trovati. È anche interessante il fatto che Birka – che dovette essere ben nota a Rimberto che ce ne parla nella sua vita di sant'Anscario (*Vita Ansgarii*) l'evangelizzatore del Nord – funzionava probabilmente sia d'inverno sia d'estate; perciò ai due porti naturali dovette affiancare un porto artificiale. Altro particolare utile: P. Sawyer ha dimostrato che la Svezia vichinga sfruttava già le sue miniere di ferro[33] e da Birka transitava la maggior parte delle esportazioni di tale materia prima mentre sia a Birka sia a Hedeby era situato il mercato delle pelli e delle pellicce. Le ricerche archeologiche vi hanno individuato esemplari di pressoché tutto quanto un vichingo poteva commerciare, a est come a ovest. Rimberto osservava del resto giustamente che «vi si trovavano molte ricchezze commerciali, beni in sovrabbondanza, molto argento e cose preziose».

Resta Kaupangr (che significa letteralmente deposito o mercato, dal verbo *kaupa*, che implica l'idea di commerciare, acquistare e vendere) in Norvegia, nel fiordo di Oslo. Vi sorgevano case e laboratori dove gli artigiani costruivano gli oggetti che già conosciamo cui vanno aggiunti gli utensili di steatite, una particolarità norvegese. Kaupangr fu attiva dalla fine dell'VIII secolo all'inizio del X: questa circostanza non ha bisogno di commenti. Una delle sue specialità dovette essere il fruttuoso commercio di corde di pelle di tricheco. Le scoperte fin qui fatte indicano che questo centro aveva rapporti precisi con la Renania e l'Inghilterra, il che corrisponde alle tendenze a noi note da altre fonti dei vichinghi norvegesi. Ma per ragioni a noi ignote questa città non raggiunse mai l'importanza di Hedeby o Birka.

Per completezza ora vorrei aggiungere qualche cenno alle città di York, di cui si diceva che fosse «piena del tesoro dei mercanti, soprattutto di razza danese», di Dublino e anche di città sconosciute come Quentovic in Francia, ma quanto abbiamo detto dovrebbe bastare a convincere il lettore della vera natura delle attività quotidiane del vichingo all'estero come nei suoi territori. Consiglio però vivamente una visita

[33] *Kings and Vikings*, cit. pp. 63-64.

al «Centro vichingo» di York, la città che venne fondata dai vichinghi danesi intorno alla fine del IX secolo che le diedero il nome di Jòrvik (baia dello stallone), da cui York. Durante gli scavi per lavori di riorganizzazione della città moderna è tornata alla luce quella antica, che le condizioni propizie del suolo avevano conservato malgrado la fragilità dei materiali di costruzione: era infatti di legno. Essa è stata scavata fra il 1976 e il 1981, le numerose scoperte sono state studiate, inventariate e definite ed è stato creato una specie di museo vichingo che si può ora visitare, nel quale gli organizzatori hanno tentato di ricostruire il più esattamente possibile la Jòrvik dell'anno 900. Il risultato è impressionante. I visitatori possono contemplare case d'abitazione, depositi di merci, laboratori dove si lavora l'osso (soprattutto le corna dei cervidi, per fare pettini, aghi ecc.), il legno (per la fabbricazione di scodelle, cucchiai, mastelli, secchi, mobili), l'argento (si facevano spille, braccialetti, collane fondendo le monete che sono state trovate sui siti), il cuoio (calzature, cinture, grembiuli da fabbro), il rame (per realizzare lame d'ascia e punte di lancia e di frecce), l'argilla per il vasellame. Sono stati ricostruiti anche dei telai con tutti i loro accessori e dei giochi di *hneftafl* e sono minuziosamente riprodotti tutti gli oggetti necessari per le navi. Ci sono persino ami, cucchiai di ferro stagnato, chiavi, staffe, dadi e anche un coltello pieghevole di metallo, tutti accuratamente riprodotti in *fac-simile*. In un certo senso niente potrebbe essere più eloquente. La pubblicazione ufficiale che viene distribuita come guida per la visita pone la domanda: «Chi erano i vichinghi?» che è esattamente il nostro problema e, sulla base degli scavi intrapresi e dei loro risultati, fornisce una risposta articolata in quattro tempi: dei saccheggiatori e conquistatori, dei colonizzatori e artigiani, dei marinai e commercianti, dei costruttori di città. Insomma, esattamente quanto vado dicendo ininterrottamente dall'inizio.

Non mi spingerò fino ad affermare, come pure mi è capitato di leggere,[34] che «vichingo» potrebbe significare semplicemente «borghese»: infatti l'etimologia più accettata lo indica come l'uomo che va di *vicus* in *vicus*, dove *vicus* indica il mercato. D'altra parte «borghese» non va inteso semplicemente nell'accezione moderna. Vogliamo semplicemente constatare come oggi sia possibile, su basi fondate, rinunciare alla spiegazione tradizionale che rimanda a *vik*, la baia, che faceva del vichingo un feroce predone che dal suo riparo in fondo a una baia aspettava la prima pacifica imbarcazione di passaggio per aggredirla senza pietà. Questo mi sembra già incoraggiante.

Certamente nella sua vita quotidiana il vichingo doveva essere pronto ad affrontare tutte le eventualità non esitando a provocare in determinate occasioni la battaglia, se l'esito poteva essere vantaggioso. Ma senza mai perdere di vista ciò che, in base a quanto sappiamo della sua psicologia, doveva essere la sua caratteristica dominante: la ricerca del profitto.

[34] In *Au temps des Vikings*, Hachette, Paris 1983, contributo di L.R. Nougier, p. 48. Un'opera che costituisce un esempio illuminante delle molte confusioni ancora circolanti. Accanto a testi che denunciano una documentazione impeccabile ne figurano altri soffocati dal cumulo di idee erronee e di leggende (i «cavalieri del mare», l'immancabile drakkar, l'elmo con le corna dei «sacerdoti» che officiano il matrimonio, lo scaldo che accompagna con il liuto la sua celebrazione delle «meravigliose imprese dei jarl» ecc.).

VI

Le grandi date

La vita quotidiana che abbiamo seguito fin qui nei suoi particolari si svolge talvolta con monotonia secondo il ritmo di attività indispensabili spesso abitudinarie; questo è naturale. Ma è altrettanto naturale che, al Nord come ovunque, invece, determinati eventi si accompagnassero a particolari celebrazioni e manifestazioni. È quanto intendiamo ora esaminare, distinguendo fra le grandi date della vita (nascita, matrimonio, funerali) e le scadenze annuali di tipo politico o religioso, che prenderemo in considerazione entrambe, distintamente.

Le grandi date della vita

Sui riti della nascita abbiamo poche e confuse informazioni perché si tratta di un terreno dove il cristianesimo è intervenuto con particolare energia. È difficile perciò distinguere se quanto sappiamo è autentico o cristianizzato o «ricostruito»: quest'ultima osservazione vale per le saghe del XIII secolo i cui autori si sforzavano di ricreare un passato che risaliva ad almeno tre secoli prima. Si ricorderà d'altra parte che nel Medioevo, qui come ovunque, le nascite si susseguivano senza interruzioni talvolta per tutta la vita feconda di una donna. Perciò anche qui si incontreranno i problemi necessariamente associati a una natalità così elevata.

In generale la gravidanza non dava nemmeno luogo a commenti particolari, perché era del tutto naturale. Ricordiamo solo la pittoresca espressione con cui la si indicava talvolta e che si traduce con «ella non era sola» per «ella era incinta». Che io sappia le pratiche contraccettive e abortive erano ignote, ma bisogna sempre diffidare della pudibonderia degli autori delle saghe o dei redattori dei codici giuridici tutti scritti nella forma a noi nota parecchi secoli dopo la cristianizzazione.

La gestante, assistita dalle donne e in particolare da quelle levatrici note per avere «la mano che cura», partoriva in ginocchio o in posizione accovacciata. Il parto, allora come oggi, poteva però presentare difficoltà e lo dimostra la presenza di iscrizioni runiche che lo favorivano (citate nei *Sigrdrífumál* dell'*Edda poetica*). Secondo alcuni poemi di quest'ultima raccolta, la fase espulsiva veniva accompagnata da un coro di canti magici (*galdr*); può anche darsi che il piccolo appena accolto dalla madre terra su cui cadeva, dopo il taglio del cordone ombelicale, venisse cosparso d'acqua (pratica dell'*ausa barn vatni* spesso rievocata nelle saghe che potrebbe essere una volontaria imitazione del battesimo cristiano ma anche un antico rito lustrale), quindi levato al cielo in una sorta di offerta alle grandi forze della natura che, come ho tentato di dimostrare,[1] po-

[1] In R. Boyer, *Yggdrasill. La religion des anciens Scandinaves.* In quest'opera

trebbero essere state le prime «divinità» venerate da questa religione.

Questo nel caso che il padre decidesse di tenere in vita il bambino. Infatti sembra che varie ragioni, innanzitutto economiche, autorizzassero la pratica dell'*útburdhr* secondo la quale il padre poteva rifiutare il bambino appena nato facendolo esporre alle fiere nei boschi. È questo un motivo tipicamente leggendario che ricorre in molte saghe. Se invece il padre decideva di accettare il bambino, doveva dargli innanzitutto un nome, pratica importante che segnava il vero e proprio ingresso del neonato nel clan e gli conferiva un'identità personale, garantendone così l'esistenza. Questa operazione, infatti, non era assolutamente gratuita; ma al contrario era carica di significati, in un mondo in cui l'appartenenza a un clan era la cosa più importante e un essere umano non esisteva giuridicamente se non era in grado di ricapitolare il suo lignaggio per parecchie generazioni. Il che spiega, tra l'altro, le lunghe e per noi noiose genealogie che inevitabilmente illustrano le saghe, i libri di colonizzazione e altri testi analoghi. La *Sturlunga saga* contiene addirittura una sezione intera riservata esclusivamente a questo tema.

Il nome che si conferiva al neonato rispondeva dunque a precise norme (cui ho fatto già cenno a p. 59). La scelta poteva cadere su nomi che si riteneva portassero fortuna o che secondo l'esperienza più corrente erano stati portati da personaggi favoriti dal destino. Perciò spesso si incontra-

distinguevo tre grandi forze naturali individuabili nell'antico pantheon scandinavo: l'aria-fuoco-sole; l'elemento liquido; l'elemento ctonio. Allo stato attuale delle mie ricerche non sono più certo che questa tripartizione sia corretta e inclinerei ad articolare ulteriormente il primo distinguendone l'aria.

no fanciulli che portavano il nome di un antenato appena scomparso. Non è da scartare nemmeno l'ipotesi che l'uso costituisse la traccia remota di una vaga credenza nella reincarnazione o nella trasmigrazione delle anime. In età vichinga non sempre i nomi teofori rappresentano, invece, affidamento alla tutela della divinità interessata. I nomi nei quali entra il dio Thórr (Thorgestr, Thorgils, Thorkell, Thorsteinn) sono tanti da non richiedere nemmeno un commento. Allo stesso modo non necessariamente la frequenza dei nomi zoofori (quali Björn, orso, Ari oppure Örn, aquila, Hrútr, ariete, Ormr, serpente, Úlfr, lupo) va riferita a un ipotetico totemismo. È possibile che questo atteggiamento religioso sia esistito in età antichissime ma crediamo si possa affermare con una buona dose di certezza che in epoca vichinga esso fosse definitivamente superato. La sola cosa di cui possiamo essere assolutamente sicuri è che non si trattava di una libera scelta. Non bisogna dimenticare infatti che questa società non conosceva veri e propri cognomi di famiglia per cui il nome era l'elemento di identificazione essenziale. Per il resto, si era figlio o figlia del proprio padre, come si è detto, e della propria madre solo se il padre era ignoto. Infine il numero dei nomi possibili non era illimitato: perciò frequentissimi erano i soprannomi che spesso tendevano a sostituirli. Essi, numerosissimi e pittoreschi, non richiedono commenti particolari perché ricordano quelli in uso nello stesso periodo anche altrove. Basta uno sguardo al *Libro della colonizzazione dell'Islanda* per incontrare i soliti il Forte, il Rosso, la Bella, il Saggio, il Ricco. Precisiamo che si trattava di una società nettamente patrilineare che ignorava assolutamente, almeno per il periodo che stiamo esaminando, ogni forma di matriarcato.

Abbiamo già accennato a come il bambino veniva allevato dalla prima infanzia – le nutrici non erano sconosciute – alla «maggiore età» che variava da testo a testo ma che in genere veniva raggiunta intorno ai quattordici anni o poco prima. I bambini nei nostri testi compaiono poche volte ma tutto lascia pensare che fossero amati e allevati con cura. Sono stati trovati giocattoli di legno e di metallo non dissimili da quelli in uso altrove. Non si dimentichi il costume, cui abbiamo già accennato e che veniva praticato dalle famiglie di alto rango, di affidare per qualche anno i propri figli a un amico o a un personaggio altolocato, restituendo la prestazione. Questa pratica del *fòstr* contribuiva a creare legami di affetto spesso fortissimi e naturalmente estendeva l'area di influenza di ogni clan. Sembra che molto spesso questi fratelli adottivi si considerassero come fratelli giurati secondo un rito magico attestato con certezza.[2] Va ricordato qui che uno dei valori più solidi della società vichinga era certamente l'amicizia, soprattutto l'amicizia virile. Gli *Hàvamàl* dell'*Edda poetica* lamentano con strofe bellissime la sorte dell'«uomo che nessuno ama» chiedendosi: «come potrebbe vivere a lungo?». Nel corso di tutta la vita, in questa società in cui il collettivismo costituiva una sorta di imperativo categorico l'uomo era sempre teso a non restare solo, a circondarsi di amici, fratelli giurati ecc.

In ogni caso, per chiudere con i riti di nascita dai quali ci siamo un po' allontanati, da quanto abbiamo detto risulterà chiaro che dovevano essere importanti. La famiglia (*ætt*) era

[2] Sul *fòstbrœdhralag* le due saghe di riferimento obbligato sono *Gìsla Saga Sùrssonar* e soprattutto *Fòstbrœdhra Saga*. La nozione è studiata in R. Boyer, *Le monde du double*, cit., pp. 147-148.

la struttura fondamentale di questa società. Entrare in una famiglia, per nascita o con il matrimonio o in altri modi (il termine che si usava era *ættleidhing* nella precisa accezione di legittimazione, ad esempio, del figlio di una concubina ma il suo significato, «condurre in una famiglia», poteva essere anche più vasto) è uno degli atti fondamentali dell'esistenza. Circostanza deducibile anche «*e contrario*» dal fatto che l'*einhleypingr*, cioè chi non aveva un focolare, una fissa dimora (il che non significava sempre non avere una famiglia) era quello che chiameremmo oggi un «povero diavolo» e poneva gravi problemi alla collettività.

Torniamo ancora una volta al bambino: in Scandinavia c'era l'uso, che vige ancora oggi, di fargli un dono per il primo dentino.

Almeno all'epoca che stiamo studiando non ci risulta che sopravvivessero riti particolari di ingresso nel mondo adulto che probabilmente vigevano in età pagane più remote. Georges Dumézil ha dimostrato brillantemente che il mito di Thórr che deve affrontare il gigante Hrungnir, nell'*Edda in prosa*, probabilmente rappresenta il ricordo di tali riti di passaggio. In epoca vichinga essi erano scomparsi. Sulla base di una lettura affrettata di un passo di Dudon de Saint-Quentin,[3] una delle fonti più contestabili a noi note a proposito dei vichinghi, si è anche supposto che secondo l'uso del *ver sacrum* (primavera sacra) il giovane, per entrare nella società degli adulti, dovesse partecipare a una

[3] Dudon de Saint-Quentin, scrittore normanno vissuto agli inizi dell'XI secolo che per ordine dei duchi di Normandia redasse uno scritto apologetico dal titolo *De moribus et actis primorum normanniæ ducum*. Quest'opera è la fonte dei principali errori che ancor oggi continuiamo a commettere a proposito dei vichinghi.

spedizione vichinga che in tal modo assumeva un carattere anche religioso. Questa tesi non regge assolutamente alla minima analisi. Naturalmente non è impossibile che la società si aspettasse che i giovani si mostrassero in grado di intraprendere una spedizione vichinga, ma ciò non significa affatto che dovessero manifestare le loro attitudini guerriere; era invece messa alla prova la loro capacità di affrontare un lungo viaggio per mare, in qualsiasi circostanza.

La mancanza di informazioni certe mi impedisce anche di parlare dell'istruzione che doveva ricevere il giovane vichingo. Essa probabilmente non esisteva nel significato che attribuiamo al termine. Le persone anziane avevano il compito di inculcare al fanciullo rudimenti di conoscenza del passato della famiglia e del clan: le cose cambieranno con la cristianizzazione con la quale ci troviamo però di poco fuori dall'età vichinga. Dovettero esistere certamente maestri che insegnavano il mestiere agli «apprendisti» e forse istitutori itineranti che organizzavano riunioni che oggi chiameremmo «seminari di studio». Come vedremo più avanti, infatti, è impossibile che ci si potesse improvvisare scaldo o narratore di testi a memoria. Lo stesso deve dirsi per il diritto, la cui complessità ed elaborazione erano tali che non ne era possibile l'apprendimento per pura trasmissione orale. Ma, ancora una volta, non disponiamo di documenti che ci consentano di farcene un'idea precisa.

Tutto invece fa pensare che i ragazzi ricevessero una solida formazione a sport come l'equitazione e all'uso delle armi; non è escluso che in ambienti particolarmente elevati il giovane ricevesse un addestramento a queste difficili arti delle quali torneremo a parlare. Nel complesso, la vita era dura a quei tempi e a quelle latitudini e l'educazione non doveva certo spingere all'edonismo. I valori della sopravvivenza dovevano essere per definizione i più apprezzati. Per questo, probabilmente, non ci sono giunti testi lirici o contemplativi o di preghiera; comunque mi sono sempre chiesto, a proposito dell'Islanda dove i dotti erano legione, come mai solo alcuni di essi ricevevano la denominazione onorifica di *hinn fròdhi*, «il dotto», con la sfumatura esatta di «colui che sa comunicare il sapere». Non sarei sorpreso se questi ultimi fossero degli insegnanti, dei dotti itineranti che si spostavano di fattoria in fattoria per divulgare il sapere.

Del matrimonio abbiamo già ampiamente parlato nel Prologo di questo libro. Come per la nascita, abbiamo posto l'accento sull'importanza della famiglia perché il matrimonio era concepito innanzitutto come un'alleanza fra due clan. Il concubinato faceva parte delle usanze: un ricco *bòndi* poteva avere diverse concubine ma ciò restava senza conseguenze sul piano «patrimoniale» perché esse non potevano partecipare al possesso delle ricchezze familiari né accedere all'eredità, salvo caso di accordi precisi. I figli nati da tali unioni non entravano a far parte dell'asse ereditario paterno a meno che il padre non decidesse esplicitamente in questo senso. Forse nei tempi più remoti queste disposizioni erano rispettate rigorosamente, in età vichinga risultano meno rigide. Persino nelle famiglie reali avveniva che dei «bastardi» non fossero distinti dai figli legittimi e avessero potenzialmente accesso al trono. In ogni caso, il padre aveva sempre la possibilità di legittimare un figlio naturale. Sembra che la formalità fosse relativamente semplice in Svezia e Danimarca dove bastava che il padre prendesse il figlio sulle ginocchia per legittimarlo. Ci è giunto invece il ricordo di un uso ben più colorito di origine norvegese. Il padre che voleva introdurre il figlio illegittimo in famiglia doveva far abbattere un bue di tre anni e con il cuoio della zampa destra dell'animale far confezionare una calzatura. Quindi si organizzava una festa nel corso della quale lo stivale veniva posto al centro della stanza. Prima il padre, quindi il fanciullo riconosciuto, poi tutti i membri della famiglia dovevano porre il piede destro nello stivale al fine di sottolineare che accettavano quel fanciullo come loro eguale.

Le usanze in fatto di eredità non differivano in linea di massima da quelle in corso nel resto d'Europa. Osserviamo solo qualche istituto particolare. Il primo era quello dell'*arfsal* o cessione (letteralmente, *vendita*) dei propri diritti ereditari a una terza persona la quale, in cambio, si assumeva il compito di provvedere ai bisogni di chi stipulava la cessione garantendogli una specie di vitalizio. Ciò poteva dar luogo a una serie di liti e malintesi, ma rappresentava un sistema comodo, per un anziano, di terminare la propria vita al riparo dal bisogno. D'altra parte, come ho fatto per l'*ættleidhing* – il rito che dava accesso a una famiglia – devo citare anche l'*arfleidhing*, con cui si concedeva a un nuovo erede l'accesso al patrimonio.

Ma l'istituto più caratteristico era l'*ódhal*, cioè il patrimonio indivisibile, che consisteva soprattutto in beni fondiari la cui proprietà doveva restare all'interno della famiglia e soprattutto indivisa. Questo elemento centrale – di proprietà indivisa – differenzia l'*ódhal* dall'allodio, sempre connesso a un contesto feudale qui del tutto ignoto. Cogliamo questa occasione per sottolineare che la società vichinga fu sempre estranea a istituti e mentalità che possano rimandare in qualsiasi forma al feudalesimo; il ricorso alle categorie da esso mutuate è un errore che commettono spesso i ricercatori francesi, più usi a questo tipo di riferimenti. Grosso modo ci sembra lecito affermare che il Nord abbia ignorato completamente il feudalesimo.

In forza del principio dell'*òdhal* era un solo figlio a ereditare l'intero patrimonio: non necessariamente il maggiore. Questo istituto è assolutamente decisivo, diremmo fondativo dell'antica società scandinava. Ve n'è ancora traccia nel famoso poema «Odelsbonden» del grande autore romantico, lo svedese Geijer, che scrive agli inizi del XIX secolo. Ma torniamo all'età vichinga. Il figlio che riceveva l'*òdhal* doveva versare un'adeguata compensazione ai fratelli. Il patrimonio fondiario di una famiglia restava dunque intatto e tale disposizione avrebbe incoraggiato i fratelli non ammessi all'eredità a cercare fortuna altrove mettendo a coltura nuove terre o cercando nuove risorse, oppure, ancora, emigrando. Non è pero inutile insistere su questo aspetto: l'*òdhal* non è stato neanche *una* delle cause del fenomeno vichingo e bisogna assolutamente diffidare delle affermazioni in questo senso, ad esempio, di uno Snorri Sturluson. I vichinghi non si imbarcavano perché erano esclusi dal loro patrimonio. Non ci stancheremo di ripetere che l'organizzatore di una spedizione, il capitano dello *knörr*, il reclutatore dell'equipaggio, che provvedeva al reperimento delle merci, doveva essere piuttosto ricco e poteva essere quindi più facilmente un *bòndi* benestante.

L'erede poteva vendere la terra a condizione di spartire il guadagno con tutti gli altri eredi più vicini. Questa possibilità rendeva il sistema meno rigido; ma allora come oggi si davano casi di eredità estremamente complesse, attestate dalle saghe ma anche da iscrizioni runiche elaborate come quella di Hillersjö in Svezia che risale esattamente all'età vichinga. Eccola:

> Interpreta questo testo! Geirmundr ebbe [= sposò] Geirlaug che era ancora vergine. Poi essi ebbero un figlio, prima che Geirmundr morisse annegato. E il figlio morì, in seguito. Poi Geirlaug sposò Gudhrìkr. Egli... [lacuna] Poi ebbero dei figli. Una sola figlia sopravvisse: si chiamava Inga. La sposò Ragnfastr di Snottsà. Poi morirono e morì il figlio. E la madre ereditò da suo figlio. Poi ella sposò Eirìkr e quindi morì. Allora Geirlaug venne a ereditare da Inga sua figlia. Thorbjörn lo scaldo ha inciso [queste] rune.

Questo testo, che è inciso in vocabolario runico e quindi è un documento vichingo autentico, è di carattere giuridico, come molte di queste incisioni e rappresenta un testamento inconsueto. Come ha osservato L. Musset dalla cui opera ho ricavato questa traduzione:[4] «Geirlaug, il personaggio principale, si è sposata due volte, con Geirmundr e con Gudhrìkr e lo stesso ha fatto sua figlia Inga con Ragnfastr ed Eirìkr, ma essendole premorti figlio, figlia, genero e nipote, la donna ha unificato tutte le eredità».

Ma ci siamo allontanati anche troppo dal nostro tema, che era il matrimonio. Restano pochi cenni da fare a proposito del divorzio del quale non dobbiamo esagerare l'importanza e la frequenza. È vero che, come abbiamo avuto occasione di ricordare a proposito della condizione della donna, il divorzio era relativamente facile da effettuare almeno secondo le testimonianze delle saghe. Non bisogna

[4] L. Musset, *Introduction à la runologie*, cit., p. 381.

però concludere che questa società fosse in continuo disfacimento. Al contrario, il divorzio era molto raro e provocava conseguenze gravi, spesso drammatiche, perché entrambe le famiglie dei coniugi separati avvertivano tale decisione come un insulto. È però vero che, almeno secondo i testi giuridici in nostro possesso, la donna poteva dirsi separata dal marito con una relativa facilità. Doveva invocare un motivo adeguato come l'impotenza sessuale conclamata del marito (ne fornisce un esempio la *Saga di Njåll il Bruciato*), un comportamento generalmente riprovato dalla comunità, da parte sempre del marito, il rifiuto di subire l'irrisione provocata dagli atti del marito e in genere le loro conseguenze. Anche il marito poteva ripudiare la moglie con facilità. In entrambi i casi bastava invocare dei testimoni e andarsene. Ma la donna in questo caso – ed era la questione più cruciale – poteva portarsi via la dote e la sopraddote portata dal marito. In questo universo dove, come ho più volte precisato, i valori materiali erano fondamentali e sempre presenti in tutti gli atti della vita è opportuno partire, invece che dai grandi principi cui siamo abituati, da considerazioni banalmente economiche del tipo: il divorzio era una rovina per il marito.

Per la nascita e il matrimonio siamo costretti a ricorrere a testi che nella maggior parte dei casi sono posteriori all'età vichinga. Non così per i funerali intorno ai quali siamo documentati ampiamente perché oggi l'archeologia ha portato in luce e studiato un numero di tombe tale da permetterci di ricostruire un'immagine attendibile di questo rito.

Ci attarderemo un po' più a lungo sul tema perché potrebbe essere stato proprio il culto dei morti il primo stadio di questo paganesimo. Ancora in pieno secolo XIII saghe scritte da cristiani si sentivano tenute ad attestare usanze ormai desuete ai loro tempi ma ancor vive nella memoria popolare. Per esempio, nella *Saga di Egill figlio di Grìmr il Calvo* vengono descritte con cura le pratiche da svolgere di fronte al cadavere di un individuo che nella vita aveva avuto atteggiamenti inquietanti (e che, in particolare, poteva diventare lupo mannaro in determinate notti). Vediamo il figlio, non ignaro di pratiche magiche, che gli tappa le narici e tutti gli altri orifizi del corpo secondo un uso che denota la credenza in un'anima o in uno spirito che avrebbe potuto separarsi dal supporto fisico per assumere un'esistenza autonoma e commettere ogni sorta di malvagità; quindi lo stesso figlio pratica nel muro, dietro al cadavere, un'apertura dalla quale veniva portato via il corpo e che veniva poi nuovamente chiusa in modo da essere sicuri che il defunto non sarebbe tornato a infestare la casa per lo stesso percorso dal quale era uscito.

Non c'è alcun dubbio che il Nord abbia creduto all'esistenza di un'anima. Esistono almeno cinque vocaboli per tradurre il nostro termine «anima»,[5] *önd*, *hamr*, *hugr*, *fylgja*, *sål*. Due sono evidentemente prestiti lessicologici (*sål* è mutuato dal tedesco continentale) oppure semantici (*önd* corrisponde alla nostra nozione di spirito ed è certamente stato introdotto dal cristianesimo). Gli altri tre sono invece autoctoni e indicavano sia le membrane placentari che accompagnano l'espulsione del neonato dal ventre materno sia l'idea

[5] Cfr. R. Boyer, *L'âme chez les anciens Scandinaves*, in «Heimdal», n. 33, 1981, pp. 5-10 in cui *önd*, che è visibilmente un calco cristiano (il termine significa soffio, respiro), non è naturalmente preso in considerazione.

di anima che sarebbe dunque la «forma» (è il significato letterale di *hamr*) o essenza che «segue» (*fylgja*, accompagnare, seguire) l'essere umano. *Hugr* forse rimanda invece all'idea universalmente riconosciuta di «anima del mondo» (*mana*, *orenda*) che alimenta il nostro universo e alla quale in determinate circostanze possiamo avere accesso o che, a sua volta, sceglie di manifestarsi a noi. La ricchezza di questo vocabolario e delle nozioni che vi si collegano è significativa. Naturalmente *hamr* e *fylgja* sono suscettibili di sottrarsi al loro contenitore fisico per vivere autonomamente sfidando le categorie spazio-temporali e adempiendo ai bisogni del proprio supporto. Esse possono anche «tornare» nelle vesti di quel singolare personaggio o *draugr* che letteralmente ossessionerà le fiabe e i racconti popolari islandesi fino ai nostri giorni conferendo loro il caratteristico tono sinistro.[6]

Queste rapide precisazioni sono utili per comprendere le operazioni che accompagnavano l'inumazione di ogni essere umano presso i vichinghi. In epoche remotissime la cremazione – altra dimostrazione della fede nell'aldilà e nell'esistenza dell'anima – fu certamente praticata e sono attestate le tombe collettive, soprattutto a forma di nave vista dall'alto; ma in età vichinga la norma era la tomba individuale in cui il defunto veniva inumato con le sue vesti di lusso, cibo, armi, animali e forse, almeno secondo alcuni testi, la schiava o concubina favorita. Ecco ad esempio che cosa ci dice un arabo, Ibn Rusta, dei Rūs che aveva frequentato:

[6] La nozione di *draugr* è studiata da C. Lecouteux, *Fantômes et revenants au Moyen Age*, Imago, Paris 1986. Per esempi precisi di sopravvivenza oltre la vita, si vedano i *Contes populaires d'Islande*, tradotti e introdotti da R. Boyer, «Iceland Review», Reykjavìk 1983, soprattutto pp. 46 ss.

> Quando fra loro muore un uomo importante fanno una tomba come una grande casa e ve lo pongono. Con lui mettono le sue vesti, i braccialetti d'oro che portava e anche molti cibi e bevande e monete. Mettono anche la sua donna preferita con lui, ancor viva. Poi la porta della tomba viene ermeticamente chiusa e la donna vi muore.

Il particolare della donna sepolta viva potrebbe essere sospetto. Ibn Fadlan, che già abbiamo incontrato, descrive a sua volta una impressionante cerimonia funebre nel corso della quale una schiava venne sepolta con il padrone morto, ma dopo essere stata strangolata. A Birka è stato scoperto un numero impressionante di tombe alcune delle quali consistono in una sorta di struttura di legno a cassero disposta intorno al cadavere. Il morto veniva interrato seduto o in posizione fetale e quest'ultima usanza era certamente molto antica. I nani, in questa come in altre mitologie, sono gli spiriti dei morti o più esattamente i morti stessi in virtù della valenza ben nota a Mircea Eliade *homo-humus* e quindi garanti della fertilità. Ma il termine *dvergr* (nano) in antico norreno significa letteralmente «attorto» e rimanda certamente alla posizione del cadavere nella tomba. Ho appena affermato che la drammatica relazione che Ibn Fadlan diede dell'inumazione di un capo rūs (quindi svedese) sulle rive del Volga nel 922[7] deve essere assunta con prudenza, ma molti elementi di questa narrazione risultano verificati anche da altre fonti.

[7] Questo testo si trova in A. Ibn Fadlan, *Voyage chez les Bulgares de la Volga*, cit., oppure in R. Boyer, *L'Edda poétique*, cit., nel saggio introduttivo sul sacro.

In ogni caso, l'idea di viaggio per l'altro mondo era certamente presente in queste cerimonie: la tomba spesso ricordava una nave oppure era una imbarcazione essa stessa, come a Oseberg o Groix. Inoltre il guerriero e il commerciante portavano nella loro ultima dimora oggetti molto significativi. Queste osservazioni valgono anche per le tombe di donne che venivano sepolte parate a festa con i loro gioielli più preziosi e ogni sorta di oggetti destinati alla sussistenza e al divertimento. Prendiamo ad esempio la tomba di una donna certamente altolocata scavata a Birka. Il cadavere è adorno dei gioielli più belli della defunta: una collana composta di anelli d'argento e di ottanta perle di cristallo e perle di vetro incastonate in oro e argento; due pendenti attaccati alla veste rappresentano due cavalli d'argento fortemente stilizzati; una splendida spilla di bronzo dorato nello stile di Borre[8] che ci riporta all'inizio dell'età vichinga, ispirata a un'elegantissima arte animalistica, che doveva servire probabilmente a chiudere il mantello; due piccoli gioielli che potrebbero essere orecchini o far parte di una collana; un fermaglio di bronzo per una cintura o una correggia di cuoio; un gioiello di bronzo dorato di elegantissima fattura che costituiva un'altra collana. Nella tomba accanto al corpo si trovavano dei recipienti uno dei quali di fattura frisona, un oggetto di vetro renano, un bollitore di bronzo di origine irlandese, due recipienti di legno e uno scrigno di legno che conteneva un pettine di corno. La tomba risale all'inizio del IX secolo ed era di una donna di alto rango (era vestita di seta, che a quell'epoca era il tessuto più lussuoso) e comunque molto ricca. Un'altra tomba di Birka, che potrebbe risalire a un periodo compreso fra

[8] Cfr. i diversi stili dell'arte vichinga e le rispettive datazioni, p. 288.

il 913 e il 980 definito dalla presenza di una moneta d'argento a noi nota, conteneva i resti di un guerriero che era stato inumato in posizione seduta. Aveva due scudi, uno alla testa, l'altro ai piedi, alla sua sinistra una spada a doppio taglio, alla sua destra un coltello decorato, un'ascia, ventiquattro frecce e una lancia (del tipo a spiedo) con il ferro incrostato d'argento e di rame. In uno spazio appartato della tomba di legno[9] giacevano due staffe e due cavalli. Il personaggio doveva essere più un guerriero che un commerciante, anche se ancora una volta ribadiamo che in questo campo la diffidenza non deve mai venir meno.

Ricordiamo anche che questa civiltà, significativamente, aveva due concezioni del mondo che potrebbero corrispondere a due tappe diacroniche, più che a due classi della società, come è stato anche troppo spesso affermato. Erano Hel che è l'Aldilà senza particolari accezioni – Hel designava sia il mondo «infernale» che la laida divinità femminile che vi regnava e che Snorri Sturluson descrive con il corpo metà nero e metà azzurro – e Valhöll (Walhalla) la cui concezione sembra appartenere al mondo della guerra, ma che a un'analisi più accurata potrebbe essere invece connessa alla magia. Colà Ódhinn raccoglie, in vista del Ragnarök (la traduzione corretta ci sembra «Consumazione del destino delle Potenze» più del wagneriano «Crepuscolo degli dei» anche se entrambe le formule sono attestate), i guerrieri eletti o *einherjar* che fa scegliere dalle sue valchirie perché muoiano sul campo di battaglia. Hel e Valhöll sono due concezioni entrambe molto antiche ma ci sembra arbitrario

[9] Si vedano le interessantissime ricostruzioni di B. Almgren *et alii*, *Vikingen*, cit., rispettivamente pp. 43 e 45.

privilegiare la seconda; basta leggere, per convincersene, la *Baldrsdraumar* dell'*Edda poetica*: a Hel e non nella Valhöll giace il dio Baldr morto.

Diffidiamo di punti di vista romantici fuori luogo: niente ci autorizza a supporre che i vichinghi professassero un sovrano disprezzo della morte né ad affermare che sperassero nell'aldilà dove venivano esaltati pretesi valori marziali. L'atmosfera della Valhöll più che marziale è dominata dal destino e ci sembra importante sottolineare che questo «paradiso» da un lato resta effimero, dall'altro è stato forse esaltato soprattutto dagli scaldi, cantori specialmente legati a Ódhinn (che era il dio della poesia), signore esclusivo della Valhöll. Aggiungiamo che la bella immagine della morte di Baldr che fa partire il bel dio verso l'aldilà in una nave incendiata, così romantica, è probabilmente molto più celtica che scandinava. Ma che l'altro mondo sia stato interpretato come un luogo gradevole e dignitoso ce lo dicono, ad esempio, le vesti e i gioielli femminili, le armi e l'equipaggiamento degli uomini, che abbiamo appena descritto. Ci si recava all'altro mondo con tutti gli onori a esso dovuti.

E anche secondo le debite forme. Avremo modo di ripeterlo: tutto ciò che riguardava la vita pubblica del vichingo era oggetto di misure e considerazioni giuridiche. La legge, il diritto erano davvero l'anima di quella società. Ciò era particolarmente visibile nel rito dei funerali. Bisognava che il morto fosse «davvero» morto, cioè morto nelle forme legali, altrimenti sarebbe tornato a infestare i luoghi dove aveva vissuto, come abbiamo già accennato, tentando di nuocere alle persone che gli erano state vicine e provocando ogni sorta di sventure. L'esempio più famoso è quello di Glámr nella *Saga di Grettir* che però ha moltissimi emuli spesso collocati in contesti sinistri e agghiaccianti, il più rappresentativo dei quali è certamente Thorbjörn lo Storpio, nella *Saga di Snorri il Godhi*. Infatti il *draugr* è un morto morto male o perché non è stato sepolto nelle debite forme o perché morto in una situazione giuridicamente insostenibile (ad esempio vittima di un'offesa non riconciliata) o ancora perché insoddisfatto del modo in cui gli eredi gestiscono la sua eredità. È importante sottolineare che in linea generale il morto subiva un vero e proprio processo (*duradòmr*, processo alle porte della morte) in cui veniva condannato a una morte per così dire in piena regola.[10]

Dunque secondo regole che implicano che i vivi obbediscano al rito prescritto nei minimi particolari, un morto non era davvero morto finché i suoi eredi o discendenti non avevano celebrato il banchetto dei suoi funerali cioè finché non avevano *bevuto* in onore della sua eredità. Esempi illuminanti sono quello della *Saga dei vichinghi di Jòmsborg*, in cui si dice espressamente che il re Sveinn non aveva intenzione di iniziare nessuna impresa fino alla celebrazione del banchetto funebre, e quello della *Saga dei capi della Valle del Lago* nella quale, dopo la morte di Ingimundr il Vecchio, che era il capo del clan, si vedono dei discendenti rifiutare di sedersi sul suo sedile finché l'*eredità* non fosse stata «bevuta». Nella descrizione che Ibn Fadlan ci fa del funerale del capo rūs che l'aveva tanto impressionato, il suo racconto è concluso con la presentazione – che in verità si produce in un contesto non attestato dalle fonti norrene di

[10] Le voci «duradòmr» e «draugr» del citato *KLNM* forniscono buone indicazioni e una bibliografia di base.

cui disponiamo – dell'erede o, a quanto ci dice il diplomatico arabo, del parente più prossimo del defunto che è colui che appicca il fuoco alla imbarcazione-tomba del morto.[11]

Concludiamo la sezione sottolineando un ultimo aspetto: questo universo ignora qualsiasi netta demarcazione fra il mondo dei vivi e quello dei morti. È stupefacente per l'osservatore contemporaneo rilevare con quale facilità il vivo può risuscitare, volente o nolente, un trapassato per ottenerne le informazioni di cui ha bisogno, come, nel mondo degli dei, avviene nel *Baldrsdraumar* dell'*Edda poetica*: Ódhinn, che è privo di notizie a proposito della sorte del figlio Baldr morto di morte violenta, resuscita una veggente perché gli dia le informazioni che cerca; e come viceversa, con tutta naturalezza, talvolta, il defunto venga a informare il vivo presentandosi direttamente, oppure attraverso il sogno che è uno dei temi obbligati delle saghe e dei poemi eddici. Nel complesso si ha l'impressione di un universo letteralmente ossessionato da questo andirivieni fra morte e vita che giustifica l'importanza centrale che esso attribuiva alla magia.

Le grandi date dell'anno

Affronterò qui il diritto e la religione, non in astratto ma per quanto entrambi interferiscono nello svolgersi della vita quotidiana. Infatti abbiamo già avuto occasione di precisare come il diritto fosse una nozione sacra, espressione della sacralità e avremo anche occasione di chiarire come

[11] Si ritorni a Ibn Fadlan, *op. cit.*, p. 82.

la stessa religione non fosse altro che celebrazione di quello specifico tipo di sacralità. D'altra parte non è questa la sede per delineare un quadro completo dei miti, dei riti e delle cerimonie di questa forma di religione pagana.[12]

Gli aspetti che maggiormente colpiscono l'osservatore moderno sono la costanza e la profondità con le quali le nozioni di legge e di diritto modellavano questa società. Niente si faceva senza giuramento e senza testimoni, tutte le operazioni dalle più banali, come la cessione di terre, alle più importanti, come il matrimonio, venivano poste sotto il segno della legge. L'estrema minuziosità dei codici di legge che abbiamo conservato, e che spesso sono i primi documenti scritti delle letterature scandinava e germanica di cui disponiamo, arriva a confondere il lettore. È come se tutto dovesse essere previsto e codificato anticipatamente. Ne derivava naturalmente un estremo formalismo del quale danno prova coloro che partecipavano a un qualsiasi processo: più che avere ragione era importante saper rispettare la procedura nei particolari più minuti perché il diritto era sacro e chi non sapeva seguirne le applicazioni dimostrava *ipso facto* di essere in torto.

Il dio certamente più antico di questo pantheon, il cui nome significa proprio «dio» era, significativamente, Tỉr;[13] questi si era fatto garante dell'ordine del mondo o, più esattamente, aveva placato le potenze del caos accettando di

[12] A mio parere i tre lavori migliori sull'antica religione scandinava sono: F. Ström, *Nordisk hedendom. Tro och sed i förkristen tid*; J. de Vries, *Altgermanische Religionsgeschichte*, De Gruyter, Berlin 1970 e G. Dumézil, *Les Dieux des Germains. Essai sur la formation de la religion scandinave*, Puf, Paris 1959 (trad. it. *Gli dei dei Germani. Saggio sulla formazione della religione scandinava*, Adelphi, Milano 1974).

[13] Cioè il germanico comune **tiuas*, greco *zeus*, latino *ju* (piter), sanscrito *dyaus*, celtico *di*, francese moderno *dieu*, italiano *dio*, entrambi dal latino *deus*.

perdere la mano destra che aveva posto nelle fauci del mostruoso lupo Fenrir, simbolo del «male». La continuazione, il progresso del mondo si fondavano dunque su un patto stipulato nel nome del sacro.[14] Tutti i poemi eddici concordano nell'affermare che non appena qualcosa non va nel corso degli eventi il primo gesto degli dei è di radunarsi, di «salire sui seggi del giudizio» per legiferare. Ricordiamo la bella espressione che ricorre nella *Saga di Njàll il Bruciato* come in tanti codici giuridici: «È attraverso la legge che si costruisce un paese, è per l'illegalità che esso perisce». Non ci stupiremo dunque che in tutti i campi dell'esistenza il diritto e la legge intervengano con una minuziosità che può arrivare a confonderci. C'erano specialisti di diritto, come abbiamo detto, ma lo stesso *bòndi* medio era un codice giuridico vivente.

Se la giustizia, il diritto e la legge erano doni degli dei, la persona umana era definita esattamente dal fatto di partecipare al sacro che ne emanava e attentare all'onore di qualcuno – cioè all'idea che ci si faceva di esso – significava commettere un sacrilegio. Su questo punto è necessario insistere e vogliamo fornire le linee principali della famosa dialettica del destino dell'onore e della vendetta tipica di questa cultura.[15] La lettura delle saghe e dei codici dimostra come fosse pressoché normale che nel corso della vita ogni uomo venisse coinvolto una o più volte in una di quelle interminabili contese che erano diventate una specialità degli islandesi. Non voglio dire che ciò facesse parte della vita

[14] Cfr. R. Boyer, «La dextre de Týr» in *Mythe et politique*, Actes du colloque de Liège, a cura di F. Jouan e A. Motte, Les Belles Lettres, Paris 1990, pp. 33-43.

[15] Si veda per maggiori particolari il saggio sul sacro di R. Boyer, introduzione di *L'Edda poétique*, cit.

quotidiana per definizione ma, per così dire, ognuno un momento o l'altro doveva aspettarselo ed essere in grado di risolvere autorevolmente un buon numero di malintesi.

Abbiamo rapidamente osservato quali riti presiedevano alla nascita. Non abbiamo detto che erano probabilmente posti sotto la tutela di divinità poco e mal note ma certamente molto antiche, i «disi» che partecipavano al tempo stesso delle funzioni del destino e della fertilità-fecondità (abbiamo visto che le grandi feste del solstizio d'inverno venivano spesso chiamate *dìsablòt*, sacrificio ai disi). Queste divinità conferivano al neonato la sua fortuna e capacità di raggiungere il successo (*eiginn màttr ok megin*).[16] Gli studiosi si sono a lungo sforzati di interpretare la formula che appariva loro incomprensibile: «egli non sacrificava agli dei, credeva solo alla sua *eiginn màttr ok megin*». Non si trattava di una manifestazione di scetticismo, ma di una specie di adorazione implicita che qui cercheremo di spiegare.

Questo patrimonio che le Potenze, che forse erano i disi, gli avevano affidato, ogni uomo doveva innanzitutto conoscerlo. Era una questione di lucidità, naturalmente, ma egli disponeva anche dell'onnipotente sguardo dell'altro, sempre presente in queste comunità necessariamente limitate, e anche del parere dei saggi e poi dei sogni, visioni che potevano essere autentiche o uscire invece dall'arsenale abbondantemente classificato dell'agiografia medievale. Poco importa, in questa sede. In ogni età della vita, doveva sapere chi era, che cosa valeva, di che cosa era capace e farsi un'idea chiara di come le Potenze avevano voluto che fosse.

[16] Il lavoro migliore, in un certo senso rivoluzionario, è di F. Ström, *Den egna kraftens män*, Wettergren och Kerber, Göteborg 1948.

Per usare il gergo del nostro tempo, doveva diventare quello che era nel profondo, ma innanzitutto doveva sapere a che cosa attenersi. Il secondo passaggio era quello di accettarsi ed egli non vi veniva mai meno. Rivolta romantica, disperazione, sentimento dell'assurdo sono *assolutamente* estranei a questo universo mentale dove è inconcepibile ribellarsi alle decisioni degli dei. Poi veniva il momento «forte» di tutte le saghe e di tutti i testi analoghi, che veniva chiamato *skapraun* (letteralmente «prova del carattere»). Poteva trattarsi di una qualsiasi offesa, dall'insulto verbale, spesso più sottinteso che esplicito, al limite una opportuna risata di scherno, alla violenza fisica, passando per tutte le forme di spoliazione, furti, delitti. Dal modo in cui l'individuo reagiva dipendeva la sua reputazione che, in questo universo, rappresentava un valore assoluto. Le due strofe più note e più spesso citate degli *Hàvamàl* dell'*Edda poetica*, la 76 e la 77, sono chiare a questo proposito:

Muoiono i beni,
Muoiono i genitori,
E tu stesso morrai,
Ma la reputazione
Non muore mai
E la buona reputazione è acquisita una volta per sempre.

Muoiono i beni,
Muoiono i genitori
E tu stesso morrai,
Ma una cosa io conosco
Che non muore mai:
Il giudizio che si dà su colui che è morto.

Da tale reazione dipendeva anche il modo in cui veniva assunto (il terzo verbo chiave, dopo conoscere se stesso e accettarsi) il credito – come direbbero i nostri moderni finanzieri – che le Potenze avevano voluto aprirgli. Infatti ogni offesa non era tanto rivolta alla persona quanto alle Potenze che in essa vivevano e ogni attentato alla sua integrità era un vero e proprio sacrilegio. Ognuno aveva dunque il diritto di vendicarla. Il diritto, non il dovere, lo sottolineiamo perché si tratta di un errore assai frequente. Infatti poteva anche rifiutare di vendicarsi, per le più diverse ragioni. Ma se voleva vendicarsi, era nel suo buon diritto perché così ripristinava il rispetto del sacro che era stato violato nella sua persona; anzi, in quella di tutto il suo clan, perché si sentiva parte integrante della sua famiglia che era stata in ultima analisi offesa attraverso di lui. Parlando del matrimonio ho già chiarito l'onnipotenza dell'entità familiare.

Tutto quanto abbiamo detto del diritto e della legge, e questa breve presentazione dei concetti di onore e di vendetta, spiegano sia la tematica quasi obbligata delle saghe sia l'incredibile minuziosità dei codici giuridici, che avevano in realtà la stessa origine.

Ecco quindi perché il *thing* si rivela, anche a un'analisi superficiale, un'istituzione fondamentale di questa società, da tutti i punti di vista. Ne venivano radunati più d'uno, nel corso di ogni anno, in posti fissati dal costume o scelti in base alla configurazione fisica (l'*althing* islandese, per esempio, si radunava in un luogo di impressionante bellezza naturale e particolarmente adatto alle prestazioni che vi si dovevano effettuare, con una parete di lava che serviva da cassa di risonanza naturale per l'oratore appollaiato sul monte della Legge o Lögberg) e sempre molto antichi. Probabilmente esistevano un *thing* di primavera o *vårthing* e uno d'autunno o *leidh* mentre il *thing* «centrale» si teneva nella seconda quindicina di giugno. Nel *thing* di primavera probabilmente si istruivano i casi da discutere nella sessione principale, mentre in quello d'autunno si ricapitolavano le decisioni dell'*althing* (anche se questo termine, che indica la sessione principale, viene citato espressamente solo a proposito dell'Islanda).

Poiché è evidente che il *thing* era l'istituzione fondamentale della società vichinga, ne parlerò con una certa insistenza perché questa assemblea era legislativa e giuridica ma anche economica e sociale.

Immaginiamo di trovarci a Thingvellir in Islanda, perché su questa località abbiamo tante più informazioni in quanto è una specie di «personaggio» obbligato delle saghe. Ma la scena potrebbe svolgersi a Ribe in Danimarca o a Frosti in Norvegia o a Uppsalir (l'attuale Gamla Uppsala) in Svezia o a Visby nel Gotland. Ho detto che bisognava scegliere una località favorevole che doveva disporre di una sopraelevazione con una spaccatura o pendenza (*thingbrekka*) che doveva avere un significato religioso oggi perduto. Secondo alcuni testi essa doveva essere «consacrata» prima di aprire le sessioni; doveva esservi anche un vasto spazio disponibile per permettere ai partecipanti di sedersi. Comunque il *thing* generale doveva durare più giorni, fino a due settimane, e bisognava dimorare *in loco*. Abbiamo ragione di credere che l'usanza islandese di innalzare delle baracche (*bủdh*, di cui si trova traccia nell'inglese attuale *booth*), ovvero delle specie di tende montate su armature di legno a loro volta fondate su un basamento di pietra o di terra, fosse praticata in tutta la

Scandinavia. Dall'uso islandese si può ricavare anche l'istituzione di un «presidente» eletto per un certo periodo, probabilmente di tre anni (*lögsögumadhr*, in islandese). Il suo compito consisteva nel recitare interamente la legge suddivisa in tre sezioni per un periodo di tre anni, in modo che nessuno la potesse ignorare. Riteniamo che dovesse anche dirigere le discussioni quando si trattava di adottare decisioni per il bene comune, misure di ordine legislativo ed esecutivo perché – si tratta di un dato rilevante – queste società non hanno mai conosciuto, a quanto ci risulta, né polizia né milizia né *a fortiori* esercito regolare. Ma ho già spiegato fino a che punto la legge che veniva adottata per consenso unanime – *condicio sine qua non* della sua promulgazione – fosse sacra in sé.

Resta comunque il fatto – e ciò può essere considerato un elemento di debolezza del sistema – che era il vincitore del processo a dover far eseguire la sentenza pronunciata contro l'avversario.

Ma ho precorso i tempi. Eccoci con il *thing* insediato, tutti i *bůdh* montati e i *bœndr* già arrivati nella località convenuta. La seduta può cominciare. Il presidente è tenuto a leggere la legge, quindi si passa alle questioni generali che il più delle volte sono riconducibili a interessi tipici delle società rurali. Un punto importante: ogni *bòndi* disponeva di assoluta libertà di parola, era anzi, questa, una delle sue prerogative. Si può addirittura supporre che tale prerogativa sia alla base dell'etimologia più accreditata del termine «germanico»: si tratterebbe di un termine celtico che significherebbe qualcosa come «uno che urla o sbraita» (soprannomi come questi sono infatti ricorrenti nelle saghe). È facile immaginare che effetto potesse avere su uno straniero non abituato a tale spettacolo quell'assemblea dove tutti erano liberi di esprimersi, ma in cui era necessario anche disporre di un notevole organo vocale per farsi ascoltare.

Espletate queste formalità, il *thing* si trasformava in tribunale e giudicava le cause pendenti. Anche a questo proposito siamo informati dalle saghe, molte delle quali altro non sono che le verbalizzazioni minuziose di interminabili processi istruiti, poi lasciati in sospeso, ripresi, istruiti nuovamente su nuove basi. La *Saga di Njåll il Bruciato* ne è un perfetto esempio. In realtà esistevano tre modi per superare un conflitto (mentre non cercare di farlo, rinunciare a chiedere soddisfazione era ritenuto disonorante): cercare un accordo amichevole, pretendere la vendetta sanguinosa (*hefnd*) e, nella maggior parte dei casi, promuovere l'istruzione di un regolare processo.

La prima eventualità consisteva nel cercare la riconciliazione attraverso l'intermediazione di «uomini di buona volontà» che svolgono un ruolo importante nelle saghe di contemporanei, ma che sono evidentemente il riflesso di bisogni ed esigenze introdotti dal cristianesimo e che forse quindi non esistevano nemmeno in età vichinga. L'offensore poteva anche affidarsi all'offeso attribuendogli il diritto di giudicare da solo: era fargli un grandissimo onore e in questo caso era assai probabile che la sentenza fosse mite; ma certamente così l'offensore si umiliava. Non saprei se il commovente costume attestato nelle saghe di contemporanei – redatte come è noto intorno ad avvenimenti dei secoli XII e XIII da chierici di quei tempi – di «rimettere la propria testa» all'offeso che poteva in questo caso anche perdonare possa, per la sua grandissima clemenza, essere attribuito ai vichinghi. L'offeso posava la testa sulle ginocchia dell'interessato nel gesto della resa.

Mi sembrano infatti molto più conformi alle loro abitudini, anche in forza dell'analisi che abbiamo fatto della loro concezione del sacro, le altre due possibilità. Lasciamo da parte la vendetta sanguinosa che poteva non colpire la persona dell'accusato ma un qualsiasi altro membro della famiglia perché era un intero clan a venire offeso nella persona dell'accusatore e perciò la «breccia» aperta in esso poteva essere compensata in qualsiasi forma all'interno del clan avverso. Da qui nascevano le manovre per noi assurde delle donne rivali Hallgerdhr e Bergthora nella *Saga di Njàll il Bruciato*: io uccido un tuo domestico, tu uccidi un mio intendente, io uccido un tuo amico, tu uccidi un mio cugino e così di seguito. Ricordiamo che nessun codice parla del dovere della vendetta e che l'atteggiamento ben noto della donna che fa appello agli uomini del suo clan poteva essere un puro e semplice motivo letterario. Ma ogni uomo aveva il diritto di vendicarsi, in un modo o in un altro. Non vendicarsi con il sangue, e accettare perciò altre forme di compensazione, era inoltre giudicata una soluzione poco virile e veniva definita con la formula «tenere i parenti uccisi nella propria scarsella». Sempre nelle saghe di contemporanei sono citati molti esempi di giovani capi che, ritenendosi insultati, respingevano l'invito ad accettare una soluzione di tipo pacifico dicendo in sostanza: «Ma in questo caso, come potrebbe essermi dedicata una saga?». Per le stesse ragioni nelle saghe è raro il riso e quando si manifesta in genere non esprime affatto gaiezza ma la soddisfazione dell'interessato in vista di una soluzione violenta.

Non dobbiamo concludere che i nostri personaggi fossero necessariamente di natura feroce, vendicativa e sanguinaria. Se la linea interpretativa che propongo è corretta, essi erano fortemente coscienti dell'infamia che subivano, e soprattutto che subiva il sacro che viveva in loro. Il desiderio di riscattare il sangue con il sangue era dunque imposto quasi da una sorta di profonda necessità.

Ma non bisogna pensare che la legge del sangue regnasse sovrana; crediamo assurdo prendere alla lettera il proverbio corrente che suonava «La vendetta è più pressante la notte stessa in cui è stato commesso il delitto». E tuttavia la constatazione che un'offesa rimaneva impunita poteva essere avvertita come intollerabile.

Ma la strada dell'istruzione di un regolare processo restava quella più praticata. Ho già parlato della impressionante minuzia di disposizioni ufficiali che ci sono state tramandate attraverso le grandi raccolte di giurisprudenza. In genere i giudici erano dei vicini o dei dignitari locali ed esisteva un jury i cui decreti erano decisivi. L'istruzione del processo non richiede commenti particolari se non che tutte le tappe importanti richiedevano la produzione di testi e la prestazione di giuramento. Le sentenze potevano variare: la pena di morte non esisteva se non nei casi di colpe ritenute assolutamente indegne di un uomo e non compensabili da alcun risarcimento quali lo stupro, il furto flagrante (reato gravissimo in società come queste, dominate dalla scarsità di risorse), l'assassinio «vergognoso» cioè perpetrato mentre la vittima era completamente priva di difesa (per esempio se veniva uccisa nel suo letto o a terra o in condizione di assoluta vulnerabilità) e forse – ma può darsi che anche questo sia un tratto di derivazione cristiana – la stregoneria e la magia.[17]

[17] Ricordiamo che tutte le versioni di codici giuridici che possediamo non risalgono oltre l'introduzione del cristianesimo nel Nord, cioè all'anno

I giudici condannavano dunque al versamento di compensazioni in denaro, raramente, e in natura (*vadhmál* o altri beni di valore) e, nei casi più gravi, al bando e alla proscrizione. Anche il versamento di un'ammenda elevata, comunque, poteva costituire per il condannato la rovina completa.

Il bando[18] durava tre anni e poteva essere limitato nello spazio: si poteva essere banditi solo all'interno di determinati confini. Il condannato doveva esiliarsi per quel periodo fuori del paese (nel caso dell'Islanda i cui confini territoriali erano chiari) o fuori di un certo distretto. Una volta scontata la pena, veniva reintegrato nei suoi diritti. Invece la proscrizione – uso certamente antico della Scandinavia continentale, a quanto lascia supporre il termine che lo designa e che suona «caso in cui ci si deve recare nella foresta, e diventare un uomo dei boschi o un "lupo"», che è il termine più insultante che questa lingua conosca – consisteva sostanzialmente nel togliere all'uomo qualsiasi prerogativa umana riducendolo alla condizione di una fiera. Nessuno poteva dargli alloggio né nutrirlo né trasportarlo né fornirgli alcun tipo di aiuto; e non era più degno della società degli umani, perché era, letteralmente, disumanizzato commettendo la pena che aveva suscitato una così grave condanna.

Ho spesso parlato del carattere coercitivo delle piccole collettività vichinghe: queste sentenze erano assolutamente

1000 – data dell'avvento del cristianesimo – o al 1200 – data della redazione dei codici. Ciò naturalmente non significa che essi non possano fondarsi su disposizioni ben più antiche, ma non possiamo affermarlo con certezza tanto più che gli studi più recenti, quali quelli di M. Jacoby, tendono a insistere sui modelli latini e biblici cui si sarebbero ispirati.

[18] Letteralmente il territorio recintato, *gardhr*, all'interno del quale il condannato, a patto che avesse pagato il denaro (l'anello, *baugr*) richiesto per avere salva la vita (*fjör*), era considerato invulnerabile.

adeguate alla loro mentalità più caratteristica. Essere isolati dalla società degli uomini era in certo senso peggio che essere condannati a morte. Le saghe ci hanno tuttavia tramandato il ricordo di due proscritti che, impresa ineguagliabile, riuscirono a sopravvivere alcuni anni, facendo intendere che si trattava di una circostanza del tutto eccezionale. Si tratta di Gísli Sùrsson e di Grettir Ásmundarson il Forte, entrambi protagonisti delle saghe che portano il loro nome.

Restava un'ulteriore possibilità, ma non sono certo abbia avuto diritto di cittadinanza nell'età vichinga e perciò la cito per ultima. È l'arbitrato le cui modalità di esecuzione non richiedono specifiche osservazioni. Affermo di non essere sicuro che risalga all'epoca vichinga perché tutto quanto sappiamo di essa non ci autorizza a crederlo. Indipendentemente dal vivo senso che avevano delle offese subite, i vichinghi amavano troppo l'astuzia e le vie traverse per affidare la loro sorte ad altri: vediamo spesso nelle saghe accusatori giurare sul loro onore esattamente come l'accusato. Infatti la prestazione di giuramento sembrerebbe attestata, come il ricorso al duello che finiva col trasformarsi in una sorta di ordalia. Questo ultimo punto ci sembra di difficile soluzione.[19] Nelle saghe si parla di casi di ordalia ma non è facile stabilire se questa istituzione fosse familiare ai vichinghi o se essi l'avessero assunta da usi di origine più meridionale trasmessi forse dalla Chiesa. «Subire il ferro», oppure tuffare la mano in un caldaio pieno d'acqua bollente per

[19] Il più recente studio sull'ordalia è dovuto a R. Boyer, «Einige Überlegungen über das Gottesurteil im mittelalterlichen Skandinavien», in *Das Mittelalter – Unsere fremde Vergangenheit*, a cura di J. Kuolt *et alii*, s.e., Stuttgart 1990, pp. 173-194.

recuperare una pietra posta sul fondo, o ancora camminare sui carboni ardenti... sono prove che talvolta troviamo citate e dalle quali non era necessario uscire indenni: alcuni «esperti» esaminavano le ferite o le ustioni e in base a esse deducevano la colpevolezza o l'innocenza dell'accusato. Mi sembra lecito però dubitare dell'autenticità pagana di prove di questo tipo perché la mentalità di quegli uomini non ci sembra giustificasse un riferimento così immediato all'intervento del divino. Ancora una volta, ricordiamo che il principio in forza del quale ci si faceva per così dire giustizia da sé per tradurre in atto la presenza divina o sacra in sé non aveva bisogno di queste mediazioni.

I punti di vista finora esposti possono essere riassunti in un testo spesso citato[20] che proviene dall'antica legge del Västergötland, in Svezia. Nuovamente ci scontriamo con la circostanza che la redazione da noi posseduta risale all'epoca cristiana, come risulterà evidente alla lettura, ma non c'è ragione di dubitare che le sue disposizioni in linea di massima non fossero effettivamente adottate. Eccolo:

> *Del delitto.* Se un uomo è ucciso e privato della vita il delitto deve essere proclamato in un *thing e* la morte comunicata all'erede [si intende: il principale accusatore, *adhili*] e la proclamazione [*lýsa vígi*] va ripetuta nel corso del *thing* successivo. Al terzo *thing* [l'erede] deve presentare la sua causa, altrimenti il processo è nullo e non avvenuto. Poi l'uccisore deve recarsi al *thing* ma restare fuori dall'assemblea e mandare suoi uomini a chiedere tregua [*gridh*, che

[20] Si veda ad esempio P.G. Foote e D.M. Wilson, *The Viking Achievement*, cit., pp. 384-385.

si può interpretare anche come «salvacondotto»]. I membri del *thing* devono permettergli di presentarsi all'assemblea. Egli deve riconoscere l'uccisione.
Poi l'erede deve fare il nome dell'uccisore. Ha il diritto di attribuire l'uccisione a chi vuole se gli uccisori sono più d'uno. Se l'erede è un fanciullo il suo parente più stretto da parte di padre deve citare l'uccisore con lui. Se una donna ha un figlio così piccolo da tenerlo ancora sulle ginocchia è lei a citare l'uccisore. Poi devono essere citati gli uomini che hanno alzato la mano sul morto e coloro che erano presenti all'uccisione. Possono essere cinque al massimo e uno di essi sarà accusato della morte dell'uomo. Poi verrà fissata una riunione per il giudizio nel domicilio dell'accusato, in un giorno deciso da tutto il *thing*. In questa riunione deve essere prodotta la testimonianza dei membri del *thing*: «Ero presente al *thing* con altri cinque uomini in tutto. Il giudizio concernente il tuo caso è stato che tu devi essere presente qui, oggi, e riconoscere l'accusa di omicidio sulla tua persona, con giuramento confermato da due dozzine di testimoni [è il *tylftareidhr*, richiesto in genere in tutti questi casi]. Che Dio mi faccia la grazia e la faccia ai miei testimoni, se il giudizio del tuo caso si è svolto esattamente come ora lo riferisco».
Poi l'erede deve giurare: «Che Dio nella sua grazia accordi a me e ai miei testimoni che tu hai portato contro di lui la punta e il taglio e che sei il suo assassino vero e che tuo è il nome che ti ho dato nel *thing*». Poi l'erede si presenta di fronte alla seconda dozzina di prestatori di giuramento e ripete lo stesso giuramento. Ci saranno dodici uomini in ogni dozzina e ogni dozzina userà la stessa espressione. Ecco l'espressione che deve essere usata in ognuno dei «giura-

menti di dodici»: «Che Dio sia clemente o adirato con lui». Poi l'erede si recherà al *thing* successivo [...] e testimonierà con gli uomini che sono stati presenti pregando Dio di essere clemente con lui e con i suoi testimoni nella misura in cui, nella riunione nel domicilio, ha fatto tutto quanto la legge prescrive a tutela dell'integrità dell'accusato. Poi deve recarsi di nuovo davanti al *thing* e farlo giudicare in modo tale che perda la sua inviolabilità nei confronti dell'erede e principale accusatore, e divenga inadeguato a ottenere risarcimento. Quindi il condannato dovrà essere privato della sua pace nella colazione consumata presso il *thing* e nel pranzo consumato nella foresta. Il capo del distretto (si tratta di una disposizione svedese) può pagare dodici marchi se il proscritto resta dov'è e non se ne dà cura, e il distretto deve pagare quaranta marchi e tre marchi chiunque mangi e beva con lui e gli tenga compagnia. [...] Se però qualcuno si offre di pagare il risarcimento per lui, può prendere impunemente i pasti con lui. Se l'accusatore è disposto ad accettare il risarcimento, esso deve ammontare a nove marchi per l'erede e a dodici marchi per la sua parentela. Di questi dodici marchi sei saranno versati dall'erede dell'uccisore e sei dalla sua famiglia, tre da parte paterna e tre da parte materna. Questi sei marchi si suddividono così: il parente più stretto pagherà dodici *orar*, il successivo sei, tre l'altro e l'altro ancora un *eyrir* e mezzo. In questo modo tutti dovranno pagare e tutti ricevere sempre ogni volta dividendo per metà fino al sesto grado di parentela [e quindi fino al cugino in quinto grado che dovrà versare 3/8 di *eyrir*].

Questo passo è così caratteristico da non avere nemmeno bisogno di commenti (d'altra parte con la traduzione vanno perduti i toni, i moduli letterari e il ritmo tipici di questo genere di formulazioni). Ma il lettore avrà notato che la soluzione violenta non è mai posta in primo piano, mentre la minuziosità della procedura e la definizione puntigliosa delle formalità rispondono a quanto sono andato fin qui spiegando. Le attività di tipo giuridico erano le più importanti e le più lunghe in un *thing* normale, ma certamente questa istituzione non si esauriva in tali compiti. Quando le leggi o gli emendamenti erano stati promulgati e i processi conclusi, il *thing* non aveva assolutamente concluso le sue attività. Innanzitutto c'erano le notizie, tanto care a queste minuscole collettività isolate dal resto del mondo per gran parte dell'anno, insulari, come le islandesi, o come le norvegesi isolate in fondo a un fiordo o sulle cime difficilmente accessibili di un fjell, o come le svedesi sprofondate nel mistero delle foreste cosparse di laghi. Chiunque arrivava da un paese straniero o semplicemente da lontano veniva accolto con eccitazione fervida. L'Islanda ci ha tramandato il ricordo di un *althing* in cui le attività normali all'improvviso vengono sospese perché arriva un vescovo che ha delle cose da dire. Ancor oggi in islandese non si dice: «Come stai?» o «Come va?» ma: «Che cosa c'è di nuovo?». Ho sempre pensato che quelle nazioni di marinai, di viaggiatori capaci di spingersi agli estremi confini del mondo allora conosciuto dovevano ben comunicarsi le informazioni più importanti, descrivere gli itinerari, riferire i costumi incontrati, tutti elementi indispensabili per chi voleva condurre a buon fine un viaggio di lungo corso. Nelle saghe è raro che l'autore non ceda alla tentazione di descriverci un oggetto singolare visto durante un viaggio, di riferire costumi per lui singolari o semplicemente di completare la sua narrazione, con estrema ingenuità, inserendovi abilmente qualche episodio tratto dalle sue letture o udito da un altro narratore. Un esempio chiarificatore: l'episodio di Spes nella *Saga di Grettir* tratto direttamente dal romanzo di Tristano.[21] Il *thing era* la sede più adatta per questi scambi. Ma era soprattutto il luogo ideale in cui una o due volte l'anno ci si incontrava fra pari, si frequentavano i parenti lontani o i grandi capi dei quali si sentiva parlare nelle veglie d'inverno. La sera c'era molta animazione intorno ai *bůdh* dove, ad esempio, ci si metteva d'accordo per sposare le proprie figlie, si vendevano e acquistavano terre e beni, si decidevano le future spedizioni, si pagavano i debiti e si concludevano affari di ogni sorta. Il *thing* era il vero centro nevralgico della vita di queste collettività.

D'altra parte non a caso ho trascurato un ulteriore aspetto di questa assemblea, quello religioso. Tutto fa pensare che il *thing* costituisse anche l'occasione per grandi celebrazioni: innanzitutto l'apertura dell'assemblea che era ritenuta sacra, tanto che secondo certi testi era vietato portarvi le armi mentre molte saghe fanno supporre il contrario – poi la scansione dei suoi tempi fondamentali e quindi la conclusione. È attestata l'espressione *thinghelgi*, che indica il carattere sacro legato al *thing*. L'archeologia testimonia che spesso il sito dei *thing* era contiguo a un *vé*, termine che indica un luogo di culto all'aperto che a mio parere rappresenta il solo tipo di «tempio» noto ai vichinghi.

Abbiamo già citato più volte, anche in nomi composti, il termine *helgi* da cui deriva l'aggettivo *heilagr* che è sopravvissuto nel tedesco *heilig* e nell'inglese *holy*. Il sostantivo in-

[21] Si tratta dei capitoli LXXXVII e ss. di questa saga.

dica la condizione di sacra inviolabilità di cui gode ogni essere umano per il solo fatto di esistere, di avere un nome e di essere integrato in un clan. È l'espressione del suo carattere sacro, o piuttosto della sua partecipazione al Sacro. Un'offesa attestata alla sua persona diventa *ipso facto* una violazione della sua *helgi*, o *mannhelgi* (dove naturalmente *mann* significa «uomo»). Chi attenti in forma particolarmente grave alla *helgi* altrui diventa un *nídhingr* (*hvers manns nídhingr*: giudicato un infame da tutti). La lingua non conosce termine più violento per stigmatizzare tanta ignominia. Essa implica perciò il sentimento di un valore sacro inerente l'individuo e il riferimento all'opinione pubblica, codificata e fissata nei testi: esemplificazione illuminante di quella intensa dialettica fra individuale e collettivo sulla quale si fonda ogni diritto.

Crediamo peraltro che si debba diffidare di tutte le descrizioni di «templi» che ci sono state tramandate dalle saghe (ancora una volta vogliamo ricordare che risalgono al XIII secolo e che furono scritte quasi tutte da ecclesiastici) o da testimoni troppo spesso invocati senza tenere presente che si tratta di relazioni di seconda mano. È il caso di Adamo di Brema la cui «descrizione» del grande tempio di Uppsala in Svezia non è diretta: egli si limita a riferire quanto gli sarebbe stato comunicato da un testimone che peraltro non cita. Ecco quanto ci dice Adamo di Brema:[22]

> Questo popolo (gli sviar, cioè gli svedesi) ha un famoso, grande tempio chiamato Uppsala sito non lontano dalla città di Sigtuna o Birka. In questo tempio, interamente co-

[22] *Gesta Hammaburgensis*, cit., IV, XXVI-XXVII. Per la seconda citazione, scolii 138 e 139.

perto d'oro, si venerano le statue di tre divinità in modo che la più potente di esse, Thórr, occupa un trono in mezzo alla stanza; Wodan e Fricco sono collocati ai due lati. [...] Questo popolo venera anche degli eroi divinizzati cui essi attribuiscono l'immortalità in ragione delle loro memorabili imprese come si dice nella vita di sant'Anscario che facessero per il re Eric. Per tutti gli dei ci sono sacerdoti che offrono sacrifici per il popolo. Se c'è minaccia di carestia si versa una libagione all'idolo di Thórr, se c'è la guerra a Wodan, se si tratta di celebrare matrimoni a Fricco. È costume anche festeggiare solennemente ogni nove anni una grande cerimonia di tutte le province della Svezia. Nessuno è dispensato dall'assistere a questa festa. [...] Il sacrificio è della seguente natura: di ogni creatura vivente di sesso maschile essi offrono nove capi e usano ungere del loro sangue gli dei. I corpi li appendono nel boschetto sacro accanto al tempio. Questo boschetto è talmente sacro agli occhi di questi pagani che ognuno dei suoi alberi è ritenuto sacro, a causa della morte e putrefazione delle vittime. Ci sono persino cani e cavalli che vengono appesi, colà, insieme a esseri umani e un cristiano mi ha detto di avervi visto settantadue corpi così appesi. I canti che essi intonano di solito durante questo rituale sono numerosi e indecenti; è perciò assai meglio serbare il silenzio sul loro conto.

Aggiungiamo ancora altri due particolari:

Accanto a questo tempio si innalza un albero grandissimo dalla chioma frondosissima, sempre verde d'inverno come d'estate. Di quale specie sia nessuno lo sa. C'è anche una fonte alla quale i pagani usano sacrificare tuffandovi den-

> tro un uomo vivo. Se non lo si ritrova significa che il voto espresso dal popolo verrà esaudito.
> Una catena d'oro circonda il tempio, appesa ai pignoni dell'edificio, e scintilla da lontano per coloro che vi si avvicinano perché questo scrigno è alla stessa altezza delle montagne che la circondano come un anfiteatro.

Ho citato diffusamente questo testo innanzitutto perché esso servirà a confermare le nostre ipotesi e poi perché – secondo quanto abbiamo esposto nel capitolo II di questo libro – fornisce un esempio perfetto delle confusioni di ogni genere che di solito si imputano a questo tipo di testimoni. Se i particolari che non riguardano direttamente il tempio sono certamente esatti (il grande albero, la fonte sacra, gli animali e anche gli uomini appesi, i sacrifici umani), tutto quello che invece riguarda l'edificio è confutato dalle nostre ricerche e da tempo ormai gli studiosi hanno rilevato le singolari reminiscenze del tempio di Salomone a Gerusalemme nella descrizione di quello attribuito a Uppsala. Quanto ai sacerdoti, è evidente che non sono mai esistiti.

Invece tutto lascia pensare che gli antichi scandinavi, come i germani, fossero devoti al culto delle grandi forze naturali e alle loro emanazioni: fonti o pozzi, cascate, foreste e alberi isolati, alture. Ciò che chiamavano *vé* (il termine che significa appunto «sacro») deve essere attribuito a questi elementi del paesaggio che niente ci impedisce di collocare nel sito di un *thing*. Ad esempio a Jelling, in Danimarca, oltre a una bellissima e celebre pietra runica, sono stati trovati una tomba e un luogo d'adorazione che certamente non era un tempio nel senso che noi attribuiamo a questo termine. D'altra parte a Thingvellir in Islanda – sede di un *thing*, evidentemente – dopo la conversione al cristianesimo verrà costruita una chiesa.

Volevo solo sottolineare lo stretto legame che intercorre continuamente fra attività giuridico-legislative, religiose ed economico-sociali. Il *thing* rappresenta davvero la sintesi della vita dei vichinghi ed è ben comprensibile che abbia avuto ampio spazio nei testi.

Spero che il passaggio non sembri forzato al lettore ma colgo qui l'occasione per parlare un po' più a fondo delle pratiche religiose dei vichinghi. Ho detto pratiche religiose, non religione e non a caso ho collegato il piano religioso a quello giuridico-legale e ho tanto insistito sul legame organico fra diritto e sacro. Non esiste un'antica «religione» scandinava nel senso astratto, concettuale che siamo soliti attribuire a questo termine. Religione si dice *sidhr* (letteralmente pratica, costume) e invano nei documenti che possediamo si cercherebbero dogmi, testi o atteggiamenti contemplativi di meditazione o preghiere nella nostra accezione del termine; e non esistevano certamente sacerdoti quali li concepiamo, cioè tali per avere ricevuto una specifica iniziazione e organizzati in una casta, o almeno una professione, speciale.

In questa situazione a che cosa si riduceva la religione dei vichinghi? La risposta è evidente: a un culto, a gesti significativi eseguiti con intenzioni utilitaristiche, ad abitudini e pratiche immediatamente realizzabili. Il momento centrale di questa religione è il sacrificio (*blòt*) che può essere pubblico o privato. Nelle età più antiche gli scandinavi dovettero certamente praticare i sacrifici umani: ma con ciò si risale all'inizio della nostra era che a queste latitudini coincide con l'età del ferro. In età vichinga non ci risulta che tale pratica sopravvivesse. Invece frequentissimo era il sacrificio di animali, che costituiva il primo atto del *blòt*, seguito dalla consultazione degli auguri, molto importante per popoli devoti ai decreti del Destino, e dal banchetto sacrificale o *blòtveizla* – di cui abbiamo già visto lo svolgimento parlando della pratica del banchetto in generale e su cui torneremo – nel corso del quale si consumavano le carni dell'animale immolato e si facevano libagioni alla memoria degli antenati e in onore degli dei e forse di grandi personaggi presenti. Si facevano anche giuramenti fortemente vincolanti di cui ci fornisce un esempio la *Saga dei vichinghi di Jòmsborg*. Non è escluso che in relazione con il *blòt* si celebrassero anche riti magici come il *sejdhr*, di cui parleremo in altra occasione.

Questo culto poteva dar luogo a manifestazioni di tipo privato assimilabili al culto cristiano dei santi patroni. Il vichingo si sceglieva un *fulltrùi*, un protettore (il termine significa approssimativamente «colui nel quale si ha piena fiducia») con il quale intratteneva rapporti assai significativi nel contesto di questa cultura. Lo chiamava «caro amico» e conservava nella borsa un amuleto che ne riproduceva l'immagine. Ne sono stati trovati vari esemplari che riproducono soprattutto Freyr, Òdhinn, Thòrr e la *Saga dei capi della Valle del Lago* ci narra la storia dell'amuleto magico di Freyr posseduto da Ingimundr il Vecchio che venne ritrovato miracolosamente in Islanda (mentre Ingimundr era in Norvegia) nel luogo dove si sarebbe stabilito il colonizzatore. Il vichingo dunque probabilmente intratteneva rapporti continui, di tipo personale e utilitario, con il dio o gli dei che sceglieva di venerare e che avevano diritto di cittadinanza all'interno del suo clan. Ho appena citato la *Saga dei capi della Valle del Lago* ed è interessante che, contrariamente alla formula seguita in altre saghe, essa non ci racconti il destino di un eroe ma la vicenda di tutta una dinastia di *godhordhsmenn* (dignitari che detenevano un potere temporale ma anche, probabilmente, spirituale) la cui caratteristica è quella di avere votato un costante culto a Freyr, sull'esempio dell'antenato Ingimundr il Vecchio appena citato.

Fermiamoci un istante. A parte le grandi celebrazioni dei solstizi (si vedano pp. 93-94 e 102-104), non sono certo che i vichinghi abbiano manifestato una grande religiosità nel senso che noi attribuiamo a questo termine, né che abbiano coltivato concezioni organiche di tipo astratto sul divino. Pragmatici quali erano, non praticavano la preghiera né la meditazione e ancor meno la mistica. Credevano nell'esistenza di un aldilà, di un universo spirituale al quale pensavano di avere accesso, ma la loro «religione» si manifestava in una serie di atti (sacrifici, offerte) il cui scopo era di rafforzare la potenza del divino per ottenerne i favori attesi. In questo consisteva la loro «fede» che presupponeva uno stretto rapporto fra «credere» e sacrificare.

Esempio significativo di questa mentalità è l'atteggiamento dello jarl Hákon durante la famosa battaglia di Hjörungavágr contro i non meno famosi vichinghi di Jómsborg: l'autenticità di questi fatti non è certo indiscutibile, ma la tradizione che la conferma mi sembra sostanzialmente attendibile. Lo jarl non riuscì a sconfiggere i feroci vichinghi di Jómsborg: stava anzi per perdere quella battaglia navale per lui di importanza capitale. Allora, ci dice la saga, si recò a terra e sacrificò alla sua dea tutelare, Thorgerdr Hölgabrúdhr, che aveva sempre protetto la sua famiglia. Invano: la dea rimase insensibile alle sue offerte. Alla fine lo jarl immolò il figlio giovinetto. La dea, che proprio questo pretendeva, finalmente placata, scatenò una violenta burrasca che accecò i vichinghi di Jómsborg facendo loro perdere la battaglia. In un certo senso, il «contratto», nozione essenziale di questo universo mentale, stipulato fra lo jarl e la Potenza invocata, era stato onorato: tuo figlio in cambio della tua vittoria. Esempio eloquente più di tante elucubrazioni.

Accertato questo, voglio ribadire che non è facile affrontare, al di là di tanti pregiudizi consolidati, la religione dei vichinghi secondo l'ottica che in genere viene adottata e alla quale siamo abituati nel profondo. Innanzitutto non si ripeterà mai abbastanza che ci mancano fonti sicure e autoctone; poi evidentemente questa religione prima di configurarsi quale la conosciamo ha superato stadi diversi; infine la stessa forma a noi nota, che deduciamo dallo studio dell'*Edda* e di Saxo Grammaticus, è fortemente sospetta. Ci sembra perciò prudente limitarci a poche affermazioni senza pretendere di aspirare alla certezza assoluta.

Non è chiaro se all'origine della religione degli antichi scandinavi vi sia stato il culto dei morti o quello delle grandi forze naturali. Ho avuto modo di pronunciarmi per la seconda soluzione[23] ma in questo campo non mi sembra di poter andare al di là delle ipotesi. È anche possibile che l'antropomorfizzazione e l'individualizzazione delle divinità scandinave o germaniche antiche sia intervenuta già molto anticamente. Nelle incisioni rupestri dell'età scandinava del bronzo (1500-400 a. C.) sono già rappresentati un

[23] In R. Boyer, *Yggdrasill. La religion des anciens Scandinaves*, cit.

gigante con la lancia, un uomo-verro, un personaggio con ascia e martello che potrebbero essere benissimo i prototipi, rispettivamente, di Ódhinn, Freyr e Thórr. L'osservatore resta colpito anche – ma siamo ormai in un'epoca ben più recente – dal gran numero di denominazioni plurali e collettive che si applicano al mondo degli dei: *gudh*, *godh*, *regin*, *höpt*, *bönd*, *álfar* (che non sono identificabili con gli elfi del folklore e della fiaba), *æsir* (plurale di *áss*, divinità che fa parte degli Asi) e *vanir* (plurale di *van*) ecc., come se questa cultura non riuscisse a padroneggiare l'individualizzazione della nozione di dio.[24] È assolutamente impossibile a nostro parere stabilire se la funzione legata alla fertilità-fecondità sia attribuibile a Ódhinn (il «padre fondatore» dell'illustre lignaggio) o a Thórr (che controlla il temporale cui segue normalmente la pioggia fecondatrice) oppure a Freyr (che in quanto appartenente ai Vani dovrebbe regnare incontestabilmente su questa funzione ma che viene presentato in molti contesti come «amico» degli eroi). Nel corso di una lettura attenta dell'*Edda* e dei poemi scaldici si incontra un gran numero di nomi di divinità, di «re di mare», di eroi sconosciuti altrove dei quali non comprendiamo che posto potessero occupare nell'universo divino. Per non parlare dell'enorme quantità di nomi attribuiti a una stessa divinità: a Ódhinn se ne riferiscono più di un centinaio.

Un sistema comodo per presentare questo pantheon di cui soprattutto le due forme dell'*Edda* attestano l'esistenza in epoca vichinga potrebbe essere quello di partire da un

[24] Noterò anche, rapidamente, che nonostante le sue brillantissime analisi G. Dumézil non ha a mio parere esaurito il tema. Anche in questo caso ha forzato troppo le fonti in funzione delle sue famose teorie.

principio psicologico o fenomenologico. Tutto quanto sappiamo della mentalità di questi popoli ci spinge a ritenere che essi privilegiassero l'ordine, l'organizzazione, un certo tipo di forza non brutale ma ben decisa a portare ordine nel caos. Dinamismo e culto dell'azione possono sostituirsi alla pura forza; non c'è niente di statico e fisso in questo universo, gli dei sono continuamente in marcia, come Thórr; questa religione non conosce il «dio nascosto», tutto è detto esplicitamente e la magia è molto più utilitaristica che interessata all'esplorazione del mistero. Alcune creature divine o semidivine, soprattutto gli eroi, sembrano inclini a un certo fatalismo che potremmo definire «attivo»: sono personaggi che marciano volontariamente verso un destino che conoscono, come abbiamo visto a proposito della dialettica destino-onore-vendetta, non per rassegnazione ma perché sanno che quel destino è voluto dalle Potenze. Se proprio bisogna ricorrere a un principio ordinatore in un complesso di testi fortemente corrotti, è possibile individuare tre varianti di questa costellazione di idee organizzate intorno al concetto di Forza utile: forza della Legge, del diritto (quindi anche della guerra «giusta») che abbiamo illustrato nel ragionamento precedente; forza del Verbo, della «scienza» o del sapere (poetico e magico); e forza della Produzione, della fertilità-fecondità.

Questa tripartizione, che ha il vantaggio di essere comoda ma non si pretende rigida, coincide esattamente con l'idea di *bòndi* che già abbiamo abbozzato da altri punti di vista in quest'opera e per questo mi è cara. Il *bòndi* è giurista e perciò devoto a Týr, vive in una comunità retta da leggi i cui remoti garanti sono gli antenati della sua famiglia; è una specie di «aristocratico», perché tra le sue fila si scelgono i capi e talvolta i re, quindi deve essere in grado di sovraintendere alle operazioni del culto, di eseguire riti magici e in ogni caso di promuoverli, è infine un agricoltore-pescatore-cacciatore-artigiano attento ai valori materiali che permettono alla sua «casa» di sopravvivere. Cumula dunque nella sua persona le tre valenze che ho proposto. Sarebbe difficile farne il seguace esclusivo di una divinità perché riassume nella sua persona l'intera essenza del pantheon che probabilmente venerava.

Alla voce «forza-diritto», «forza-legge» bisogna ascrivere certamente Týr che già conosciamo. Si ricordi che un'iscrizione frisone trovata sul vallo di Adriano in Gran Bretagna lo definisce «Mars Thincsus», cioè il Marte (dio della guerra) del *thing*. Definizione perfetta. Non ci dovremo stupire della sua relativa discrezione in questo pantheon del quale è l'anima. La sua presenza è implicita e se non è un dio nascosto (*otiosus*) potrebbe permettersi di esserlo. Il suo nome del resto significa semplicemente «dio» ed è spesso trasformato in un sostantivo: Ódhinn, ad esempio, verrà chiamato anche Farmatýr, *týr* (dio) dei carichi delle navi. Týr è anche il dio del patto, colui che garantisce l'ordine del mondo stipulando un contratto con le forze del caos: ha dato forma e saldezza al mondo, perdendo la sua mano destra.

Thórr – il cui nome significa «tuono» – è una delle divinità più popolari dell'epoca vichinga; possiamo sostenere questo sulla base dell'antroponimia e della toponimia. Non necessariamente per le associazioni violente e sanguinarie care all'immaginazione contemporanea: Thórr è un dio molto interessato alle questioni che noi definiremmo intellettuali; è lui a interrogare il nano Alvíss per conoscere gli *heiti* (i sinonimi usati in poesia) che regnano «in tutti i mondi» ed è un mago capace di resuscitare i capri da lui uccisi per mangiarne le carni. Ma è il realismo e il pragmatismo incarnati e soprattutto il dinamismo in persona. È sempre pronto a partire «verso est» per sconfiggere i giganti, in questo caso chiaramente concepiti come le forze del caos. Con il suo martello Mjölnir (simbolo della folgore) tiene in rispetto tutto quanto rischia di nuocere agli dei e agli uomini. È benefico e tutelare e perciò i vichinghi nutrirono certamente per lui un affetto particolare. Può darsi che in passato avesse avuto un ruolo molto più elevato perché il suo nome è stato attribuito al nostro giovedì (*thdhòrsdagr*) e ciò lo collega a Giove mentre Ódhinn, cui è attribuito il mercoledì, *òdhinsdagr*, sarebbe in connessione con Mercurio. I poemi eddici tendono a sottolineare di lui la figura pittoresca, l'enorme appetito e il grossolano buonsenso: tranne rare eccezioni, egli vi rappresenta la Forza. A questo fine dispone di una cintura di forza, di guanti di ferro e può essere invaso da un furore che ne decuplica le possibilità fisiche. Insisto sul ruolo del suo «martello» che è simbolo di violenza, naturalmente, come il fulmine, il tuono, una certa concezione della guerra, ma anche di protezione contro le forze ostili e anche della magia: con esso infatti spesso egli «consacra» personaggi ed eventi e anche numerose iscrizioni runiche (*Thòrr vìgi rùnar*, Thòrr consacri queste rune).

La sua popolarità è facilmente comprensibile. In età vichinga ha come «recuperato» attributi di divinità che non conosciamo o che sono state progressivamente respinte in secondo piano come Týr. Egli infatti è citato nella stessa misura in connessione alla magia – che come avrò occasione di dimostrare riassume sostanzialmente l'intera religione vichinga – alle attività intellettuali e al valore guerriero. È detto figlio di Jördh (letteralmente la Terra, che questo universo divinizzava), si sposta su un carro trainato da capri, immagine che rimanda direttamente a rappresentazioni legate a un culto processionale fortemente attestato nel Nord. Il suo particolare rapporto con il sorbo, un albero ritenuto magico, e la narrazione circostanziata che Snorri Sturluson fa del suo viaggio presso Útgardhaloki, nell'*Edda* detta *in prosa*, lo pongono in relazione troppo stretta con la magia perché gli possa venire conservata un'immagine strettamente marziale. Forse è questa la ragione del suo successo presso i vichinghi (soprattutto norvegesi e islandesi, perché i danesi erano più devoti a Ódhinn e gli svedesi a Freyr). Un po' prima dell'anno 1000 era diventato una specie di divinità sintetica e ciò spiega come mai Adamo di Brema lo ritenesse equivalente a Giove. Ma a costo di insistere voglio ricordare che il suo aspetto più rilevante è il carattere che non è mai distruttivo né puramente violento, mai malvagio e cinico come talvolta può essere Ódhinn, mai passivo come Freyr. È buono, soccorrevole, benefattore degli uomini. Ho detto che era caro al *bòndi*: infatti era moralmente retto, magari un po' ingenuo e, senza essere un intellettuale raffinato, non si mostrava mai sciocco, semmai un po' gaudente e sempre conviviale. Un dio simpatico, insomma, e alla portata degli uomini.

Baldr è ben diverso e di diversa origine. Potrebbe addirittura rappresentare un'altra tradizione. Questo dio enigmatico ci è noto solo attraverso i miti che narrano la sua morte e i suoi funerali, tutti molto elaborati e troppo lunghi per essere riferiti qui. Vogliamo solo sottolineare che nemmeno Baldr è la seducente divinità passiva e orientaleggiante con cui è stato talvolta scambiato. Gli scaldi e Saxo Grammaticus concordano nel darcene un'immagine decisamente marziale. L'interpretazione di Frazer che lo ha ridotto a divinità della vegetazione è oggi decisamente superata. In età vichinga potremmo dire che Baldr aveva un valore esemplare, che dimostrava, nella sua persona, che nemmeno gli dei possono nulla contro il destino. Può anche darsi che questa figura il cui nome significa «signore» abbia assunto, nel corso del tempo, i valori dominanti delle popolazioni che l'hanno successivamente venerato: marziale per i cacciatori-pescatori dei tempi preistorici, passivo e pacifico per gli agricoltori-allevatori che li sostituirono, infine vichingo ideale, ispirato ai valori di luce, generosità, coraggio, eroismo (anche se ritengo sospetta questa accezione e mi spiegherò meglio parlando di Ódhinn). In ogni caso Baldr è in evidente rapporto con il sole di cui esalterebbe al maschile (*sòl*, infatti, sole, in antico norreno è femminile) le qualità di rettitudine, forza dominatrice e prosperità.

Ciò mi permette di fare una digressione e parlare un po' del dio-eroe solare, largamente attestato nel Nord. Sarebbe suggestivo cedere alla tentazione di supporre che «la» Sole, quasi certamente identificabile in una figura di Grande Dea o di Dea Madre, poi Terra Madre, adorata da questi popoli fin dalle più remote antichità, abbia dato origine a un androgino che si sarebbe sdoppiato nella forma dei gemelli divini (equivalenti dei Dioscuri greci) attestati con certezza in Scandinavia. Questi gemelli presentano la caratteristica di appartenere a entrambi i sessi, come Freyr e Freyja, e l'eroe solare potrebbe essere il volto maschile di questa doppia figura. L'ipotesi ci sembra comunque interessante perché si possono proporre almeno tre figure di questo eroe inizialmente solare: Völundr, il fabbro meraviglioso, Helgi in una delle sue almeno tre raffigurazioni e Sigurdhr, uccisore del drago Fáfnir.

Di Völundr, che è il fabbro meraviglioso di questa mitologia in grado di costruire persino delle ali e volare con esse, c'è poco da dire se non che probabilmente si tratta del primo maestro di magia della mitologia nordica. Come tutti i suoi simili egli «lega» con il fuoco e fa dunque parte delle divinità cosiddette legatrici che furono le divinità essenziali dei vichinghi. La sua figura è complessa e confusa: è associato alle valchirie nel poema che ci parla di lui, la *Völundarkvidha* dell'*Edda poetica*, e lo si presenta anche come discendente di una stirpe di giganti opportunamente enumerati. Il suo valore archetipico spiega però questa confusione. Egli per certi versi prefigura Loki, è una figura impura; non poté che essere caro ai vichinghi in quanto artigiano di genio, associato con un antico residuo indoeuropeo che ha dato vita anche a Dedalo e Icaro. Singolarmente questo poema eddico prefigura anche gli spaventosi e crudeli testi eroici in cui Gudhrún per vendetta dà da mangiare al suo sposo Atli (Attila) i figli che aveva avuto da lui. Ha aspetti cinici e astuti in comune con Ódhinn. Sembra che sia esistito un gigante mago – che Snorri Sturluson ci descrive con dovizia di particolari narrando il celebre viaggio nel corso del quale Thórr fu messo in ridicolo – di nome Útgardha-Loki, Loki delle Mura Esterne cioè Loki che abita il terzo cerchio, più esterno, del mondo secondo la cosmogonia elaborata dagli antichi scandinavi. Ho appena detto, d'altra parte, che Loki stesso è un mago e anche un gigante, un maestro della mistificazione e il sovrano di una parte dell'aldilà. Anche Saxo Grammaticus ci parla di questo personaggio, in un contesto, però, del tutto diverso. Esso potrebbe costituire una sorta di archetipo dal quale, in epoche certamente più recenti, avrebbe potuto sorgere la coppia Ódhinn-Loki.

Invece «gli» Helgi – che sono almeno due e il cui nome significa semplicemente «sacro» o «santo» – potrebbero corrispondere all'idea che ci facciamo abitualmente degli eroi. Essi sono protagonisti di poemi eddici più direttamente riferibili al mondo che abbiamo fin qui convenuto di rubricare sotto il termine «vichingo».[25] Sono, come Völundr, in costante rapporto con le valchirie (Sigrún, Sváva e Kára). La loro antichità e il frequente ricorso nella toponimia ci spingerebbe ad attribuirli alla categoria, ben rappresentata nella storia di tutte le religioni, definita dalla sequenza dea-madre-eroe solare: avrebbero dunque le caratteristiche proprie delle divinità fondatrici. Essi d'altra parte corrispondono assai bene alle idee più correnti sul conto dei vichinghi. Citiamo almeno, a illustrazione di queste affermazioni, le strofe 26 e 27 di *Helgakvidha Hundingsbana* I che presentano l'immagine, convenzionale ma eloquente, della flotta vichinga all'opera:

Poi il re di mare
Abbatté le tende
Perché del principe
La folla degli uomini si svegliasse,
Perché i re
Vedessero sorgere l'aurora
E i prodi guerrieri

[25] Cioè la *Helgakvidha Hundingsbana* I e II e la *Helgakvidha Hjörvardhssonar.*

Innalzassero sull'albero maestro
Le vele tessute
A Varinsfjördhr.

Ci fu fracasso di remi
E clangore di ferri
Scudo contro scudo
Remavano i vichinghi.
Sollevando schiuma va
Sotto il suo nobile principe
La flotta del re
Lontano, lontano da terra.

Ma le figure di Völundr e di Helgi non possono reggere il confronto con quella di Sigurdhr, l'uccisore del drago Fáfnir, il Siegfried della tradizione tedesca[26] che è forse di origine più recente anche se altrettanto complessa e non riconducibile a una sola ed esaustiva interpretazione. In epoca vichinga egli è «L'Eroe» per eccellenza ma ciò che ci colpisce è la circostanza che questo eroe è caratterizzato dal non avere fatto mai niente di eroico nel senso che noi siamo abituati ad attribuire al termine. Il fatto di aver dovuto nascondersi in fondo a una fossa per riuscire a uccidere il drago non ha niente di ammirevole e a varcare la muraglia di fiamme che circonda la valchiria addormentata non è lui ma il suo cavallo Grani, figlio del grande Sleipnir, la cavalcatura di Ódhinn. Non mi attarderò né sulle possibili origini storiche di questa figura né sui suoi evidenti tratti

[26] Un'analisi ricca di particolari con la traduzione della *Völsunga saga* in R. Boyer, *La Saga de Sigurdhr ou la parole donnée*, Éditions du Cerf, Paris 1989.

leggendari e sul suo carattere solare simboleggiato con chiarezza, tra l'altro, dall'oro del Reno. Non mi attarderò nemmeno sui rapporti evidentissimi che intrattiene con molte divinità ben note come Baldr del quale ha la rettitudine, Týr, per la ragione che esporremo, Thórr in quanto eroe e Ódhinn con il quale i testi lo pongono in chiaro rapporto. Voglio solo attirare l'attenzione sul fatto che questo eroe è tale per ragioni altamente morali. Questo rappresentante del clan reale si è legato come fratello giurato ai cognati con il ben noto rito del *fóstbrœdhralag* ed è la sua fedeltà alla parola data a determinare la sua morte senza gloria (sempre nel senso eroico convenzionale: i testi lo fanno morire vilmente assassinato in una foresta o nel suo letto). Ma è giusto ricordare invece che nella sua persona egli intreccia i tre elementi dell'etica eroica nordica antica: sa fin dall'inizio quale sarà il suo destino, lo accetta e assume; condivide una concezione altamente aristocratica della società – è un Vǫlsungr[27] – e deve dunque piegarsi alle sue norme; è fedele alla parola data.

Va particolarmente sottolineato il fatto che, si tratti di Völundr, di Helgi o di Sigurdhr, la prodezza, l'impresa di valore, il colpo di mano esemplare non sono quasi mai posti in primo piano. Verrà un giorno in cui le saghe – che però sono testi redatti in epoca nettamente posteriore all'età vichinga – si faranno un dovere di mettere in ridi-

[27] Cioè discendente di Völsi che potrebbe collegarsi al greco *phallos* e riferirsi in particolare al cavallo. Non è assolutamente esclusa un'origine totemica delle divinità del Nord ma come è noto questa griglia interpretativa è sempre da maneggiare con precauzione. È interessante, comunque, che nei testi eroici dell'*Edda* i supposti discendenti del cavallo siano contrapposti ai sempre supposti discendenti del lupo (Ylfingar) e del cane (Hundingar).

colo il personaggio pronto di mano, nelle forme del *garpr* o del *berserkr*. Ricordiamo ancora una volta che i vichinghi apprezzavano l'astuzia, l'intelligenza, l'abilità molto più dei muscoli e dell'energia muscolare. Voglio sottolineare questi elementi a partire dai testi che dovrebbero riflettere la visione del mondo di questi uomini senza prendere qui in considerazione le più famose saghe leggendarie (*fornaldharsögur*)[28] notoriamente ispirate a modelli non scandinavi e prossime invece alla cultura della letteratura cortese. Non può non colpire che i poemi eroici dell'*Edda* non ci narrino mai belle imprese, sangue vermiglio sparso sull'erba folta, palafreni spaccati in due con i loro cavalieri, ma calcoli, astuzie e inganni di cui è pieno ad esempio il ciclo di Atli. Il vero eroismo è assunto da donne, soprattutto Brynhildr e Gudhrún, mentre gli uomini si affidano piuttosto al loro senso pratico (*vit*, in antico norreno) e ciò che li lega e li rende figure tragiche è di solito il rispetto dell'etica al clan, della fedeltà, del cameratismo e una profonda sottomissione a un onnipotente Destino. Un'altra osservazione: poniamo che i tre Helgi siano riconducibili a uno e che Völundr non sia stato inizialmente né un dio né un gigante (esiste anche una tradizione che gli attribuisce una genealogia di giganti). I tre personaggi citati, Helgi, Völundr e Sigurdhr, esauriscono i personaggi che potremmo rubricare alla voce «eroe», tranne che per gli aspetti della forza bruta e della bella impresa «sportiva». Helgi ne assumerebbe il volto magico e sacro, Völundr quello

[28] Come *Hervarar saga ok Heidhreks konungs* (traduzione francese di R. Boyer, *La saga de Hervör et du roi Heidhrekr*, Borg International, Paris 1988) o *Örvar-Odds saga*.

tecnico artigianale e Sigurdhr quello etico. Alcuni testi ci parlano di un grande artigiano che era «un vero Völundr» nel campo delle realizzazioni artistiche, la toponimia dimostra che Helgi era visto come un'entità tutelare molto popolare e l'antroponimia che Sigurdhr fu uno dei nomi più diffusi fra i vichinghi. Forse visti diacronicamente i tre personaggi rappresentano tre stadi successivi: Völundr sarebbe il più antico e Sigurdhr il più recente. A seconda della situazione o del momento ci si poteva porre sotto la protezione dell'uno o dell'altro ma nessuno di essi assume mai l'immagine della forza bruta.

Non voglio concludere questa prima parte della presentazione della religione dei vichinghi (forza-legge, forza-diritto) senza fare qualche cenno veloce alle potenze antitetiche a quelle che abbiamo appena esaminato, le forze del disordine, per così dire, i giganti Surtr e soprattutto Loki.

Dei giganti, che furono probabilmente i primi occupanti del mondo soprannaturale, c'è ben poco da dire: essi sono forti, colossali, sono le personificazioni delle forze della natura e la loro antichità spiega come essi possiedano la scienza dei segreti primitivi: perciò spesso veniamo a sapere che un dio si reca da loro per riceverne un sapere esoterico. Sono nemici personali di Thórr, del quale si dice sempre che era partito per l'est, per farla finita con essi. Rappresentano uno stadio arcaico della religione nordica e sono legati al caos primigenio (in particolare questo vale per l'ermafrodito Ymir) e la loro rivalità con gli dei si spiega proprio così, anche se spesso danno loro in mogli le proprie figlie. Il lettore interessato potrà farsi un'idea di come poterono essere quelle creature osservando le caratteristiche dei *troll* delle fiabe e dei racconti popolari norvegesi che, degradati e ridotti a taglia umana, rappresentano certamente un residuo di entità ben più antiche. Uno di essi infine, che è più un gigante che un dio, Surtr, il cui nome significa semplicemente «nero», presiederà al Ragnarök* e simboleggia evidentemente il fuoco distruttore.

L'interpretazione di Loki è ben più difficile e i più eminenti studiosi si sono trovati in difficoltà di fronte alla sua strana figura.[29] Non diremo che fosse il dio del «male» perché questa formula non avrebbe avuto senso per i vichinghi: egli genera però il disordine in tutti i campi possibili. Tentiamo di presentarne la figura in uno sviluppo diacronico. Inizialmente era forse una specie di gigante-mago come l'Útgardha-Loki che si prende gioco di Thórr nell'*Edda di Snorri* e, come gigante, è padre dei mostri Fenrir, Hel e Midhgardhsormr, figure ambigue come il loro padre, che possono essere, come lui, utili o malefiche. L'esempio principale è quello fornito da Midhgardhsormr, il grande serpente cosmico che mantiene il mondo al suo posto e in ordine all'interno del proprio corpo, perché con la testa si morde la coda, ma che sarà il responsabile diretto di Ragnarök, il giorno in cui lascerà la presa. Del mondo dei giganti primitivi i tre figli di Loki hanno conservato certamente qualcosa, perché i loro nomi rimandano all'elemento liquido (il nome del «lupo» Fenrir contiene un'allusione alla palude, *fen-*), tellurico (Midhgardhr è la nostra terra, il mondo degli uomini) o ctonio (Hel, la dominatrice degli «inferi» di questa mitologia ha un nome che significa «ciò che è coperto, ciò che è nascosto»).

[29] Loki è stato studiato da J. de Vries, *The Problem of Loki*, «Folklore Fellows Communications», n. 110, Soumalainen Tiedeakatemia, Helsinki 1933; F. Ström, *Loki, Ein mythologisches Problem*, in *Acta universitatis gothoburgensis*, s.e., Göteborg 1956; G. Dumézil, *Loki*, Flammarion, 2ª ed., Paris 1986.

In un secondo tempo Loki ha assunto la figura di un *daimon* indicata dal suo sorprendente potere di metamorfosi (sa trasformarsi in giumenta, in falco, in mosca, in foca, ecc.), sempre per porre fine a un processo in corso. Può darsi che lo stesso sostantivo *loki* rinvii all'idea di fine. Sarebbe il volto «greco» del personaggio, già assunto, d'altra parte, nell'aspetto prometeico (nella sua prima accezione, cioè, di Titano condannato a un supplizio particolarmente atroce). È possibile che più recente sia il suo misterioso legame con Ódhinn, che sarebbe suo fratello giurato e che gli somiglia per molti aspetti. Entrambi avrebbero partecipato alla creazione dell'uomo e della donna. D'altra parte uno dei nomi di Loki, Loptr, ne potrebbe fare una specie di genio dell'aria (*lopt* significa aria, atmosfera). A meno che, seguendo talune nostre fonti non si ricorra alla paronimia *loki-logi* (in cui *logi* = fiamma) che lo porrebbe in rapporto con il fuoco. Si potrebbe suggerire un'analogia con Lukifer, perché entrambe le creature sarebbero calunniatori (ad esempio nella *Lokasenna* dell'*Edda poetica*).

Altri studiosi hanno voluto vedere in Loki la forma scandinava del *trickster* delle «mitologie» nordamericane. Egli ha un versante di rischio, di grottesco, da giocoliere (ad esempio quando raggira la dea Skadhi) e può presentarsi come un eroe civilizzatore: gli viene attribuita l'invenzione della rete da pesca, caratteristica non trascurabile per un popolo che praticava la pesca come una delle sue attività principali. In ogni caso è un signore dei ladri: ha sottratto a Ídhunn i pomi dell'eterna giovinezza, a Sif, moglie di Thórr, il cavallo, a Freyja la grande collana Brísingamen. Volontariamente ho tralasciato l'interpretazione naturalistica che vorrebbe farne un ragno sulla base del fatto che ha «generato» (in questo caso in forma femminile) il cavallo Sleipnir che ha otto zampe e si sposta con una velocità sconcertante. Loki tutto sommato è una figura interpretabile con una relativa facilità, secondo l'etica propria dei vichinghi. È il portatore di disordine, il sabotatore, il calunniatore che impedisce al mondo di funzionare correttamente, non conosce onore né diritto, è senza legge e senza fede, rappresenta una specie di anti-Týr. Ciò potrebbe anche spiegare la sua figura complessa e «barocca» e, naturalmente, la sua assenza dall'antroponimia e dalla toponimia.

La seconda tappa consisterà nell'esaminare le divinità che, pur avendo avuto cittadinanza nell'età vichinga, si situano con maggiore difficoltà all'interno di una comprensione etica di quel mondo. Si tratta sempre di forza, ma di forza esercitata con il Verbo sotto forma di sapere, cioè di poesia e/o di magia. Queste divinità sono in genere in connessione con l'elemento liquido: diremo dunque qualcosa a proposito di Ægir, Ódhinn e Heimdallr.

Prima di procedere dobbiamo fare un'osservazione importante: è evidente che le divinità più venerate nel Nord fra il VII e l'XI secolo furono Ódhinn, Thórr e Freyr, la triade indicata nel testo di Adamo di Brema.[30] La denominazione «nordico» o «scandinavo» però – è sempre meglio ricordarlo ai lettori «mediterranei» – non può essere considerata esaustiva. I danesi, i norvegesi e gli svedesi non erano assolutamente identici: ci sembra dunque che ognuna

[30] A. di Brema, *Gesta hammaburgensis ecclesiae pontificum*, cit. Come è noto questo autore ha coperto i margini dei suoi testi di scolii il cui tema è assai spesso la storia della Scandinavia.

di queste etnie privilegiasse una divinità che per i norvegesi era Thórr, per i danesi Ódhinn e certamente per gli svedesi Freyr. L'osservazione non è secondaria. Se si pensa che la religione e gli dei siano in gran parte la proiezione delle aspirazioni degli uomini che la professano e li adorano esistono certamente evidenti corrispondenze fra ognuno di questi popoli e la loro divinità «maggioritaria», anche se ciò non contrasta con la presenza di costanti che andremo scoprendo a poco a poco.

Ægir, il cui nome significa esattamente oceano (come il greco *okeanos*) è una divinità acquatica della quale è difficile stabilire se sia un gigante o un dio propriamente detto, ambiguità in cui, d'altra parte, ci imbattiamo continuamente. È il produttore della birra degli dei e l'importanza della birra nel culto di questa religione basta a farci capire che si tratta di una figura importante. La sua sposa Rán (letteralmente «saccheggio») è una creatura temibile che spia i marinai per farli morire gettando su di loro la sua rete. Una singolare costellazione di morte e di magia domina questa coppia di cui mi è sempre sembrata singolare la relativa insignificanza in una cultura e in una civiltà di marinai e di navigatori. È anche vero che quasi tutti gli dei hanno un qualche rapporto con la nave, la navigazione, il mare (ad esempio il vane Njördhr abita in una località detta Recinto delle Navi, suo figlio Freyr aveva l'imbarcazione meravigliosa Skidhbladhnir, Thórr sapeva varcare a guado mari e oceani), ma non mi sembra che questo aspetto così fondamentale della vita del vichingo sia stato proiettato in un'entità divina con la forza che ci si potrebbe attendere.

Ma soprattutto dobbiamo qui parlare di Ódhinn (o Wotan o Woden), divinità polimorfa e complessa, caratteristica della quale i suoi adoratori erano certamente coscienti e lo attestano i più di cento nomi che gli attribuivano, il più rappresentativo dei quali è Grímnir o Grímr, il Mascherato. Il suo posto nel pantheon scandinavo è così importante che vale la pena di fornirne qualche aspetto particolare.

Ódhinn è innanzitutto il *dio dei morti*, il grande psicopompo di questo universo. Perciò è anche il grande negromante in stretto rapporto con gli impiccati. È il loro dio e non è improbabile che a lui o a uno dei suoi archetipi fossero stati sacrificati, agli inizi della nostra era, gli impiccati trovati nelle «argille azzurre» dello Jütland. Il fatto non è però accertato: potrebbe trattarsi di un sacrificio a un'altra divinità probabilmente femminile, protettrice della fertilità-fecondità. Ódhinn si vanta però, negli *Hávamál* dell'*Edda poetica*, di avere conquistato la conoscenza delle cose supreme con una impiccagione rituale. A questa tematica rimanda anche la Valhöll (Walhalla), di cui è il signore incontrastato e dove ascendono i guerrieri più valorosi insieme alle valchirie che li hanno scelti sul campo di battaglia per ordine del dio monocolo.

In secondo luogo – ma forse si tratta del carattere principale – Ódhinn è il *vates*, il *dio veggente*, il sapiente: egli protegge gli scaldi per i quali tanto ha fatto quando ha sottratto l'elisir della poesia ai nani e ai giganti; e riceve ogni volta che ne ha bisogno, dalla testa del dio-gigante Mímir (il cui nome significa «memoria» e che ha imbalsamato a questo scopo) i segreti di tutti i saperi soprattutto scaldici e magici. Egli è il «padre di [tutti i] canti magici» e gli *Hávamál* precisano che restò appeso «all'albero battuto dai venti» per nove intere notti al fine di ottenere la conoscenza delle cose nascoste. Non è escluso che essendo il dio degli scaldi, questi ne abbiano incrementato l'importanza e arricchito i caratteri.

Infatti egli è anche un *dio sciamano* che ottiene le sue prerogative attraverso prove iniziatiche facilmente identificabili che sono descritte nei *Grìmnismål* dell'*Edda poetica*. Senza dilungarci su questo aspetto,[31] è impossibile non osservare analogie impressionanti fra questo dio e quanto sappiamo degli sciamani.[32] Come lo sciamano per recarsi all'altro mondo deve montare sul suo cavallo, che corrisponde al palo centrale della yurta con le sue nove incisioni, così Ódhinn ricorre al grande albero Yggdrasill il cui nome significa «cavallo di Ódhinn» (Yggr, il Temibile, è uno dei nomi del dio) su cui sale per recarsi «nei nove mondi». Nel *Baldrsdraumar* lo vediamo resuscitare una morta per riceverne informazioni sulla sorte del dio Baldr nell'altro mondo. È chiaro che da questo punto di vista Ódhinn assume alcuni caratteri del (re)-sacerdote-sacrificatore di cui dovremo parlare, in quanto questa figura presiedeva ai riti di divinazione.

Ma il suo ritratto sia fisico sia spirituale non è certo accattivante. È crudele, astuto, cinico, misogino. Non si può mai contare su di lui e gli scaldi, di cui pure è il «patrono», ce lo ripetono continuamente. Significativo uno dei suoi terribili nomi: Bölverkr, fautore di sventura. Non c'è alcun

[31] Le ricerche migliori sullo sciamanesimo nel Nord sono quelle di Peter Buchholz, soprattutto *Shamanism – The Testimony of Old Icelandic? Literary Tradition*, in «Medieval Scandinavia», n. 4, 1971, pp. 7-20.

[32] Il lavoro fondamentale resta quello di Mircea Eliade, *Le Chamanisme et les techniques archaïques de l'extase*, Payot, Paris 1951 (trad. it. *Lo sciamanesimo e le tecniche arcaiche dell'estasi*, Edizioni Mediterranee, Roma 1991).

dubbio che Ódhinn sia stato un dio molto importante per i vichinghi di tutte le nazionalità e facendo questa affermazione mi rendo conto di deludere un po' il lettore perché egli è quanto di più lontano dall'idea che questi potrebbe essersi fatto del «vichingo». In base ai testi questo è il ritratto più attendibile di Ódhinn: sgradevole e monocolo, con la barba grigia, coperto di un sudicio mantello azzurro, con in testa un berretto di feltro ricadente sull'occhio mancante che ha lasciato in pegno a Mímir per ottenerne, in cambio, la scienza dei grandi segreti sacri.

Potrebbe essere stato inizialmente a sua volta un gigante. A Litsleby nel Bohuslän, in Svezia, fra le incisioni rupestri è stato individuato un gigante con la lancia che ne potrebbe essere l'archetipo. Gli è stata anche attribuita una genealogia di giganti e molti miti che lo riguardano (gare di sapere, conquista dell'elisir di poesia, generazione di discendenti e vendicatori) lo mettono in relazione con giganti e gigantesse. Ne deriverebbe il suo aspetto di *dio fondatore*: dell'universo, che edifica a partire dal corpo dell'ermafrodito primigenio Ymir, del mondo divino che ha fatto costruire dal capomastro di Ásgardhr, della specie umana, poiché ha partecipato alla creazione di Askr e di Embla, la prima coppia umana, e delle dinastie reali che, tutte, si vanteranno di discendere da lui. Pretesa che può assumere aspetti ridicoli: un *bóndi* islandese del XII secolo, Sturla Thórdharson, padre dei celebri Sturlungar ai quali è dedicata la *Sturlunga saga*, volle far risalire le sue origini fino al dio del corvo!

In quinto luogo, Ódhinn è il *dio della vittoria*: avete letto bene, il dio della vittoria (Sigtýr) e non della guerra (l'antico norreno non ha nemmeno un vocabolo per «guerra» e la indica come «non pace», *ófridhr*). È anche Herjafödhr, padre degli eserciti, ma nemmeno questo termine allude esplicitamente alla guerra. Naturalmente è il dio che concede la vittoria ai suoi protetti *con qualsiasi mezzo.* Ciò significa che l'astuzia non è affatto proscritta, né lo sono atteggiamenti che definiremmo «strategici». Ódhinn è un dio intelligente che combatte più con il cervello che con il braccio. Perciò gli viene attribuita l'invenzione della formazione a cuneo, e un testo come gli *Hamdhismál* dell'*Edda poetica* nel ciclo eroico ce lo mostrano consigliare ai suoi fedeli come battere un nemico ritenuto invulnerabile. Il suo modo di agire coincide esattamente con tutto quanto sappiamo sui sistemi bellici dei vichinghi. Anch'essi preferivano l'intelligenza e l'astuzia alla pura forza. Gli annali e i racconti dei contemporanei sono pieni di quegli stratagemmi che i «fieri figli del Nord» preferivano agli scontri diretti e che io sappia non sono confutabili. È vero che gli stratagemmi attribuiti, ad esempio, a Haraldr lo Spietato nella saga che porta il suo nome[33] sono decisamente letterari, visto che molti di essi si ritrovano in altri testi attribuiti ad altri personaggi, ma l'autore non ha certo inventato per principio. Dobbiamo sicuramente ammettere l'esistenza dei famigerati «guerrieri-belva» che venivano colti da *furor* e diventavano capaci di imprese incredibili nel corpo a corpo. Non è escluso che la crudelissima pratica detta «aquila di sangue», ampiamente descritta nelle nostre fonti, che consisteva nel praticare un'incisione nel dorso della vittima, fra le costole, tirandone fuori i polmoni come due ali – pratica attestata

[33] Nella *Heimskringla* di Snorri Sturluson, traduzione francese di R. Boyer, *La Saga de Harald l'Impitoyable*; si vedano i capitoli iniziali fino al X e le note afferenti.

fin dall'età del bronzo sulla base di alcuni petroglifi che potrebbero alludervi – avesse valore cultuale o rituale e fosse posta sotto il segno di Ódhinn. Il quale, infine, assunse – forse solo nell'interpretazione cristiana – la funzione di *sommo dio*, Alfödhr.

Il suo nome, però, basta a riassumerne la natura fondamentale: è *Ódhinn*, cioè il dio dell'*ódhr* (tedesco *Wut*, latino *furor*) cioè dello stato di *trance* o frenesia che quando si impadronisce di un essere umano lo trascina ben fuori e oltre le sue normali facoltà, sotto l'effetto della passione amorosa, dell'ebbrezza guerriera, dei fumi dell'orgia, dell'esercizio sacerdotale, delle pratiche di magia o dell'ispirazione poetica. Allora l'essere umano può fornire prestazioni incompatibili con le sue capacità normali, esperienza che in qualche forma capita a tutti di fare, almeno una volta nella vita. Non sappiamo se Snorri Sturluson nella sua *Ynglinga saga* intendesse fare dell'umorismo dipingendo i guerrieri-belva in preda alla possessione odinica, ma siamo tentati fortemente di crederlo: «[Essi] combattevano senza cotta di maglia come cani o lupi infuriati, mordevano il loro scudo e avevano la forza di un toro o di un orso. Massacravano gli avversari e né ferro né fuoco aveva presa su di loro. È quello che si chiama il furore del *berserkr*». Perciò Rodolfo di Fulda, nel IX secolo, annota: «*Wodan id est furor*» e Adamo di Brema, nel passo prima citato: «Odin cioè il Furioso». Lo conferma il fatto che nel Valhöll si nutra solo di vino. L'elenco testé fatto dei campi dove si può manifestare il *furor* è a sua volta eloquente: Ódhinn è una figura complessa, come Loki che secondo alcune tradizioni sarebbe fratello giurato di Ódhinn, e conturbante per la nostra mentalità. Con i due corvi che hanno il compito di volare «per i mondi» e riferirgli poi le notizie «da tutti i mondi» e i due lupi Geri e Freki (Vorace e Insaziabile), la lancia Gungnir, l'anello Draupnir da cui emanano tutte le notti altri nove anelli simili, il cavallo Sleipnir che si sposta a velocità senza pari sulle sue otto zampe in aria, sulle acque e in terraferma, non ha decisamente niente del «bel dio» anche se Snorri ci informa che in passato era stato molto bello.

Come ho suggerito a più riprese, Ódhinn è certamente significativo, per molti aspetti, della mentalità degli antichi scandinavi. E più esattamente dei vichinghi. Devo ripetere che era il dio dei carichi, Farmatýr? Non per niente gli osservatori latini lo hanno assimilato a Mercurio: fra le due divinità si possono certamente riscontrare notevoli analogie. Non mi sento di affermare che Ódhinn rivesta la prima funzione duméziliana[34] per la quale gli manca l'aspetto giuridico che spetta, come abbiamo visto, a Týr. Ho spiegato anche come mai ritenga forzata la sua attribuzione alla seconda: è uno stratega più che un guerriero. La terza è in secondo piano: la sola allusione a essa è l'attributo di fondatore di stirpi reali che potrebbe farne un garante di fecondità. Ma è l'aspetto esoterico che si impone con nettezza. Egli è *la* scienza, il fascino nel senso latino del termine. In una società minoritaria che doveva imporre il suo gusto dell'avventura e il suo desiderio di conquista con sistemi diversi dalla forza bruta, non poteva che acquistare un ruolo importantissimo. L'errore ad esempio di Wagner è stato di farne una divinità marziale: non mi stancherò di ripetere che è assolutamente arbitraria qualsiasi identificazione fra i vichinghi e le orde del Terzo Reich e le divinità

[34] Si veda la nota n. 6 del Prologo.

che i primi adoravano, Ódhinn compreso, non legittimano assolutamente questa identificazione.

Di Heimdallr, la vedetta degli dei che vede spuntare l'erba e ode la lana crescere sulla schiena dei montoni, colui che segnalerà Ragnarök soffiando nel suo *lúdhr* (una specie di corno) non parlerei se non mi sembrasse illustrare assai bene i caratteri della mentalità religiosa dei vichinghi. Il suo nome significa probabilmente «pilastro del mondo» e tale etimologia apre prospettive molto interessanti sulla visione della vita, del mondo e dell'uomo di questi popoli. Essi infatti avevano elaborato un'idea di *axis mundi*, di *universalis columna* che ha molte analogie con analoghe concezioni indoeuropee quali lo *skambha* vedico: si tratta del grande albero Yggdrasill più volte citato che altre fonti presentano come il luogo dove giacciono le anime non ancora nate e i destini e la quintessenza di ogni sapere. Collazionando tutte le fonti dirette e indirette ne ricaviamo che esso presiede a tutti i destini (le Norne*, divinità del Destino, siedono alla base di una delle sue radici); al sapere (il gigante Mímir che abbiamo prima incontrato, possiede una fonte accanto a una delle sue radici); e a ogni vita, richiamata dall'animazione intensa che regna fra i suoi rami e ai suoi piedi dove si agitano continuamente animali, soprattutto cervidi e scoiattoli. Un albero, e soprattutto una conifera (Yggdrasill potrebbe essere un tasso), a queste latitudini si presta splendidamente a simboleggiare la vita che sfida la falsa morte dell'inverno. Partiamo dagli antenati che certamente furono le prime divinità di questo pantheon, passiamo alle grandi forze naturali il cui culto abbiamo incontrato continuamente, non dimentichiamo che la magia è in un certo senso l'atmosfera normale entro cui questo universo si muove. Heimdallr-Yggdrasill ha esattamente la stessa funzione di Midhgardhsormr, perché assume la coesione del mondo in senso verticale, come il grande serpente lo fa in senso orizzontale. Midhgardhsormr è detto anche Jörmungandr, letteralmente «bacchetta magica gigante». Ci sentiamo dunque autorizzati a proseguire l'equazione precedentemente suggerita indicando: Heimdallr = Yggdrasill = Midhgardhsormr = Jörmungandr. Un percorso completo del mondo del sacro allo stadio della antropomorfizzazione e individualizzazione delle entità divine.

Ora mi restano da esaminare le divinità che assumono il terzo aspetto della nozione di ordine e di potenza che ho commentato in questa breve analisi. Si tratta delle forze della produttività, fecondità e fertilità, in stretta associazione con terra, acqua e aria, i Vani. Nozioni certamente molto antiche il cui archetipo va cercato nell'enigmatica figura bisessuata di Fjörgyn(n) il cui nome significa «che favorisce la vita»[35] e in quelle dei Dioscuri di questa mitologia o dell'androgino, profondamente costitutivo della mentalità scandinava, soprattutto svedese, sia antica sia moderna:[36] concetti che, del resto, si sovrappongono.

I Vani sono divinità riferibili a un culto agrario strettamente associato al culto dei morti e quindi alla magia. Sono

[35] Si veda il lavoro di R. Boyer «Fjörgyn(n)» in *Mort et fécondité dans les mythologies*, Atti del convegno di Poitiers pubblicati a cura di F. Jouan, Les Belles Lettres, Paris 1986, pp. 139-150.

[36] Si vedano le figure di Seraphitus-Seraphita di Swedenborg, di Amandus-Amanda di Stagnelius, di Tintomara di Almquist, fino a certi personaggi di Strindberg o di P.O. Enquist: quanti svedesi!

divinità della ricchezza, dei beni mondani e della voluttà, della pace e dell'amore. Si attribuisce loro anche un culto fallico, bene attestato da un testo singolare, il *Völsa thåttr*[37] o da pietre monumentali come quella trovata a Rödsten nell'Östergötland.[38] Non ci si meraviglierà che queste divinità siano bisessuate. Ad esempio Njördhr è uomo, in questa mitologia, ma Tacito nella *Germania* ce lo presenta come una dea con questo interessante commento: «*Nerthus id est Terra Mater*» che sovraintende alla navigazione e al commercio, cioè ai due ideali vichinghi. Sua moglie, Skadhi, ha un nome di genere maschile e potrebbe avere conferito il nome alla Scandinavia.[39] Ha avuto da sua sorella due figli che forse costituiscono un solo essere, perché l'uno è il paredro dell'altra, Freyr e Freyja che godettero di vasta popolarità sia nella toponimia sia nei miti. Un amuleto trovato in Svezia rappresenta un personaggio che è sicuramente Freyr in atteggiamento itifallico indiscutibile. Uno splendido mito narrato con dovizia di particolari nello *Skírnisför* dell'*Edda poetica* ci descrive gli amori del dio con la bella gigantessa Gerdhr – il cui nome significa «campo recintato» perché pronto per la coltivazione – che rappresentano il connubio del dio del sole primaverile con la terra germinatrice che egli fa fruttificare. L'animale che simboleggia Freyr è un verro e quello di Freyja una scrofa, *sýr* (da cui potrebbe venire il nome degli svedesi, *sviar*, adoratori della scrofa). Entrambi sono i patroni delle annate feconde e della pace, sono gli dei *til års ok fridhar*, la formula che abbiamo

[37] Il *Völsa thåttr* è tradotto nell'*Edda poétique*, cit., pp. 89 ss.
[38] Fotografia riprodotta in F. Ström, *Nordisk hebendom*, cit.
[39] **Skathin-auja*, il territorio che gode della fortuna – *ey* < *auja* – legata a Skadhi.

già incontrato a p. 70 e che si applica anche al re consacrato che era scelto espressamente a questo scopo e spietatamente immolato se veniva meno a questa funzione. In altre formulazioni Freyr equivale a Fródhi, forse la personificazione dell'aggettivo sostantivato *fródhr* che combina le caratteristiche di «sapiente» e di «fecondo» per il suo sapere. D'altra parte non è illecito collegare la parola *freyr* all'idea di signore e padrone ma nemmeno a quella di seme. Insomma, la tematica della fecondità è fortemente accertata.

Lo è ancor di più a proposito di Freyja di cui ho detto che è il volto femminile di questa rappresentazione. Freyja è signora, amante, protettrice degli amori. Suoi attributi sono il carro trainato da gatti, la grande collana Brísingamen, l'approfondita conoscenza della magia, l'impero sui morti: è caratterizzata fortemente in senso sessuale. Se ne conoscono una serie di varianti, descritte con dovizia di particolari da Snorri Sturluson, che illustrano altre facce interessanti di questa ricchissima personalità: Hörn che simboleggia il lino, Gefn o Gefjón che è colei che «dona», Ídhunn che possiede i pomi della giovinezza e Sýr come abbiamo già detto. Ricordiamo che «padrona di casa» si dice *húsfreyja* (dove *hús* significa «casa») e che – in singolare connessione con il tema di Iside e Osiride – la dea avrebbe, secondo un mito, sposato il dio Ódhr che se ne è andato e che lei attende e piange con lacrime d'oro. Si impone qui l'omologia fra la coppia Freyja-Ódhr e la coppia Frigg-Ódhinn.

Per questo mi permetto di parlare qui di Frigg che dovrebbe essere assegnata alle divinità Asi in quanto è moglie di Ódhinn ma che spesso, per ragioni paronimiche, viene confusa con Freyja. In realtà sembra che nell'immaginario religioso scandinavo l'arcaica nozione di Grande Dea o

Dea Madre e persino Terra Madre si sia scomposta nei suoi tre aspetti: l'amante, Freyja, la moglie, Frigg, e la morte, Skadhi che si riprende i figli dopo aver dato loro la vita o piuttosto – per un mondo che non concepiva fra la vita e la morte una radicale soluzione di continuità – che li fa entrare in un'altra condizione dopo il tempo trascorso su questa terra. Ho già osservato l'assenza di netta demarcazione fra i due regni. Non si deve però assolutamente concludere che i vichinghi disprezzassero la morte: il celebre motto «io muoio ridendo» che avrebbe pronunciato Ragnarr Lodhbrók gettato in una fossa con i serpenti ha fatto scorrere davvero troppo inchiostro. Semplicemente essi non avevano, di questa dicotomia, la concezione che ce ne facciamo noi. Essi amavano la vita ma non per questo avevano un'immagine desolata della morte. Non sono certo nemmeno che si debba istituire una differenziazione netta fra le due immagini del «paradiso» (p. 183) o almeno dell'aldilà attestate dai nostri testi, la Valhöll cui abbiamo già fatto cenno e Hel che definisce sia l'aldilà sia la dea che vi regna, chiaramente una variante di Skadhi. Entrambe le nozioni sembrano ugualmente antiche secondo le fonti scaldiche che le attestano. Non ci sembra però che la Valhöll vada intesa in senso nettamente più guerriero e aristocratico. Gli eroi che la popolano si preparano ad affrontare la terribile battaglia di Ragnarök, ma il loro signore Ódhinn sa bene, per prescienza divina, che questo scontro sarà vano, perché tutto perirà prima della universale rigenerazione. Un paradiso guerriero inutile, dunque. Si può dunque sostenere che uno degli «aldilà» sia più spirituale dell'altro, almeno dal punto di vista della mentalità tipica di queste culture? In ogni caso, questo rapido abbozzo delle entità divine alle quali probabilmente credevano i vichinghi dovrebbe avere convinto il lettore della ricchezza ed elaborazione della loro concezione dell'uomo, della vita e del mondo. È assurdo definire questa cultura «barbara» ed è tutto quello che mi premeva dimostrare.**

Abbiamo avanzato tutte le riserve possibili sulla nozione stessa di religione dei vichinghi sottolineando che il termine e le realtà che esso ricopre non coincidono con le

** Il lettore italiano che ha a disposizione in traduzione almeno due opere di Georges Dumézil fondamentali, su questi temi, *Gli dei dei Germani* e *Ventura e sventura del guerriero,* rispettivamente presso Adelphi e Rosenberg & Sellier si potrà rendere conto di come l'interpretazione delle religioni e la loro storia comparata non vadano evidentemente mai esenti da relative forzature e da una grande passione polemica, anche implicita. Pensiamo all'evidente compiacimento con cui Boyer cita il lungo passo di Adamo di Brema per smentire che esso possa legittimare l'esistenza di «templi» in Scandinavia, mentre lo stesso Dumézil fa altrettanto senza fare il minimo cenno in proposito, sottolineando con altrettanto compiacimento la presenza fisica della triade divina nella descrizione della prestigiosa fonte. Il nostro autore evidentemente è fra quanti giudicano forzato lo schema tripartito duméziliano ma non esita ad affrontare forzature evidenti nel corso della sua descrizione dei miti (parallelismo fra albero cosmico e serpente, allusione al tema isiaco) suggestive ed euristiche ma non del tutto inattaccabili. È anche evidente che lo svuotamento dell'attribuzione di Ódhinn alla prima funzione, intorno a cui ruota il testo duméziliano, è possibile facendo della divinità che incarna la regalità una figura garante di un diritto eticamente trasparente del tutto contemporaneo e che la negazione di tutti i temi guerrieri nella mitologia scandinava corre il grave rischio di fare del guerriero un ufficiale di un esercito moderno ed efficiente che esclude aspetti religiosi e magici. Quanto al negare natura marziale alla Valhöll perché i suoi eletti sono consci della futura sconfitta, basterà rileggere il discorso di Krnsa «il Beato» ad Arjuna, centro nevralgico della *Baghavadgità* (Rizzoli, Milano 1987) interamente costruita intorno alla nozione di partecipazione totale senza passioni alla vita, qui rappresentata dalla più sanguinosa delle battaglie. Né il nostro autore mai nega il carattere fondativo della religione indiana nella tradizione indoeuropea. Può essere un'occasione in più per avvicinarsi a questo Dumézil cui se non è toccata la sorte di Nietzsche, nostre. Le nostre conoscenze in proposito infatti derivano da due grandi mitografi degli inizi del XIII secolo che scrivevano molto tempo dopo l'età vichinga e certamente sulla base di modelli «continentali» cioè classici o biblici. Ricorderemo che «religione» in questa lingua si dice *sidhr*, cioè pratica rituale, gesto di culto senza connessione necessaria con una religione organizzata, con una fede e un corpo o corporazione di sacerdoti iniziati. In altri termini questa religione risiede interamente in atti significativi, in un culto che probabilmente si esercitava su alture naturali presso mucchi di pietre, in boschi sacri, accanto a fonti, cascate, prati sacri ma non in «templi». La testimonianza, che risale agli inizi del secolo XI, degli *Austfararvísur* dello scaldo Sigvatr Thórdharson sembra chiara a questo proposito. Quando si doveva offrire un sacrificio o celebrare una festa si trasformava per la circostanza la *skåli* in un «tempio» e l'esecuzione dei riti era affidata al capofamiglia. Addirittura il sedile sopraelevato del capofamiglia potrebbe essere stato l'«altare» di tale rito. Non è nemmeno certo che esistessero idoli di pietra o di legno come pretende Adamo di Brema: forse i vichinghi innalzavano grossolani pali di legno scolpito quali ne sono stati trovati dagli archeologi ma non sarebbe credibile attribuire né agli scandinavi né

filologo appassionato stroncato sul nascere e «costretto alla filosofia» dalle irrisioni del Wilamovitz, certamente, un po' come Burckhardt, resta un «universitaire» in odore di eresia. Naturalmente ciò non lo esime dalle critiche sulle inquietanti simpatie da lui nutrite per concezioni gerarchiche della società, riassunte anni fa da Carlo Ginsburg in un saggio memorabile. Ma critica anche rigorosa su un nodo inquietante della cultura europea degli anni Trenta – che di questo si tratta – non significa irrisione. Tutto questo non fa che aggiungere interesse anche al nostro testo e suggerire spunti di riflessione e di lettura [*N.d.T.*].

ai germani in genere manufatti e usi che spettano invece a celti e slavi. Probabilmente il vichingo venerava invece amuleti di metallo: sono stati trovati manufatti di questo tipo rappresentanti Freyr, Thórr e Ódhinn e testimonianze come quelle della *Saga dei capi della Valle del Lago* e della *Saga dei vichinghi di Jómsborg* dello scaldo Einarr Helgason Skålaglamm sembrano verosimili: lo scaldo aveva ricevuto in dono dallo jarl Håkon una bilancia con dei «pesi» che si mettevano automaticamente a tintinnare nei piatti quando venivano usati, da cui lo strano soprannome di Einarr, «che fa tintinnare i piatti», se non si tratta, come è possibile, di una sospetta etimologia popolare.

Ho insistito sul carattere «privato» del culto che i vichinghi tributavano agli dei: un culto di questo tipo poteva manifestarsi nel portare sempre nella propria scarsella una statuetta del «caro amico» Freyr, Ódhinn o Thórr o nel portare al collo, attaccata a una catenella, una di quelle bratteate[40] con incisa in caratteri runici una parola dotata di evidenti connotazioni magiche come *alu* (connessa con l'idea di fortuna tutelare), *lathu* (nozione di invito), *laukaR* (che letteralmente significa cipolla o porro, una delle piante più usate dai maghi) di cui si sono trovati molti esemplari.

Infatti tutto lascia pensare che il vichingo tributasse un culto del tutto speciale a una divinità di sua scelta che chiamava «caro amico» e che quando era il caso, cioè quando riteneva di avere particolarmente bisogno del suo aiuto, in-

[40] Ricordiamo che la bratteata è una medaglia d'oro o d'argento in cui la battitura è stata fatta su un solo lato per cui il motivo si presenta in rilievo sulla faccia anteriore e scavato su quella posteriore. Se ne possono vedere riproduzioni perfette in P. Anker, *L'art scandinave*, vol. I, p. 64.

vocava sotto forma non di preghiera ma di richiesta. Siamo in una cultura dominata dal principio dello scambio reciproco:[41] se ti offro questo mi darai in cambio quello. Di qui i pozzi per le offerte come quello di Budsene in Danimarca e la ben nota pratica di gettare in una fossa le armi dei nemici. La *Saga di Glùmr l'Uccisore* descrive come l'avversario di Glùmr sacrificasse un bue per ottenere di averla vinta contro il suo nemico. Il dio – che può essere rappresentato da un'entità naturale, una pietra sacra (come nella *Kristni saga* in cui un'intera famiglia venera una pietra che chiama suo genio tutelare, per cui il cristianizzatore di quei luoghi dovette aspergere la pietra di acqua benedetta e passare poi a convertire l'intera casa), un bosco sacro (spesso di sorbo) o qualsiasi altra località – deve essere riconciliato e questo risultato non si ottiene con preghiere ma con gesti carichi di significato. Il vichingo dunque «sacrifica» un determinato oggetto o animale (o addirittura un figlio, come fece lo jarl Hàkon nella *Saga dei vichinghi di Jòmsborg* che pure potrebbe essere inficiata da forzature letterarie) per ottenere soddisfazione. Possiamo leggere questo breve passo nel capitolo I della *Saga dei Guti*, cioè degli abitanti dell'isola di Gotland, un testo redatto non prima della fine del XII secolo e perciò profondamente cristianizzato (crediamo che da questa circostanza dipendano i suoi toni eccessivi e i sacrifici umani di cui si parla) la cui testimonianza, nonostante questi limiti, conferma le nostre posizioni:

[41] Per la nozione di scambio cfr. in R. Boyer, *Le Christ des Barbares*, cit., soprattutto, pp. 17 ss., il saggio sulla mentalità religiosa degli antichi scandinavi.

> Prima di quel tempo [= il tempo in cui gli abitanti del Gotland probabilmente identificabili con i goti si spinsero in «Grecia»] e ancora molto tempo dopo si credeva ai *vé* e ai recinti sacri [il testo reca qui un termine difficile che potrebbe attribuirsi a un cerchio di paletti piantati non si sa bene intorno a che cosa] e agli dei pagani. Essi offrivano in sacrificio i loro figli e figlie e bestiame e cibi e bevande. Ecco che cosa facevano, quando erano miscredenti. L'intero paese celebrava il sommo sacrificio immolando esseri umani. Inoltre ogni terzo del paese aveva un suo sacrificio. E i *thing* più piccoli facevano sacrifici minori di bestiame, cibi e bevande. Coloro che offrivano insieme il sacrificio si chiamavano fratelli sacrificali.

Questa religione non si riconosceva come tale; non si attuava che attraverso atti significativi. Il termine *heilagr* e tutta la famiglia semantica che ne discende, che veicola l'idea di «fortuna, buona fortuna», non è rappresentativo della mentalità religiosa del vichingo che invece si riassume nella parola *vé* che abbiamo appena citato nel passo della *Saga dei Guti*: si tratta di atti, di riti ben precisi.

Quanto al *blòt*, che indica abitualmente il «sacrificio», sappiamo molto, ma per una ricostruzione complessiva del suo svolgimento bisogna ricorrere alla collazione di testi diversi.[42] Possiamo però essere certi che comportasse alcuni momenti fondamentali: l'immolazione di una vittima – che in età vichinga non è mai umana perché quest'uso risale a tempi ben precedenti – il cui sangue viene raccolto

[42] L'analisi è stata accentuata da R. Boyer, *Le culte dans la religion nordique ancienne*, in «Inter-Nord» nn. 13-14, dicembre 1974, pp. 223-243.

in uno speciale recipiente serviva per la consultazione degli auguri che costituiva senza dubbio il momento culminante e la ragion d'essere di tutta l'operazione. Si sacrificava per «andare alle notizie» sulle stagioni future o sulla sorte di uno o più fra i presenti o sull'evoluzione di eventi pericolosi come epidemie, carestie ecc. Dunque ogni sacrificio coincideva con un'operazione divinatoria e implicava qualcosa di magico. Poi si consumavano le carni dell'animale immolato, sempre in comune nel corso di un banchetto. Nel corso del banchetto si offrivano brindisi forse, come suggeriscono le fonti più recenti, in onore degli «dei» (che in età cristiana verranno sostituiti con Cristo e i santi) e ancor più certamente degli antenati fondatori della famiglia, del clan o della comunità radunata per stabilire – come ha dimostrato M. Cahen[43] – una calda comunione fra i due regni e affermare la continuità fra i due mondi perché, come abbiamo già visto, nulla separa nettamente o definitivamente questo mondo dall'aldilà. Non è certo che necessariamente venisse a questo punto la prestazione – attestata in alcuni casi – di giuramenti difficili da mantenere ma proprio per questo anche più rappresentativi della vitalità del culto così celebrato. Ne abbiamo un esempio particolarmente elaborato nella *Saga dei vichinghi di Jómsborg* ma già più volte abbiamo chiarito che questa saga è probabilmente troppo carica, per essere una fonte attendibile, di elementi «leggendari».[44] Il *blót* era comunque una cerimonia fortemente collettiva e per così dire utilitaria.

[43] *La libation. Études sur le vocabulaire religieux du vieux scandinave*, Champion, Paris 1921.
[44] Un esempio perfetto ma molto «letterario» si trova in *Jómsvikinga saga*, capitolo XXVII.

Si trattava di canalizzare, se non addirittura di forzare, la fortuna, il destino, la (buona) sorte: ecco il concetto chiave di questo universo. Senza addentrarci in uno studio che sarebbe necessariamente molto lungo di queste nozioni e del ricco lessico a esse associato, mi sembra chiaro che esse ci conducono alla viva fonte che alimenta la mentalità[45] e la cultura che stiamo analizzando. Il destino, è noto, guidava il mondo del vichingo che lo sapeva e lo credeva. La sua mitologia gli insegnava che persino gli dei erano sottoposti ai decreti di quel Potere, di quella Potenza che non si può scrivere che con la maiuscola. «Nessuno sopravvive nemmeno una sera alla sentenza delle Norne»: questa citazione, tratta da un poema eddico, potrebbe servire da esergo a qualsiasi studio su questa religione. Non voglio qui lanciarmi in chissà quale esegesi che in questa sede sarebbe fuori luogo ma solo citare un esempio illuminante della *Saga di Glúmr l'Uccisore*[46] in cui il protagonista Glúmr possiede due oggetti – ma meglio sarebbe chiamarli talismani – che gli provengono da suo nonno norvegese, un mantello e una lancia, che il testo presenta, senza ambiguità, come segni della fortuna di cui gode il suo clan. Finché egli resterà fedele

[45] È un tema che mi sta particolarmente a cuore. L'ho perciò affrontato da diversi punti di vista in numerosi lavori: nel saggio introduttivo sul sacro premesso alla traduzione dell'*Edda poétique*, cit.; nella introduzione alla traduzione della *Saga des chefs du Val-au-Lac* (*Saga dei capi della Valle del Lago*), Payot, Paris 1980, ristampata in *Sagas islandaises*, cit.; in *Sagnaskemmtun*, Studies in honour of Hermann Pálsson, a cura di R. Simek *et alii*, Böhlaus Nachf., Wien 1986, «Fate as a *deus otiosus* in the Islendingasögur: a romantic view?», pp. 61-78.

[46] Un'analisi particolareggiata di questo tema si trova nella lunga introduzione alla traduzione di questa saga in R. Boyer, *Trois sagas islandaises du XIII siècle et un tháttr*, Ephe, Paris 1964, pp. 15-41.

all'etica simboleggiata da quel mantello e da quella lancia e non verrà meno all'onore del clan che essi incarnano, sarà grande (*söguligr*, degno di essere argomento di una saga). Se per una qualsiasi ragione verrà meno a questo impegno perderà il suo «onore» (vocabolo interpretabile nelle forme più diverse) diventando indegno dei suoi antenati. È quanto accade a Glùmr che diventa spergiuro, una colpa gravissima in un mondo fondato in larga misura sulle nozioni di patto e di fedeltà alla parola data. In una progressione assolutamente logica di avvenimenti Glùmr farà di tutto per sbarazzarsi dei due oggetti simbolici dopodiché si avvierà inesorabilmente verso la consumazione del suo destino.

Ci resta da studiare la ricchezza del lessico che designa tutto quello che noi chiamiamo «anima».[47] Anche in questo caso bisogna diffidare delle influenze attestate dai nostri testi, soprattutto cristiani. Ma non ci sembra che si possano definire barbari o primitivi uomini e donne che credevano in un'«anima del mondo» (*hugr*) di cui si poteva sollecitare l'intervento con mezzi appropriati e che non disdegnava di manifestarsi in sogno o con apparizioni. Questa *hugr* poteva avere effetti benefici o malefici, poteva «mordere» o «cavalcare», e poteva mostrarsi nell'aspetto dell'incubo. Il vichingo credeva anche in una specie di doppio interno o *hamr* (letteralmente «forma») che aveva la facoltà di uscire dal suo supporto materiale – che allora entrava in catalessi o in stato di levitazione – assumendo l'aspetto del suo possessore oppure in una forma simbolica, di solito animale, per sfidare le categorie spazio-temporali e operare a favore dell'interessato. L'individuo era anche dotato di una *fylgja*

[47] Si veda R. Boyer, *L'âme chez les anciens Scandinaves*, art. cit.

che era forse una variante della forma precedente, che lo seguiva come il nostro angelo custode e che poteva manifestarsi a lui, in un sogno che era però ritenuto funesto.[48] Queste semplici annotazioni dimostrano che certamente il vichingo non si muoveva in una dimensione puramente materialistica.

Come ho già detto, le rune non erano di per sé caratteri magici ma potevano certamente servire a scopi magici. Su questo punto rimando a ricerche specializzate autorevolissime come quella di Lucien Musset.[49] D'altra parte – senza esagerare l'importanza di questo fatto – è evidente che se gli scaldi si servivano così spesso di formule estremamente precise non lo facevano solo a scopi artistici. È chiaro ad esempio che la magia diffamatoria svolgeva una funzione di primo piano nelle operazioni solidamente attestate del *nidh*[50] che quasi obbligatoriamente era accompagnato da una formula ritmata, o *formáli*; e del *sejdhr*, un rito fortemente magico che, secondo la *Saga di Eiríkr il Rosso*, doveva essere sostenuto da un canto tenebroso o *Vardhlokkur*. Quando si scopre il corpo disseccato di un serpentello chiuso in una scatoletta rotonda di rame è difficile pensare a un gesto casuale privo di intenzionalità:[51] si trattava forse di una maledizione «inviata» a un nemico o di una preparazione destinata a proteggere il suo possessore? La risposta

[48] Ho ampiamente sviluppato questi temi in *Le monde du double*, cit., pp. 37 ss.

[49] L. Musset, *Introduction à la runologie*, cit., soprattutto i §§ 76-84.

[50] La *Saga d'Egill, fils de Grímr le Chauve*, in R. Boyer, *Sagas islandaises*, cit., capitolo LVI, pp. 111 ss. Il rito descritto è completo: innalzamento del palo d'infamia o *nidhstöng*, declamazione di una specifica formula o *formáli*.

[51] La foto è riprodotta in B. Almgren, *Vikingen*, cit., p. 144.

non è evidente, come misteriosa è l'interpretazione della famosa pietra di Jelling che reca su una delle sue facce una immagine del Cristo rappresentato in forme che rievocano in modo inquietante l'iconografia legata a Ódhinn.

Forse in queste culture dovremmo attribuire al caso, al destino, alla fortuna quanto ci ostiniamo a legare alla «religione» e alla magia. Il vichingo si muoveva certamente in un mondo dominato dal fato. In quelle lingue «felicità» si dice *heill* o *hamingja*, cioè buona fortuna (che d'altra parte è il significato del francese *bonheur*). Evidentemente è molto difficile definire che cosa rappresenti la felicità per un determinato individuo. Studiando brevemente la dialettica del destino, dell'onore e della vendetta abbiamo detto che la felicità consiste nell'assumere se stessi come le Potenze ci hanno fatto senza recriminazioni, senza cercare di mettersi in discussione, nell'essere, in qualche modo, contenti di sé. La strofa 95 degli *Hàvamàl* dell'*Edda poetica* così si esprime:

Solo la mente sa
Che cosa sta in fondo al cuore,
Esso è solo con il suo amore:
Non c'è peggiore pena
Per un uomo saggio
Che non essere soddisfatto di sé.

Ma l'osservatore non può che sentirsi colpito nello stesso tempo dal ruolo sostanziale della magia in questo universo. Essa ci porta esattamente nell'ordine di idee che sta alla base del discorso che abbiamo fin qui sviluppato. La magia indica l'insieme delle pratiche, delle «ricette» tecniche che *costrin-*

gono le Potenze a intervenire nel corso normale dell'esistenza per adempiere ai desideri del mago che può agire a titolo personale o a nome di un committente. È impressionante constatare fino a che punto non solo le saghe ma gli stessi codici siano pervasi da questa pratica che è la connotazione religiosa più evidente della religione scandinava pagana, assai più dell'esercizio della regalità, del diritto e a maggior ragione della forza. Teniamo ancora una volta conto del fatto che moltissime saghe riecheggiano temi che forse non sono autoctoni: molto spesso ho precisato le distanze che a mio parere bisogna tenere rispetto a questi testi perché ispirati o influenzati da fonti latine classiche o agiografiche. Ma su questo terreno preciso siamo legittimati a credere che gli autori attestassero credenze (o superstizioni) che per loro erano senza età e che perciò restituivano con assoluta ingenuità. La magia ha certamente svolto un ruolo centrale che ci colpisce anche alla lettura di un semplice inventario degli oggetti che dovevano accompagnare il defunto nella tomba. Magia offensiva (malocchio, malalingua cui l'arte degli scaldi doveva forse la sua origine e il suo prestigio); magia amorosa, uso delle rune a fini tenebrosi; magia protettiva soprattutto al fine di procurarsi l'invulnerabilità e soprattutto magia divinatoria, in particolare onirica: magia sempre e comunque. Ritengo che un testo consapevolmente scherzoso, la *Saga di Gautrekr*, che spinge ai limiti del sopportabile questa tematica con pesante insistenza non abbia altra spiegazione: si ha l'impressione che questa problematica abbia letteralmente ossessionato l'universo degli antichi scandinavi.

Assumiamo a esempio la *Saga dei capi della Valle del Lago* (ma analizzando la *Saga di Snorri il Godhi* si otterrebbero fondamentalmente gli stessi risultati): in un centinaio di pagine possiamo seguire operazioni di *nidh* (un rito di magia diffamatoria); di *hamfar* (viaggio sciamanico); di *sejdhr* (un elaborato rito magico di tipo divinatorio); sedute di fascinazione, evocazione di elementi naturali, sogni profetici, rituali che si concludono con possessione, storie di amuleti sacri, apparizioni di fantasmi malvagi, descrizioni di riti di fraternità sacra (*fôstbrœdhralag*). Non voglio arrivare a dire che fatti del genere facessero parte della vita quotidiana del vichingo, ma siamo costretti ad ammettere che egli si muoveva in un mondo ambiguo e popolato di presenze. Con i «cari amici» di cui abbiamo parlato questi uomini avevano un rapporto che potremmo dire intimo, mediato anche da oggetti specifici che venivano chiamati *fulltrùi* che significa letteralmente «patroni» e che potremmo tradurre con «talismani». Così Glùmr chiama la sua lancia e il suo mantello.

I grandi miti di cui a lungo si è nutrito l'immaginario di quei popoli, in particolare quelli escatologici e cosmogonici, erano tali da conferire a chi vi prestava fede una visione della propria condizione abbastanza ottimistica ed equilibrata. Ho sempre apprezzato la coerenza di una cosmogonia che sulla base delle affabulazioni che ci sono giunte può essere presentata in due forme.[52] L'universo può essere concepito come consistente in tre cerchi concentrici: al centro la dimora degli dei, Ásgardhr, circondata dal mondo degli umani, Midhgardhr, o Recinto di Mezzo isolato dal mondo esterno o Útgardhr, il Grande Mare primordiale dove si situa, «a est» in un territorio imprecisato, il mondo dei giganti, Jötunheimr. Oppure si può far propria la solenne immagine del grande albero Yggdrasill, pilastro del mondo

[52] Si veda la ricostruzione proposta in R. Boyer, *Les Vikings*, cit., p. 345.

che sostiene i nove mondi, tre aerei, tre terrestri – quelli che abbiamo prima enumerato – e tre sotterranei. Il complesso può iscriversi in una immensa sfera, il cui cerchio interno è rappresentato dall'asse Åsgardhr-Midhgardhr-Útgardhr. Un mondo chiuso e in ordine dove ogni cosa e ogni categoria di esseri ha un posto preciso. Riflessioni analoghe ci ispira la storia mitica riferita dalla Veggente nella *Völupsá* dell'*Edda poetica*. Trascorsa l'era degli inizi, segnata dallo smembramento del gigante ermafrodito primordiale Ymir le parti del cui corpo costituiscono gli elementi del mondo visibile, dopo il tempo dei giganti da cui nascono gli dei, dopo la battaglia «di fondazione» conclusa con un patto, dopo la creazione della prima coppia umana da parte degli dei e la storia dell'umanità, certo verrà la conflagrazione apocalittica di Ragnarök (la traduzione più corretta ci sembra «Consumazione del destino delle Potenze» più che «Crepuscolo degli dei», che però può essere accettata) ma nemmeno quest'ultima tempesta è definitiva. Citiamo le strofe 59, 61 e 62 della *Völupsá*, il testo più emozionante dell'*Edda poetica:*

Ella vide emergere
Una seconda volta
Una terra dall'onda,
Eternamente verde.
Scendono le cascate,
In alto plana l'aquila
Che, nelle montagne,
Dà la caccia ai pesci. [...]

Là si ritroveranno
Le meravigliose

Tavole d'oro
Che nei tempi remoti
I popoli possedevano.
Sui campi non seminati
Cresceranno i raccolti,
Tutti i mali saranno riparati,
Baldr tornerà.

È evidente in questi bei versi l'ispirazione cristiana: eterna felicità, riconciliazione. Ma la visione che ne emerge non ha niente né di sinistro né di sconsolato. La fine dei tempi segnerà l'avvento di una rigenerazione universale; ma dobbiamo subito precisare che «fine dei tempi» assumeva certamente un altro significato in una cultura che non ci sembra sia stata ossessionata dalla dimensione della temporalità. In definitiva ci sembra che la passione fondamentale del vichingo sia stata l'amore per la vita, per qualsiasi vita, per la vita presente: è proprio questo che mi sono proposto di dimostrare.

Ho voluto attardarmi un po' sulle questioni religiose, da un lato perché hanno dato luogo a troppe supposizioni forzate e fantasiose, dall'altro perché credo che dobbiamo liberarci dai nostri riflessi spontanei di uomini moderni per riuscire a cogliere l'essenza della questione. Non penso che i vichinghi fossero irreligiosi o indifferenti come è stato scritto anche troppo spesso. Nemmeno credo che venerassero una misteriosa divinità della forza o del sapere esoterico. L'impressione finale che si ricava da questo genere di studi è che i loro umanissimi comportamenti si orientassero sulla base di un pragmatismo, un realismo e un buon senso molto solidi, soprattutto se giudicati nel contesto di un'epoca in cui in quei paesi come ovunque, in Occidente, si viveva un rapporto con il soprannaturale ben più stretto di quello che si intrattiene oggi.

Abbiamo citato poco fa gli *Hàvamàl* che, come abbiamo detto più di una volta, riassumono fedelmente la concezione dell'uomo, della vita e del mondo tipica dei vichinghi. Percorriamo ancora una volta almeno le parti I, II e III che crediamo fondatamente le più rappresentative e che esprimono esaustivamente la saggezza popolare di quei tempi e di quegli uomini.

Vi si legge: che è bene essere diffidenti, quando si entra in un luogo sconosciuto (str. 1); che è consigliabile tacere quando ci si trova con dei saggi (str. 5); che niente vale la sagacia (str. 10); che l'ubriachezza è la peggiore nemica dell'uomo (str. 19); che niente è meglio che stare a casa propria (str. 36); che bisogna sapersi fare degli amici ed essere loro fedeli (str. 42); che «l'uomo è la gioia dell'uomo» (str. 47); che la moderazione è la virtù somma (str. 64); che nessuna sventura è assoluta (str. 69) e così di seguito. Per chiudere con questa bellissima formulazione:

Deperisce il giovane pino
Che cresce in un luogo senza riparo:
Non lo proteggono né corteccia né aghi;
Così è per l'uomo
Che nessuno ama:
Come potrà vivere a lungo?

VII

La vita intellettuale

Un breve studio dei divertimenti e svaghi dei vichinghi nel tempo libero ci permetterà di continuare a mettere a fuoco i loro maggiori interessi completando, al contempo, il quadro della loro vita quotidiana. Naturalmente dovremo descrivere cose che non coincideranno sempre con il titolo di questo capitolo: ma come presto vedrete s'impone una constatazione che va nella stessa direzione delle affermazioni che potrete trovare nel corso del libro: tutte le attività dei vichinghi erano in qualche misura razionali e ragionate, anche se a gradi diversi. Non ci imbattiamo in niente che possa essere definito primitivo, selvaggio, barbaro. Siamo veramente di fronte a una cultura, a una civiltà. Per semplicità d'esposizione distinguerò fra attività all'aperto e occupazioni domestiche.

Le attività all'aperto

Che il vichingo sia stato quello che noi chiameremmo un grande sportivo è assolutamente naturale: la vita era dura a quelle latitudini ed esigeva un grandissimo dispendio di energie. Montesquieu direbbe che il freddo dispone all'esercizio fisico. È naturale che gli scandinavi – uomini d'azione che apprezzavano soprattutto l'attivismo, nell'etica e nella religione – abbiano molto amato alcune attività da svolgersi all'aperto. Ai tempi della redazione delle saghe l'ammirazione degli autori si rivolge naturalmente ai re, eroi e *bœndr* che erano anche grandi sportivi come Óláfr Tryggvason, Haraldr lo Spietato e a personaggi come Hemingr, uno sciatore eccezionale, per altri versi ignoto, che divenne oggetto di un *thåttr* semplicemente a causa della sua velocità sugli sci.[1] Sono giunte a noi due saghe, di quelle dette degli islandesi (la *Saga di Gìsli Sùrsson* e la *Saga di Grettir*), dedicate ognuna a un celebre proscritto che riuscì a sopravvivere molti anni in tale condizione; la fama di questi uomini non dipende dal fatto che riuscirono a sfidare così a lungo la legge, ma dalla eccezionale prova di energia fisica che la loro pura e semplice sopravvivenza testimoniava. Allo stesso modo, nel XIII secolo, una saga di contemporanei, la *Saga di Thòrdhr Kakali*, descrive con toni ammirati l'impresa costituita da una cavalcata in pieno inverno da un capo all'altro dell'Islanda occidentale.

Appena le condizioni meteorologiche e la relativa abbondanza di tempo libero concessa dalla stagione lo permettevano, gli sport praticati più di frequente erano: lo sci, il pattinaggio, la lotta, il nuoto, il tiro con l'arco. Gli sci – un'invenzione lappone già attestata dai petroglifi dell'età

[1] Lo *Hemings thåttr* è stato pubblicato più volte. In proposito si veda R. Boyer, *Toko le Scandinave*, negli *Actes du Congrès Guillaume Tell*, pubblicati a cura della signora Heger, s.e., Paris 1992.

del bronzo – non richiedono speciali commenti in paesi come quelli dove per mesi e mesi non ci si poteva spostare se non con la slitta, a sua volta attestata sulla base di molti documenti. Le stesse osservazioni si possono fare per il pattinaggio sui laghi ghiacciati. È significativo che una grande dea, Skadhi, sia detta la «dise con le racchette» e possiamo supporre che il misterioso dio Hœnir, soprannominato «dal lungo piede», dovesse tale appellativo al suo carattere di dio dello sci (o dio-sci). Gli archeologi hanno riportato alla luce moltissimi pattini d'osso e di metallo che testimoniano come il loro uso fosse diffusissimo.

Vale la pena di fare qualche cenno, invece, al singolare tipo di lotta, la *glìma*, praticata dai vichinghi. Ci si fasciavano le cosce, la vita e le spalle con corregge di cuoio alle quali i due contendenti dovevano afferrarsi cercando di far precipitare a terra l'avversario. Questo sport non era esente da una certa violenza e sembra sia stato molto popolare. In qualche modo può essere avvicinato al duello (*hòlmganga*) che però non era uno sport e nemmeno un divertimento. Il nome che lo designa deriva dal fatto che un tempo doveva necessariamente venir praticato in un isolotto (*hòlmr*): ma quest'obbligo doveva essere decaduto in età vichinga. Anche in questo caso bisognerà liberarsi dalle immagini convenzionali e dimenticare i tre moschettieri. I rivali si disponevano su una pelle di bue distesa al suolo da cui non dovevano uscire per nessuna ragione ed è facile immaginare quanti colpi bassi venissero tentati, dato che l'uso delle armi era difficilissimo in quelle condizioni. Ad esempio Egill, figlio di Grìmr il Calvo, che non riusciva a servirsi delle sue armi, una volta afferrò l'avversario per la vita e gli staccò il pomo d'Adamo con un morso... È probabile che il duello venisse considerato una forma di ordalia, della quale abbiamo parlato nel capitolo precedente e ne è attestato il valore giuridico. Ma nemmeno l'aspetto «sportivo» ci sembra trascurabile.

Sul nuoto siamo meglio informati. Il vichingo era un buon nuotatore e ne era orgoglioso. Grettir il Forte si coprì di gloria per avere percorso un'ampia distesa di mare. Esisteva anche una forma di lotta in acqua che poteva vantare titoli di nobiltà considerevoli perché, secondo un mito molto oscuro, gli dei Heimdallr e Loki si sarebbero combattuti in questa forma: bisognava trascinare l'avversario sott'acqua e tenervelo il più a lungo possibile. Persino alcuni re praticarono questo singolare esercizio.

Il tiro con l'arco godeva di grande prestigio, illustrato dal personaggio modello, Gunnarr di Hlídharendi, nella *Saga di Njåll il Bruciato*. Non si dimentichi che la caccia era una delle risorse principali di danesi, svedesi e norvegesi e se lo spiedo non era ignoto, l'arco era l'arma più usata. Buon cacciatore, buon arciere, buon sciatore: queste virtù spesso si associano nell'ammirazione popolare come dimostra il *Detto di Hemingr figlio di Åslakr* che ci propone una delle versioni più antiche a noi note della leggenda poi recuperata da Guglielmo Tell.

Erano questi i divertimenti all'aperto attestati dalle nostre fonti, ma venivano apprezzati anche altri esercizi fisici; ad esempio, nel corso del suo mitico viaggio verso la dimora di Loki delle Mura Esterne, che ci viene narrato da Snorri Sturluson nella sua *Edda* detta *in prosa,* uno dei compagni del dio Thórr si sente proporre una prova di corsa a piedi. Gunnarr di Hlídharendi, già citato per la sua abilità nel tiro, era in grado di saltare, non solo in avanti ma anche all'indietro, un ostacolo pari alla sua altezza.

Anche certe particolari traversate con la nave dovettero essere ammirate come prove «sportive». Può darsi che le leggende riferite al Vinland dai tre testi che ne parlano[2] inizialmente fossero associate a tale ammirazione. Non saprei dire perché un personaggio ignoto ad altre fonti venisse soprannominato Hlymreksfari; è chiaro che un re norvegese era diventato celebre con l'appellativo di Jórsalafari (*fari* = che ha fatto il viaggio) perché si era spinto fino a Gerusalemme (Jórsala[borg]) ma Hlymrek (che rinvia a Limerick, la città fondata dai vichinghi norvegesi in Irlanda) che cos'era? La spiegazione potrebbe essere nell'allusione a una particolare impresa marinara compiuta dal personaggio. Vedremo fra poco come potesse accadere che un grande personaggio si vantasse di saper remare. È evidente che la navigazione richiedeva conoscenze e abilità non comuni. In definitiva, anche se ci siamo fin qui tanto sforzati di demistificare l'immagine convenzionale del vichingo, resta il fatto che egli fu un navigatore assolutamente prodigioso e che questo rimane il suo principale titolo di gloria, assolutamente incontestabile. Tutti gli specialisti che hanno tentato di fare lunghe traversate su imbarcazioni vichinghe, ad esempio del tipo dello *knörr*, fedelmente ricostruite – impresa ripetuta da più di un secolo, a intervalli regolari – concordano nell'elogiare non solo le qualità della nave ma l'eccezionale senso nautico di quegli uomini.

Ma il divertimento di gran lunga preferito, la passione «sportiva» per eccellenza del vichingo, erano i cavalli

[2] Le tre saghe qui richiamate sono la *Saga d'Eiríkr le Rouge*, la *Saga des Groenlandais* e il *Dit des Groenlandais* (Saga di Eiríkr il Rosso, Saga dei Groenlandesi e Detti dei Groenlandesi), in R. Boyer, *Sagas islandaises*, cit., in cui sono raccolte nel complesso «Sagas du Vinland».

e soprattutto i combattimenti di cavalli. Essi però spesso degeneravano – quegli uomini odiavano perdere – e il randello che avrebbe dovuto eccitare solo l'animale spesso si abbatteva sulla schiena del campione che guidava il cavallo rivale. Ma, dalla pietra istoriata di Häggeby in Svezia che forse risale al V secolo, ai testi raccolti nella *Sturlunga saga*, non incontriamo argomento più gradito delle lunghe discussioni che si sviluppavano intorno ai combattimenti di cavalli. Si trattava di animali appositamente addestrati che venivano fatti combattere e che dovevano mordersi finché l'uno non abbatteva l'altro; ognuno era guidato ed eccitato da un uomo armato di bastone. Le scommesse non erano vietate e gli interessati parlavano dei loro animali da combattimento in termini non dissimili da quelli dei moderni appassionati di automobili da corsa. Si può ipotizzare che il combattimento di cavalli, per il posto eminente che occupa nelle culture di origine indoeuropea, abbia avuto inizialmente carattere sacro o rituale e che ancora in età vichinga, nell'inconscio collettivo, sopravvivesse qualche traccia di quell'antica funzione. Ma combattimenti a parte, non conosco testi in antico norreno che non dedichino almeno un po' di spazio all'amorosa descrizione di un bel cavallo.

Sugli «sport di squadra» sarò più breve. Esistette certamente una specie di gioco di palla e mazza detto *knattleikr*, un antenato del baseball o del cricket, che consisteva nel lanciare la palla (fatta di un pezzo di cuoio pieno di crine) ai compagni di squadra mentre gli avversari cercavano di impadronirsene. Anche questo era un gioco molto violento e non sempre combattuto lealmente. Insieme con le gare di corsa e di velocità sugli sci e i pattini, è la sola prova collettiva attestata dai documenti. Esistette probabilmente anche una specie di gioco dei quattro cantoni, ma non sono certissimo che fosse praticato abitualmente. Come succede ancora ai suoi discendenti, il vichingo amava camminare non solo con una meta precisa ma anche per il piacere di farlo: nelle saghe è facile leggere di un personaggio che percorre a piedi distanze rilevantissime.

Gli svaghi intellettuali

Dedicheremo uno spazio assai più ampio agli svaghi di tipo puramente intellettuale. Anche in questo caso, non si può che restare colpiti dalla varietà e dalla ricchezza delle occupazioni che i vichinghi si permettevano. Si è soliti partire dalla strofa che declamò, nel XII secolo – ma che nell'insieme potrebbe valere benissimo per i secoli precedenti – uno jarl delle Orcadi, Rögnvaldr Kali (1135-1158), che si vantava di tutti gli «esercizi» intellettuali e fisici dei quali era capace. Eccola:

> *Ci sono* nove *arti da me conosciute –*
> *Io gioco alle* tavolette *da esperto;*
> *Mi sbaglio raramente in fatto di* rune;
> Leggere, tagliare *legno e ferro sono alla mia portata;*
>
> *So sfiorare il terreno con gli* sci;
> *Maneggiare* l'arco, remare *a piacere;*
> *So piegare il mio spirito all'una o all'altra di queste arti:*
> *Il laio del* poeta *e il suono dell'*arpa.

Non credo che l'ordine in cui sono elencate le varie abilità sia particolarmente significativo: il solo rilievo immediato è che gli svaghi dello jarl erano evidentemente ben equilibrati.

Vediamo innanzitutto le «tavolette» (*tafl*, termine evidentemente derivante dal latino *tabula*): l'espressione è ambigua e probabilmente non sempre indicava la stessa realtà. Più preciso era il termine *hneftafl*, una «tavola» divisa in caselle con fori per infilarvi le pedine. Secondo i cenni che troviamo negli «Enigmi di Gestumblindi» della *Saga di Hervör e del re Heidhrekr* potrebbe trattarsi di una versione del gioco della dama con una serie di pedine schierate a protezione di un «re». Ne è stato trovato un esemplare in Irlanda, nei pressi di Limerick, con motivi decorativi che possono far supporre che provenga dall'isola di Man. Su una pietra runica trovata a Ockelbo, in Svezia, si possono vedere due uomini intenti a giocare alle tavolette. Quanto agli scacchi che sembra siano stati introdotti in Europa solo nell'XI secolo, è pressoché impossibile stabilire se i vichinghi, grandi viaggiatori in continuo contatto con il mondo arabo lungo la «strada dell'est», li abbiano conosciuti o no. La scoperta, soprattutto in Inghilterra, di pedine d'osso e d'avorio tenderebbe a dimostrare che gli scandinavi non li ignoravano; in ogni caso, è certo che i vichinghi amavano giocare a dadi: l'estrazione a sorte rientrava fra le loro pratiche giuridiche e si iscriveva direttamente nella tematica del destino che già ben conosciamo. I dadi (*teningar*) sono citati assai spesso nei nostri testi. L'uso si inserisce nella tradizione dell'estrazione a sorte e della interpretazione, da parte degli auguri, della disposizione assunta da alcune bacchette gettate a terra di cui parla già Tacito nella *Germania*.

In altri termini, è chiaro che giochi di questo tipo erano molto apprezzati e praticati dagli antichi scandinavi. In linea generale, ogni forma di consultazione del destino appassionava quegli uomini e quelle donne. Per tornare alle «tavolette», il grandissimo numero di «pedine» che è stato ritrovato dimostra ampiamente quanto venissero apprezzati quei giochi sul conto dei quali sappiamo però ben poco.

Rögnvaldr parla poi delle rune. È un tema vastissimo che potrebbe dar luogo a una lunghissima trattazione. Ci limiteremo a pochi cenni.[3] Per varie ragioni non tutte limpide le rune fin dalla loro comparsa hanno provocato grande interesse e lunghi studi il cui carattere quasi obbligato è di essere a dir poco fantasiosi. Limitiamoci qui a fare il punto delle acquisizioni sicure della ricerca e a dare le informazioni indispensabili. Le rune fecero la loro apparizione intorno all'anno 200. Il problema della loro origine è stato al centro di dotte discussioni oggi placate. Le rune derivano dalle scritture italiche settentrionali, perciò sono una variante dell'alfabeto latino. Le regioni dove erano usate queste scritture erano familiari a molte tribù germaniche che le avevano quindi divulgate. Sorsero con notevole uniformità in tutta l'area di espansione germanica e inizialmente non rappresentavano affatto una specialità scandinava. Esistettero inizialmente sotto forma di un «alfabeto» di ventiquattro segni, detto *futhark* dal nome delle prime sei rune. È invalso l'uso di suddividerle in tre gruppi

[3] Oltre alla *Introduction à la runologie* di L. Musset, cit., si veda di R.I. Page, *Runes*, e di E. Moltke, *Runes and Their Origins: Denmark and Elsewhere*, cit. La bibliografia sul tema è enorme e contraddittoria.

di otto, ovvero *ætt*.[4] Tali segni si incidevano con un oggetto puntuto (uno stiletto, un coltellino, una spatola) su un supporto duro (legno, pietra, cuoio, metallo, osso). Si tratta di una scrittura esclusivamente epigrafica. Non esistono testi runici lunghi. Molto si è dibattuto sulla natura delle rune, e il problema non è ancora considerato esaurito anche perché a esso si collegano in parte segrete passioni. Non credo che sia inutile rievocare quanto afferma L. Musset che a sua volta segue la linea interpretativa proposta da A. Baeksted,[5] che cioè le rune non sono segni magici, ma una scrittura come un'altra che poteva servire a fini utilitari come a scopi magici. L'argomento linguistico a questo proposito è decisivo: la fonematica dimostra che i ventiquattro segni di questo alfabeto rispondono esattamente alle esigenze fonetiche della lingua protoscandinava: nulla è inutile in esso.

Ho scritto «protoscandinavo»: mi si consentirà di fare una veloce digressione per presentare la lingua dei vichinghi. Si tratta di una lingua appartenente alla famiglia germanica, che a sua volta rappresenta un ramo dell'indoeuropeo. Perciò è apparentata agli altri idiomi indoeuropei: già a questo titolo essa fa parte del nostro patrimonio culturale. Poco prima dell'inizio della nostra era il germanico non si era ancora diviso nelle sottofamiglie orientale (il gotico), occidentale (da cui sorgeranno a poco a poco l'inglese, il tedesco e l'olandese) e settentrionale (da cui emergeranno le attuali lingue danese, svedese, norvegese e islandese). Solo a poco a poco emerse un primo stadio del ramo setten-

[4] Il termine *ættir* rimanda ad *atta*, otto, e non come talvolta ancora si legge a *ætt* famiglia.

[5] Per L. Musset, *Introduction à la runologie*, cit.; per A. Baeksted, *Målruner og troldruner. Runemagiske studier*.

trionale che si definisce «protoscandinavo». Questo protoscandinavo si suddivise quindi in due rami: orientale, che darà origine al danese e allo svedese, e occidentale da cui nasceranno il norvegese, la lingua delle isole Faer Øer (che è una vera e propria lingua) e l'islandese.

Tutti questi idiomi condividono i caratteri specifici delle lingue germaniche: portano l'accento forte sulla prima sillaba delle parole; hanno subito il processo che i linguisti chiamano prima mutazione consonantica (cioè le esplosive *p*, *t*, *k*, *b*, *d* e *g* nel corso del tempo subiscono modifiche a seconda della loro posizione nella parola, in relazione all'accento tonico),[6] hanno una declinazione cosiddetta «debole» dell'aggettivo (a seconda che sia o no preceduto da un articolo, es.: un buon uomo, *gòdhr madhr*; il buon uomo, *hinn gòdhi madhrinn*);[7] inoltre alcuni verbi hanno una coniugazione anch'essa detta «debole», cioè, secondo quella che dovrebbe essere stata la norma nell'indoeuropeo, indicano il passaggio a passato e al participio passato con una modifica della vocale radicale (es.: *skjota*, tirare con l'arco, presente *skyt*; passato singolare *skaut*, passato plurale *skutum*, participio passato *skotinn*, questo per i verbi «forti»); mentre altri verbi formano il passato e il participio passato con l'aggiunta di un suffisso che contiene una dentale (si confrontino ad esempio i verbi inglesi *to see*, *saw*, *seen* e *to call*, *called*,

[6] Per esempio il *bh* del sanscrito *bharami* (scelto perché il sanscrito è vicinissimo all'originale lingua indoeuropea) dà luogo al latino *fero* e all'islandese *bera* (portare); il sanscrito *pad* al greco *podos*, al latino *pedis*, all'islandese *fòtr* ecc. Per un'iniziazione si può vedere il lavoro di R. Boyer, *Éléments de grammaire de l'islandais ancien*, Kümmerle Verlag, Göppingen 1981.

[7] Dove si manifesta anche l'articolo definito posposto, caratteristico di queste lingue. Nell'esempio qui presentato l'uomo è detto «uomo-il» (*madhr-inn*).

called; così il verbo *kalla*, chiamare, fa al passato *kalladha* e al participio passato *kalladhr*). L'evoluzione di queste lingue proseguì fino alla fine del Medioevo per fissarsi a poco a poco nella fisionomia nella quale, più o meno, le conosciamo. Ma l'islandese antico, rimasto isolato per ragioni geografiche e storiche, si cristallizzò a partire dal XIII secolo con un processo assolutamente eccezionale e non ha avuto alcuna sostanziale evoluzione da circa un millennio, se non nella pronuncia.

In altri termini, a parte la pronuncia, gli islandesi contemporanei usano una lingua che è quella dei vichinghi che si pronunciava così:

a come in italiano	**á** come **â**
e come èst	**é** come éstate
i, **í** come in italiano	
o come in bòlide	**ó** come in bólla
u come in italiano	**ú** come in francese **oue**
y come la **u** chiusa francese (o dei dialetti lombardi)	**ý** come la **û**
æ come in bèlga	**oe**, **eu** come l'**eu** del francese (o dei dialetti lombardi)
ö come nel francese **oeu**	**ø** come nel francese **eux**.

Quanto alle consonanti, la *þ* (che abbiamo reso con *th*) equivale al *th* inglese di *thick* e la *ð* (reso con *dh*) al *th* inglese di *the*; la *f* si pronuncia *f* quando è iniziale o in contatto con un suono sordo (ad esempio una *t*) e negli altri casi *v*; *g* è sempre gutturale tranne quando è davanti a una *i* o a una *j*, nel qual caso si pronuncia come la *y* del francese *payer*; *h* non è mai muta; *j* equivale sempre a una *y* iniziale come in yoga; *s* suona come una *ss* e mai come una *z*. Le modifiche attuali riguardano le vocali lunghe: ad esempio *á* si pronuncia ao, é, ié ecc.

Aggiungiamo che la grammatica di questa lingua ha subito una profonda evoluzione – casi di declinazione dei sostantivi, degli aggettivi e degli avverbi; classi varie di coniugazione sia dei verbi forti sia dei verbi deboli – e che la sintassi è così complessa da scoraggiare addirittura gli specialisti a renderne conto in uno studio esaustivo. È una lingua di tipo sintetico, che ama le formule ambigue, i sottintesi multipli, con un vocabolario di contenuto semantico molto fluido e vago in campo astratto ma di una impressionante precisione nel concreto: la sua sintassi elastica e l'estrema libertà che consente all'ordine delle parole la rendono capace di prove «ginniche» di cui parleremo fra poco a proposito della poesia scaldica. Come tutte le lingue degne di questo nome, è perfettamente adeguata al mondo di coloro che la parlano, soprattutto al loro universo intellettuale. È dunque una lingua paragonabile alle altre sorte dall'indoeuropeo. La sua originalità consiste nel fatto di essersi conservata quasi inalterata per almeno un millennio.

È tempo ora di tornare alle rune... Data la natura e gli argomenti di queste iscrizioni è naturale che la conoscenza di questi segni spettasse a una élite; le formulazioni sono spesso di carattere esoterico[8] ma nel complesso si

[8] Molte iscrizioni in antico *futhark* iniziano con *ek* o *erilaR* in cui il termine *erilaR* (che potrebbe avere dato il nome agli eruli degli autori classici ed

tratta di argomenti deludenti: formule commemorative, ratifiche di proprietà ecc. Non vanno assolutamente prese alla lettera le dichiarazioni dell'«Altissimo» negli *Hávamál* dell'*Edda poetica*, un testo troppo composito e infarcito delle più varie influenze per rappresentare una fonte attendibile soprattutto nelle parti più oscure. Òdhinn ci spiega come acquisì attraverso l'impiccagione sacra il sapere supremo, quindi ci elenca le operazioni che si devono eseguire per diventare un buon conoscitore delle rune. Ritengo più attendibile un altro testo della stessa raccolta, la *Rígsthula*, in cui si indica chiaramente che la conoscenza delle rune era prerogativa dei nobili.

L'aspetto appassionante della questione è che intorno all'inizio dell'era vichinga l'alfabeto runico di ventiquattro segni si semplificò radicalmente all'improvviso in tutta la Scandinavia (mentre il resto della Germania convertito al cristianesimo assai prima del Nord, a diretto contatto con il mondo latino, aveva adottato da tempo la grafia latina), passando ai sedici segni mentre la fonetica dell'antico norreno, per il ben noto fenomeno della metafonia, si arricchì di molti nuovi fonemi. In altri termini, proprio nel momento in cui sarebbe stato opportuno arricchire l'alfabeto per far fronte alle nuove esigenze della lingua, esso venne semplificato addirittura di un terzo.

essere, filologicamente, all'origine del termine jarl) indica un esperto, un conoscitore o un iniziato alle rune. Poiché questo termine è collegato con «jarl» c'è stato chi ha dedotto da questo fatto che gli esperti di rune fossero di origine «aristocratica»!

Antico *futhark*:

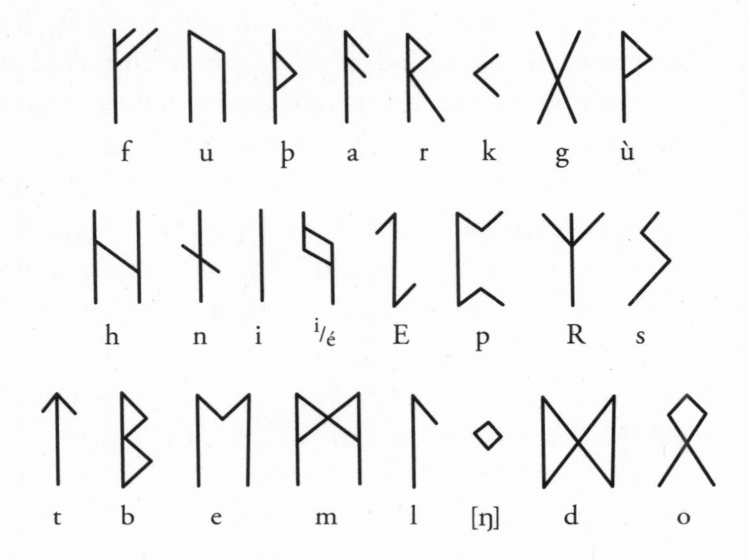

Nuovo *futhark* nella versione detta danese, che è la più frequente:

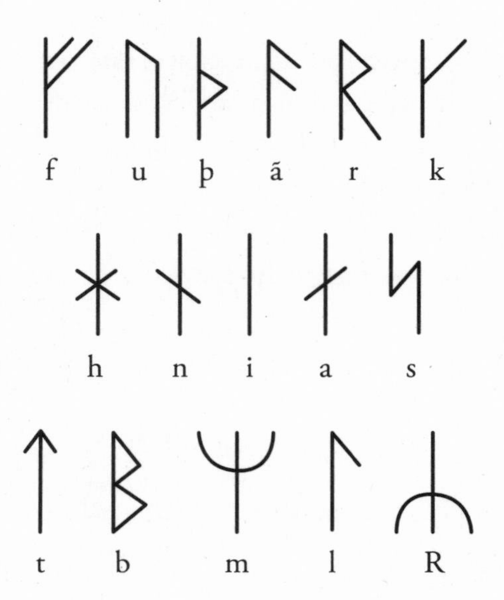

Il dibattito a proposito di questo fenomeno non è ancora chiuso ma mi sembra, nella linea delle teorie che ho sviluppato ampiamente in altra sede,[9] che i vichinghi erano innanzitutto commercianti che si trasformavano in predatori se le occasioni erano propizie, che si sia potuto trattare di una scelta per così dire stenografica. In quanto commercianti i vichinghi dovevano poter corrispondere facilmente con i loro eventuali clienti e fornitori. Avevano dunque messo a punto un sistema di scrittura veloce. L'argomento a favore di questa interpretazione è che uno stesso segno indica delle coppie contrastive: ad esempio *k* e *g*, *p* e *b*, *t* e *d* sono annotate con un solo segno e la stessa operazione vale per le vocali apparentate, *e* e *i*, *o* e *u*, ecc.

Dobbiamo però ammettere che non abbiamo potuto individuare alcuna formula di tipo commerciale che convalidi la nostra teoria.

Le iscrizioni a noi giunte ci illustrano invece molte pratiche religiose pagane; alcune, ad esempio, invocano Thórr o Sigurdhr, uccisore di Fáfnir, altre alludono chiaramente a riti magici (ad esempio a Urnes, in Norvegia, un sacerdote cristiano [!] aveva nascosto sotto il pavimento della chiesa una tavoletta con la scritta: «Árni il prete vuole possedere Inga»). A Gørlev in Danimarca è stata trovata una scritta in memoria di un certo Ódhinskar che si chiude con l'augurio: «Sii lieto nella tua tomba!» (nel significato evidente di «sii felice nella tua nuova condizione», non tornare a materializzarti nel mondo dei vivi: dunque si tratta di una formula

[9] Analizzo a fondo questo problema sia in *Les Vikings...*, cit., pp. 130 ss. sia in «Les Vikings: des guerriers ou des commerçants?», in *Les Vikings et leur civilisation...*, cit., pp. 211-240.

di scongiuro). In altri casi, viene esaltata la famiglia dello scomparso: «Ne sono nati ben pochi migliori di lui» (Tryggevaelde, Danimarca) e più raro ma proprio per questo più commovente: «e Gyridhr amava suo marito. Perciò un canto di lamentazione ne conservi la memoria» (Bällsta, Svezia). Un altro segno d'affetto contiene questa iscrizione dedicata a Fläckebo in Svezia dal *bòndi* Holmgautr a sua moglie Òdhindìs: «Mai ci sarà a Hassmyra padrona che si occupi così bene della fattoria». In altri casi si tratta di particolari legislativi o amministrativi preziosi per noi, come ad esempio limiti di proprietà e fissazione di limiti di territorio: abbiamo già citato il documento giuridico con il quale si descriveva nei particolari la successione di una donna che si era sposata più volte. Eccone un altro, che viene da Sandsjö in Svezia: «Arnvardhr ha fatto innalzare questa pietra per Häggi suo padre e Häri padre di questi e Karl, padre di questi, e Häri suo padre e Thegn padre di questi, dunque per i suoi cinque antenati paterni». Per non parlare delle molteplici attività e qualità del *bòndi* che si possono recensire metodicamente, di iscrizione in iscrizione, ad esempio in questa trovata a Stenkumla nel Gotland, dedicata a uno sconosciuto (il testo è mutilo) che «si occupò di vendere pelli nel sud». Il colmo è raggiunto da Jarla-Banki che però visse dopo l'era vichinga, a Täby, non lontano da Uppsala, in Svezia e alla cui memoria sono state dedicate sedici pietre alcune delle quali contengono elogi fuor di misura: possedeva tutto un distretto, ha fatto opere buone (siamo già in epoca cristiana), ha fissato la sede di un *thing* e – particolare che certo non dimostra un eccesso di modestia – «[egli] fece dedicare questa pietra che era ancora vivo, alla sua memoria, come la sede del *thing* e da solo possedeva un intero distretto».

Possediamo dunque un *corpus* impressionante di iscrizioni runiche, soprattutto su pietra, che trattano press'a poco tutti i temi possibili in forma laconica in generale rivolti a commemorare uno scomparso. Questo *corpus* è stato studiato accuratamente[10] e vorrei proporne un breve sunto da affiancare a quanto abbiamo appena detto perché si tratta dei soli «scritti» vichinghi giunti a noi.

Innanzitutto bisogna osservare che un'iscrizione runica bene eseguita ha un indiscutibile valore artistico: nella maggior parte dei casi queste iscrizioni sono disposte all'interno di un serpente che si morde la coda o intorno a motivi decorativi istoriati. Ve ne sono di particolarmente belle, come quella di Ramsundsberget dove è illustrato l'episodio centrale del ciclo eroico di Sigurdhr (il momento in cui uccide il drago Fáfnir) o quella di Altuna; (Uppland, Svezia) che rappresenta fra l'altro Thórr che afferra il grande serpente di Midhgardhr. In origine queste iscrizioni erano certamente dipinte in ocra e lucide di grasso e quindi avevano un aspetto più accattivante. Le rune in nuovo *futhark* sono quelle conosciute e usate dai vichinghi. Inciderle, leggerle, interpretarle, però, non era alla portata del primo venuto: infatti lo jarl Rögnvaldr se ne vantava, come abbiamo visto. È anche accertato che vi furono «scuole» di incisione bene individuabili e spesso alla fine dell'incisione l'autore si fa riconoscere con fierezza. Così, a Maeshowe, nelle Orcadi, è stata trovata una pietra con questa citazione: «Queste rune, l'uomo che è più versato nella conoscenza delle rune in tutte le isole britanniche ha inciso». Ho ribadito in più occasioni che queste fonti sono da annoverare fra le po-

[10] S.B.F. Jansson, *The Runes of Sweden*, cit.

chissime che ci vengono direttamente dai vichinghi. Bisognerebbe farne uno studio complessivo del tipo di quello dedicato da S.B.F. Jansson alle iscrizioni runiche svedesi. Si scoprirebbe così che queste iscrizioni in genere ci informano a proposito di battaglie e fatti di guerra (in generale più fra scandinavi che con stranieri). Esse ci comunicano anche un interessante vocabolario tecnico; a Tuna in Svezia dove è commemorato un certo Özurr, leggiamo *«er var skipari Haraldr konungs»*. L'Haraldr citato è probabilmente lo Spietato di cui spesso abbiamo parlato ma a colpirci qui è il termine *skipari*: è forse il capitano della nave? Oppure ricaviamo preziose informazioni sugli itinerari e le spedizioni vichinghe, in particolare sulla strada dell'est e sulla strada dell'ovest come nella pietra di Tystberga in Svezia dedicata a un certo Hǫlmsteinn:

> Era stato a lungo a ovest. [Essi] morirono a est con Ingvarr.

A Sjonhem nel Gotland si parla di Lettonia: lo sconosciuto cui è dedicata l'iscrizione «*vardh daudhr á vitan*» si è recato a Ventspils (in tedesco Windau) sulla costa lettone. Mentre Gunnkell, a Nävelsjö in Svezia, rievoca il padre Gunnarr che il fratello Helgi «depose in un sarcofago di pietra a Bath, in Inghilterra». Di Spjallbudhi, commemorato a Sjusta in Uppland (Svezia), si dice che «morì a Hǫlmgardhr nella chiesa di Óláfr», cioè a Novgorod nella celebre chiesa dedicata a sant'Óláfr.

Si possono ricavare anche particolari istruttivi sul paganesimo scandinavo. Nella chiesa di Borgund in Norvegia è stato scoperto il seguente testo: «Thórir ha inciso queste rune il giorno della messa di Óláfr [si tratta del 29 luglio e l'iscrizione risale all'epoca cristiana, non molto dopo l'anno 1000] quando passò di qui». «Le Norne dispensano il bene e il male; a me hanno fatto gran torto.» Si incontrano, in questa ricerca, anche testi appassionanti come quello dei *Sigrdrîfumâl* dell'*Edda poetica* che enumerano i diversi tipi di rune a seconda che debbano conferire la vittoria, guarire dalle malattie, favorire la fermentazione della birra ecc. Su un bastone da poco scoperto a Bergen si legge: «Io incido le rune che guariscono, io incido le rune che salvano [dai pericoli], una volta per gli elfi, un'altra per i troll, una terza per *thurs*». I troll erano giganti, specie di orchi primitivi e i *thurs* un'altra genia di creature mostruose.

Troviamo anche interessantissimi particolari sulla civiltà vichinga. Leggiamo insieme questa iscrizione di Alun in Danimarca: «Vigot ha innalzato questa pietra per Asgi suo figlio, che Dio aiuti la sua anima. Thŷri, moglie di Vigot, ha innalzato questa pietra per Thorbjörn, figlio di Sibbi suo cugino che essa amava più di un suo stesso figlio». Abbiamo già parlato della scelta dei nomi. Ecco che cosa si legge a Järosö in Svezia: «Unnûlfr e Fjölvar hanno innalzato una pietra per Djuri loro padre, figlio di Hreidhûlfr e per la loro madre Hornlaug: figlia di Fjölvar di Viksta». Insomma: Unnûlfr è nipote di Hreidûlfr e Fjölvar porta il nome di suo nonno da parte di madre. Questa iscrizione, che proviene da Alstad nel Ringerike in Norvegia, rievoca direttamente il *brûdhferdh* o *brûdhfölfr* o semplicemente *brûdhlaup* cui abbiamo fatto cenno nel Prologo precisando che rimandavano direttamente al rito più significativo del matrimonio, il fatto di condurre a casa la fidanzata: «Jörunn ha innalzato questa pietra per Öl-Årni che prese la sua mano in matrimonio e la condusse dal Ringerike a Vé, fino a Ölvestad». E questa, che possiamo capire perché conosciamo il significato delle parole *ódhal* e *ættarfé* (cioè i beni, *fé*, che devono restare all'interno di una famiglia, *ætt*) che viene da Nora in Svezia (Uppland): un certo Björn ha innalzato una pietra in onore del fratello Óleifr che è stato «tradito a Finnheden» (non sappiamo esattamente che cosa significhi questa formula): «Er *þessi byr theira ódhal ok ættarfé*» («questa proprietà [o questa fattoria] è loro patrimonio indivisibile e loro bene familiare»).

Il lettore che può irritarsi di fronte alle lunghe genealogie, che ai suoi occhi appesantiscono il ritmo delle saghe, legga questo documento giuridico di Malsta nello Hälsingland, in Svezia: «Frömundr innalzò questa pietra in memoria di Gylfi il potente, figlio di Bresi. E Bresi era figlio di Líni, e Líni figlio di Aun, e Aun figlio di Ófeigr e Ófeigr figlio di Thórir. Gróa era madre di Gylfi il ricco, e diede poi alla luce Ladhvé, e in seguito Gudhrun» ecc. Sono qui citate sei generazioni! Il documento che segue risale al 1050 circa e attesta una suddivisione di terre, cioè una di quelle transazioni di cui abbiamo parlato descrivendo le competenze del *thing*: «Finnr e Skapti hanno innalzato questa pietra, i figli di Váli, quando hanno diviso le loro terre».

Ho molto parlato del *bóndi* per spiegare che era il vichingo autentico, in un certo senso l'ideale di questa società. Eccone una sorta di ritratto inciso a Rörbro nello Småland (Svezia):

Hann var manna
mestr únidhingr,
var undr matar
ok ómunr hatrs,

gòdhr thegn
gudhs trú gòdha hafdhi.

Si tratta di un'iscrizione di età cristiana databile in base all'ultima riga, ma le qualità che elenca attribuendole a Eyvindr – così si chiamava il dedicatario – coincidono pienamente con l'ideale del *bòndi*: «di tutti gli uomini era il più incapace di infamia, si compiaceva di donare cibo ma non amava l'odio, era un buon compagno leale, aveva fede in Dio». Questa proveniente da Århus in Danimarca fa il punto su nozioni che abbiamo lungamente e dettagliatamente commentato, come quella di *félag*: «Tosti e Hofi insieme a Freybjörn hanno innalzato questa pietra alla memoria di Özurr Saksi loro *félagi*, un valoroso che morì senza essere toccato dal disonore e che possedeva una nave con Arni». Sono espressi sia l'idea di *félag*, *félagi* sia il suo oggetto, la nave.

Vorrei concludere con un esempio al tempo stesso mirabile e complesso, l'iscrizione di Karlevi nell'Öland in Svezia che ci consegna una strofa completa ed elegantemente incisa in *dròttkvætt* (vedremo fra poco di che cosa si tratta) in onore di un certo Sibbi, un *godhi* figlio di Foldar:

Fòlginn liggr hinns fylgdhu – flestr vissi that – mestar dœthir dòlga thrúdhar draugr i theimsi haugi. Munat reith-Vidhurr rátha Endils iarmungrundar örgrandari landi.

Nascosto giace in quest'altura – i più lo sanno – il guerriero in grado di compiere le più grandi imprese. Non vi può essere nessuno di più potente di Vidhurr-dal-carro governatore di Danimarca, compatriota più liberale del vasto suolo di Endill.

È una vera e propria strofa scaldica secondo tutte le regole dell'arte con i *kenningar* come «spettro del gladio della figlia di Thórr» per «guerriero» o «Vidhurr-dal-carro», per Ódhinn e «vasto suolo di Endill» (un re di mare) per oceano.

L'ultimo esempio che abbiamo presentato è particolarmente eloquente. La formula adottata, letta ad alta voce, ha un valore musicale immediato. Lo jarl Rögnvaldr che non abbiamo dimenticato, dopo avere parlato delle sue attività di *smidhr* che mi riservo di precisare più tardi, della sua scienza di «leggere» e delle sue capacita sportive, passa all'attività di poeta. Dovremo dunque prendere in esame anche questa questione. Ricordando innanzitutto che parlare della poesia dei vichinghi significa limitarci alle formule poetiche tramandateci nelle iscrizioni runiche, ai grandi poemi eddici, soprattutto i più antichi e al tesoro della poesia scaldica: è a questo che vuol fare allusione Rögnvaldr e mi sento di affermare che questo patrimonio è sufficiente perché la poesia scandinava antica nasce già a stadio evoluto e maturo, come Atena armata dalla testa di Zeus.[11]

È ben noto che fin dalle origini i germani conobbero una poesia di tipo particolare basata sulla allitterazione, sull'accentuazione, che in queste lingue è particolarmente forte, e sull'alternanza delle lunghe e delle brevi: queste caratteristiche si manifestano già nel cosiddetto «verso lungo» germanico di cui ci sono giunti però pochi esempi. Che siano stati gli scandinavi e più precisamente gli islandesi a consegnare su pergamena il tesoro delle antiche tradizioni poetiche della Germania è una specie di mistero che non è

[11] Cfr. anche R. Boyer, *La poésie scaldique*, in «Typologie des sourcesé du Moyen Âge occidental», fascicolo 62, Turnhout, Brepols 1992.

stato spiegato esaustivamente e infatti è noto con il nome di «miracolo islandese».

Bisogna però prestare attenzione al fatto che questa stesura non poté iniziare prima della metà del XII secolo: i vichinghi non erano più all'ordine del giorno. Come ho detto all'inizio di questo libro, quando Rögnvaldr si vanta di saper comporre un *lai*, non parla più da vichingo ma da jarl delle Orcadi dei primi anni del XII secolo, due o tre generazioni dopo la morte dell'ultimo emulo di Ragnarr Lodhbrǒk.[12]

Tutto lascia però pensare che alcuni principi di natura squisitamente poetica – ricorso della stessa sonorità all'inizio delle parole, ricerca del ritmo, computo degli accenti – abbiano guidato, fin dagli inizi, anche la composizione delle formule runiche. Una formulazione come questa, che proviene da Helnaes in Danimarca e risale probabilmente agli inizi dell'era vichinga, colpisce già per la sua natura fortemente «musicale», cioè per la profusione di vocali sonore associate a consonanti poste sotto i tempi forti. Si tratta di un *godhi*, Hrǒlfr, che innalza una pietra alla memoria del nipote Gudhmundr il quale probabilmente era annegato con il suo equipaggio:

rhuulfRsatistainnuRa kuthiaftkuthumutbruthur sunusinstruknathu

[12] Ragnarr Lodhbrǒk fu un celebre vichingo, forse un personaggio leggendario che potrebbe avere partecipato all'assedio di Parigi nei primi decenni del IX secolo. Sarebbe stato messo a morte dal re anglosassone Ella che l'avrebbe fatto gettare in una fossa piena di serpenti. Prima di morire avrebbe avuto il tempo di comporre uno dei capolavori della poesia scaldica, intitolato *Krákumál*, in cui è contenuto il celebre verso «muoio ridendo».

Hròlfr, il *godhi*, del capo eresse questa pietra alla memoria di Gudhmundr suo nipote. [Essi] annegarono.[13]

Un esempio più raffinato è la pietra di Djulefors (Svezia, XI secolo):

Hann austarla
ardhi bardhi ok i
langabardhilandi
andadhis.

A est egli arò [il mare] con la sua prora e morì nel paese dei longobardi.

Il lettore avrà osservato le sonorità *ardhi*, *andi*. Un esempio più netto lo troviamo nell'iscrizione di Vallentuna in Svezia, dell'XI secolo, dove si nota un sapiente decrescendo dei suoni terminali che ho messo in evidenza indicandoli in lettere maiuscole:

Hann drunknadhi à hòlms hAFI
skreidh knörr hans ì kAF
thrir einir kvòmu AF

Egli annegò nel mare di Hòlmr / il suo *knörr* colò a picco / solo tre sopravvissero.

[13] Trovo questa formula in C. Cucina, *Il tema del viaggio nelle iscrizioni runiche*, Iuculano, Pavia 1989, p. 572.

Non ci stupiremo perciò di leggere questa volta nel pieno del periodo vichingo, agli inizi del secolo XI, su una scatoletta rotonda di rame trovata a Sigtuna, in Svezia, un'iscrizione che adempie ai principi fondamentali della poesia scaldica:

fugl vælva slæit falvan
fann'k gauk a nas auka

che è anche una formula di scongiuro contro eventuali furti: «Che l'uccello laceri il ladro pallido (di paura), io ho visto il cuculo ingrassare sulla carogna». Si notino l'allitterazione in *f* (*fann'k*, *falvan*, *fugl*) e quelli che chiamo i ritorni di grafia (*æl-al*, *auk-auk*).

Ecco un altro esempio, la strofa 3 del gioiello dell'*Edda poetica*, la *Völuspá* o Predizione della Veggente:

Ar vas alda,
that er ekki var,
vara sandr né sær
né svalar unnir;
iördh fanns æva
né upphiminn,
gap var ginnunga,
en gras hvergi.

Era l'antico tempo / in cui non c'era niente / né sabbia né mare / né fredde onde; / di terra non ce n'era / né c'era l'alto cielo / si spalancava il vuoto / ed erba da nessuna parte.

Si riconosceranno le allitterazioni a tre tempi (versi 3 e 4: *svalar-sandr-sær* e ultimi due versi: *gras-gap-ginnunga*), il computo delle sillabe e degli accenti; ma l'insieme è più semplice dei poemi scaldici di cui parleremo fra poco e presenta connotazioni di tipo narrativo.

Siamo sulla buona strada per affrontare a questo punto la poesia scaldica che nacque probabilmente sulle rive del Baltico intorno all'VIII secolo e divenne ben presto una «specialità» scandinava prima che gli islandesi ne assumessero l'esclusiva a partire da modelli molto probabilmente norvegesi. La questione è talmente complessa da scoraggiare chi debba presentarla in poche parole. Basti qui elencare alcuni punti.[14] Il problema delle sue origini sembra oggi risolto: è nata dal «verso lungo» germanico continentale fondato sull'allitterazione e ne ho già confutato l'origine magica precisando però che assai probabilmente servì anche a fini esoterici suggeriti dall'oscurità delle sue formule e del suo vocabolario. L'*Edda di Snorri*, che è una specie di «Poetica» sul tema, ci fornisce tutti i punti di riferimento che possiamo desiderare. E la nostra attenzione a quest'opera non sarà mai troppa perché, come la poesia eddica, fu certamente opera dei vichinghi. Ci parla soprattutto di loro, dei loro viaggi, delle loro imprese e dei loro sentimenti. Era una poesia «di corte», espressione che però va presa con misura perché la nozione di «corte» non aveva diritto di cittadinanza in queste società. Diciamo che lo scaldo o poeta ufficiale gravitava intorno a un capo, uno jarl o un re, che lo incaricava di celebrare le sue imprese secondo schemi assolutamente fissi del tipo «Io canto le lodi di X..., egli ha compiuto questo e quello, ha fornito pastura ai corvi, ha distribuito anelli [d'oro]». Si tratta dunque, come quasi

[14] Ne ho proposto un esame particolareggiato in *La poésie scaldique.*

sempre nel Medioevo, di poesia d'occasione su committenza, tranne importanti eccezioni come il *Sonatorrek* di Egill Skallagrímsson conservato nella saga che ne porta il nome.[15] L'interesse della composizione di solito non risiede nel suo contenuto ma nella sua elaborazione. Questo vale in generale perché uno dei tratti originali della poesia scaldica è che non costringe il suo autore all'anonimato (come quella eddica e molto più tardi la saga) e che talvolta vi si possono trovare allusioni, per noi preziose, a eventi storici o sentimenti personali dell'autore.

La sua arte è di un virtuosismo quasi imbarazzante al punto che ci sentiamo autorizzati ad affermare che la poesia occidentale non ha conosciuto forma più dotta di questa. Grosso modo essa si fonda su regole estremamente vincolanti di versificazione propriamente detta, di vocabolario e di sintassi. Fra le centinaia di metri recensiti da Snorri Sturluson nella sua *Edda in prosa* sceglieremo l'esempio più celebre, il *dròttkvætt* o metro della *dròtt* (che indica la guardia del corpo della «casa» di un capo), termine che sarà più tardi sostituito dall'anglosassone *hirdh* e del quale abbiamo appena citato un esempio: l'iscrizione runica che esalta un certo Sibbi. Citeremo di seguito la strofa, relativamente semplice, attribuita all'Egill Skallagrímsson prima citato, che questi avrebbe declamato all'età di... sei anni: si tratta infatti di una poesia strofica, invenzione assai originale per l'epoca, ovvero in otto «versi», cioè due volte quattro, dato che ogni metà della strofa, o *helmingr*, costituisce una unità di senso e di sintassi e ripete nel contenuto la precedente.

[15] Traduzione in R. Boyer, *Sagas islandaises*, cit., cap. LXXVIII, pp. 171 ss.

that mælti min mòdhir,
at mér skyldi kaupa
fley ok fagrar àrar,
fara à brott medh vikingum,
standa upp i stafni,
stýra dyrum knerri,
halda svà til hafnar,
höggva mann ok annan.

Mia madre mi ha detto / che mi prenderanno / una nave e dei bei remi / per partire con i vichinghi / per stare a prua / a reggere il timone del *knörr* prezioso / quindi arrivati al porto / abbattere uomo dopo uomo.

Ogni riga contiene circa sei sillabe tre delle quali sono accentate. Le righe sono legate due a due grazie a un'allitterazione consonantica o vocalica (tutte le vocali sono legate da allitterazione) la cui chiave è fornita dal primo tempo forte di ogni verso pari (*mér-mælti-mòdhir*; *fara-fley-fagrar*; *stýra-standa-stafni*; *höggva-halda-hafnar*) che si ripercuote due volte nel verso dispari precedente. A ogni riga troviamo un «ritorno di grafia» cioè una vocale qualsiasi è seguita dalle stesse consonanti come ad esempio *yr-err*, *an-an*, senza dimenticare che l'autore doveva essere un ragazzo, legittimato a prendersi delle licenze. Non insisto sull'alternanza di lunghe e brevi né sulla ricerca delle «rime», che in questo caso sono assonanze (*a*, *i*) perché ho precisato che mi sarei attenuto a spiegazioni elementari. Infatti è naturale che nel seguito della saga Egill, che probabilmente è il più grande scaldo della letteratura islandese, darà prova di un virtuosismo assolutamente sconcertante.

Resta da far cenno all'ordine delle parole che è assolutamente libero, in questa lingua strutturata fortemente da coniugazioni e declinazioni. Sigvatr Thórdharson, che era stato un grande amico di sant'Óláfr, si affligge per la morte del re dicendo:

Há thòtti mér hlæja
höll um Nòreg allan –
fyrr var ek kenndr á knörrum –
klif medhan Óláfr lifdhi;
nú thykki mér miklu
– mitt strídh er svá-hlídhir,
jöfurs hylli vardh ek alla,
òblidhari sidhan.

Le alte falesie inclinate mi sembravano sorridere per tutta la Norvegia / un tempo ero esperto a guidare lo *knörr* / quando Óláfr viveva. Da allora le rocce mi sembrano tanto meno ridenti / tale è il mio lutto; avevo conquistato tutto il favore del principe.

Non insistiamo ulteriormente sulle allitterazioni, accentuazioni, ritorni di grafia, alternanze di lunghe e brevi. Sarebbe questo l'ordine «normale» delle parole in una qualsiasi lingua romanza: *Há höll klíf thòtti mér hlæja um Nòreg allan – ek var kenndr fyrr á knörrum – medhan Óláfr lifdhi; sídhan hlidhir thykki mér nú miklu ò blidhari – mitt strídh er svá – ek vardh alla hylli jöfurs.*

Infinite sono le congetture su come gli scaldi potessero avere elaborato tali sistemi compositivi e soprattutto sul tipo di ricezione che potevano trovare nel loro uditorio: risulta però che l'intesa sia stata raggiunta se non senza sforzo, con relativa facilità. Molti testi ci presentano l'uditorio mentre ascolta la declamazione di una *vìsa* (strofa) ripetendola per riuscire a decifrarla. Forse questo esercizio veniva favorito da un procedimento di natura musicale: la voce cambiava registro ogni volta che iniziava una nuova proposizione o vi faceva ritorno. In ogni caso, dobbiamo ribadire che la cultura di uomini e donne capaci di produrre simili capolavori e di ascoltarli doveva essere estremamente evoluta. E quelli che ho citato sono esempi molto semplici.

Inoltre, come abbiamo visto nell'esempio precedente, gli artifici di metrica si intrecciano con un vocabolario «manieristico» secondo il quale le cose e gli esseri non vanno mai indicati direttamente con i loro nomi. Bisogna sostituire loro delle specie di sinonimi o *heiti* (denominazioni), oppure delle perifrasi a due o più termini legate da un rapporto genitivo o *kenningar* (conoscenze). Non si dice, perciò, «lo scudo», ma «il tiglio» perché questa arma è spesso fatta di tale legno, non «il marinaio» ma «il cavaliere del cavallo dello sposo di Rån» perché lo sposo di Rån è Ægir, dio degli oceani. Naturalmente questo procedimento consente infinite soluzioni che forse in origine derivavano dal tabù verbale che colpiva alcune espressioni, ma che più semplicemente potrebbero essersi sviluppate a fini artistici. Apprezziamo così gli effetti che si possono ottenere associando vari registri in una stessa *kenning* per «guerriero», come: «*såra dynbå ru svangreddir*» dove *sår* è la ferita, *båra* l'onda, *dynr* il frastuono, dunque *dynbåra* = l'onda del frastuono, *såra dynbåra* = l'onda fragorosa delle ferite = il sangue; *greddir*, colui che nutre; *svanr*, il cigno; il cigno delle ferite = il corvo, colui che nutre il corvo = il guerriero.

Non insisteremo mai abbastanza sul fatto che, come ripeteremo a proposito dell'arte e dell'artigianato, la grandezza di questa poesia sta nell'intensità con cui il poeta lavora, cesella, rifinisce, sfruttando al massimo le possibilità *tecniche* del suo materiale, in questo caso la parola, in altri il metallo o il legno. Non è il contenuto che lo interessa ma il contenitore, il modo in cui è possibile sfruttarlo forzando quasi all'eccesso le potenzialità che esso offre.

È a questi *lai* (*ljòdh*) che pensa Rögnvaldr quando si vanta di essere esperto di poesia? È possibilissimo perché, anche se i documenti che possediamo oggi non possono essere venuti alla luce nella forma che conosciamo prima del XII secolo, è certo che dipendono da modelli molto più antichi. Ci troviamo di fronte all'insolubile problema della tradizione orale, che esisteva certamente da tempi antichissimi, anche se tutti gli studi più recenti tendono a individuare nei testi elaborati che sono giunti fino a noi dei modelli latini, celtici e di altro tipo. Non so se si debbano far risalire molto indietro nel tempo tante composizioni poetiche estremamente oscure – caratteristica che potrebbe essere garanzia di antichità ma anche segno di una voluta ricerca – ma non si può non restare colpiti da un particolare accennato incidentalmente nella *Saga di sant'Òlåfr* nella quale all'inizio della battaglia di Stiklarstadhir (1030), che sarà fatale al re, vediamo lo scaldo Thormòdhr che con naturalezza intona i *Bjarkamål*, uno straordinario poema scaldico composto secondo le regole più raffinate per incitare i compagni alla lotta. Ci sembra che quest'uso non possa essere stato un'idea personale dell'autore della saga, Snorri Sturluson. Del resto, in quasi tutte le saghe possiamo trovare «strofe libere» isolate (*lausavìsur*) che sembrerebbero improvvisate e che potrebbero essere state composte dall'autore per esigenze narrative ma che invece, in molti testi, potrebbero risalire alle epoche di cui tali testi parlano, i secoli IX e X. Crediamo infatti che un'arte complessa ed elaborata come quella degli scaldi non abbia potuto assolutamente venire alla luce per generazione spontanea.

Ci siamo spinti a parlare direttamente delle forme più estreme per contribuire a soddisfare la vanità del nostro jarl Rögnvaldr. Esisteva anche un tipo di poesia più semplice, pur se basata sugli stessi principi, cui daremo il nome di poesia eddica perché si esprime nei grandi testi dell'*Edda poetica*. Il suo metro è il *fornyrdhislag* (metro dei canti antichi) con le varianti costituite dal metro dei *lai* (*ljòdhahàttr*), dal metro dei detti (*màlahàttr*) e dal metro delle formule magiche (*galdralag*) che coincidono con i tre principali tipi di composizione poetica contenute nell'*Edda*, una raccolta che risale al XIII secolo ma costituisce la rielaborazione di modelli ben più antichi, forse risalenti in certi casi all'VIII secolo, e contiene tutti i grandi poemi mitologici, gnomici, magici, morali ed eroici dell'antica Scandinavia e dell'intera Germania.

Infatti l'*Edda poetica* (il significato del termine «Edda» non è certo, ma quello più accreditato è «Poetica») ci descrive le vicende e le gesta degli dei Òdhinn (nell'*Hàvamàl* di cui ho già parlato a fini etici, nel grande poema iniziatico *Grìmnismàl* e nello *Hàrbardhsjiodh* in cui Òdhinn e Thòrr si scontrano nel classico combattimento di reciproche ingiurie), Thòrr (*Hymiskvidha*, in cui parte alla ricerca del caldaio per fare la birra degli dei e *Thrymskvidha*, in cui recupera il suo martello dopo essere stato costretto a travestirsi da donna), Freyr (*Skìrnisför*, che è la variante nordica degli amori del dio-primavera-sole e della terra germinante), Loki (*Lokasenna*, in cui il dio del «male», cioè del disordine, insulta e calunnia dei e dee a destra e a manca), e altre divinità. Nell'*Edda* sono compresi anche testi sulla conoscenza delle cose sacre come i *Vafthrúdhnismál* o gli *Alvíssmál* culminanti nel maestoso affresco della *Völupsá* che traccia con immagini indimenticabili la storia mitica del mondo degli dei e degli uomini, dalle origini a Ragnarök e alla rigenerazione che lo seguirà. Tralasciamo di attardarci sul ciclo eroico incentrato intorno alle vicende dell'eroe Sigurdhr uccisore del drago Fáfnir, sui suoi amori fatali per Brynhildr e per Gudhrún e sui suoi archetipi (Völundr che è anche il fabbro meraviglioso di questa mitologia) o prototipi come gli Helgi, rispettivamente, l'uno uccisore di Hundingr e l'altro figlio di Hjörvardhr; abbiamo già detto che l'eroismo qui non è presentato come esercizio di valore o compimento di gesta impraticabili ai comuni mortali ma come fedeltà ai grandi valori etici di questo universo: d'altra parte l'aspetto che conferisce a questi testi, duri e spesso cupissimi, il loro inimitabile accento è proprio questa fedeltà al destino.** Non ci si aspetta dall'eroe che ci è presentato

** Vogliamo ancora una volta sottolineare che, nell'elencare i caratteri propri dell'universo mentale scandinavo, il nostro autore si sforza di velarne profondamente gli aspetti potenzialmente inquietanti (anche se proprio questo atteggiamento gli si rivela assolutamente euristico nei confronti del ritratto convenzionale e caricaturale che egli contesta). A proposito del destino e della fedeltà al destino non possiamo fare a meno di ricordare che esso si trova al centro di uno dei più, appunto, inquietanti e «crudeli» libri del nostro secolo: *L'Operaio* di E. Junger, dal titolo originale di «L'Operaio-Dominio e forma», al cui centro sta, in forte polemica antilluministica e antidemocratica, l'idea della forma gerarchica come destino. Il che non significa fare dei vichinghi degli antesignani della crisi della razionalità del XX secolo, naturalmente, ma spiegare la ragione di molte polemiche suuna volta per tutte come tale, senza ulteriori dimostrazioni, che compia imprese straordinarie ma che si mostri fedele ai suoi impegni, più profondamente personali in verità che dettati da un codice esterno di comportamento.

A un semplice sguardo proiettato su questo patrimonio, risulta chiaro che si potrebbe proseguire a lungo la trattazione. Ma ora torniamo allo jarl Rögnvaldr. Il quale si vanta anche dei suoi talenti di *smidhr*, sui quali non mi dilungherò perché abbiamo già trattato questo termine nei suoi vari significati. Voglio sottolineare soltanto, ancora una volta, che questa attività non era giudicata affatto indegna di un nobile. Immaginiamoci questi uomini manualmente abilissimi che, nelle lunghe veglie serali, intagliano il legno, cesellano il metallo, decorano il cuoio, scolpiscono l'osso o l'avorio. Di queste abitudini sopravvive qualcosa in quello che gli svedesi contemporanei chiamano lo *slöjd* (*hemslöjd*) cioè gli utensili di uso comune che gli scandinavi amano costruirsi da sé in quelle belle «forme svedesi» che si sono poi imposte anche nella nostra vita quotidiana mediterranea. Basta visitare uno qualsiasi dei musei storici dei paesi del Nord per ammirare tantissimi di questi manufatti eccezionalmente bene eseguiti e straordinariamente funzionali di cui quegli uomini e quelle donne si circondavano. Ma le tecniche per la lavorazione del legno, del metallo, del cuoio, dell'avorio erano assai diverse. Ci si può stupire che, come abbiamo detto, un solo individuo sia stato in grado di passare indifferentemente dalle une alle altre. Ma le

scitate da interpretazioni come quella più volte citata di G. Dumézil sul patrimonio culturale germanico [*N.d.T.*].

giornate erano lunghe d'estate nel Nord e i mesi d'inverno interminabili, in quei tempi antichissimi. Il tempo libero certo non mancava. Abbiamo visto che una delle principali occupazioni domestiche – di uomini e donne – era la tessitura. E una nave non si costruiva certo in un giorno solo e nemmeno gli strumenti indispensabili agli spostamenti e alle attività quotidiane. Non dimentichiamo che non esistevano neanche professioni specializzate nel campo alimentare o dell'abbigliamento: ogni fattoria, o gruppo di fattorie, era costretta a vivere in una specie di autarchia e i padroni di casa erano macellai, panettieri, sarti, pellettieri, taglialegna. Restava ancora del tempo libero, però, e l'archeologia e i testi ci permettono di ricostruire come veniva occupato. Ecco perché, violando l'ordine di enumerazione del nostro Rögnvaldr, parlerò prima di arte e artigianato, poi di musica.

Il compito che questo libro si è posto non è quello di presentare un quadro delle realizzazioni artistiche dei vichinghi, ma quello di mostrare come questo genere di attività si integrasse nella vita quotidiana. Per una maggior conoscenza dell'arte vichinga propriamente detta, mi permetto di rimandare a opere specialistiche sul tema.[16]

Aggiungerò tuttavia qualche osservazione complessiva già anticipata nelle pagine che precedono. La prima è che l'arte vichinga è di natura essenzialmente decorativa e funzionale. Niente arte per l'arte, in questa cultura, né campi riservati all'arte distinti da settori piattamente utilitari in cui il bello era escluso. La più bella delle fibbie poteva essere

[16] Numerosi sono gli studi in proposito, fra i quali citiamo D.M. Wilson e O. Klindt-Jensen, *Viking Art*, oppure P. Anker, *L'art scandinave*, cit.

costruita con estrema elaborazione ma restava concepita per unire i due lembi di una veste; viceversa nel «naso» di una piccola incudine portatile riscontriamo una evidente ricerca d'effetto estetico. E ciò è già visibile negli oggetti più antichi, risalenti all'età del bronzo e oltre. Quando oggi si parla di stile scandinavo si dimentica spesso che questa cultura ha sempre cercato di conciliare estetica e utilità. Abbiamo attribuito tale ricerca al molto tempo libero: ma certo essa derivava soprattutto da un senso dell'ordine, del «finito» che permeava tutti i campi dell'attività umana di quei popoli.

Seconda osservazione: la legge di quest'arte è il movimento, il dinamismo. J. Graham-Campbell parla di vigore, di vitalità e infatti l'osservatore è colpito dalla totale assenza di motivi statici e non può che rilevare la continuità dei successivi «stili» le cui date si sovrappongono e che gli specialisti hanno così distinto, fra il 750 e il 1100:

750-850	stile di Broa o di Oseberg
830-970	stile di Borre
880-990	stile di Jelling
950-1010	stile di Mammen
980-1080	stile di Ringerike
1040-1150	stile di Urnes.[17]

Tutti questi stili hanno dipinto animali in movimento – la famosa «bestia rampante», *gripping beast* delle classificazioni antiche, in lotta in contorsioni tali che diventa im-

[17] Lo stile di Urnes in parte esorbita, come quello di Ringerike, dall'età vichinga: esso infatti ispira certe *stavkirker* (chiese fatte di pali di legno) norvegesi.

possibile seguire con lo sguardo i contorni dei corpi. Questa tendenza è assolutamente costante: la incontreremo a partire almeno dal V secolo.

Pur senza insistere scenderemo un po' nei particolari. Fin dall'inizio (stile detto di Broa, nel Gotland) incontriamo animali fortemente stilizzati, che è, talvolta, impossibile identificare e che costituiscono la prima versione della «bestia rampante», cui seguiranno innumerevoli variazioni sia su legno sia su metallo. Bisogna anche ricordare che gli stili che abbiamo elencato costituiscono semplicemente delle tappe di un continuo affinamento delle stesse linee, precisando anche, per onestà, che tale elenco non è rispettato da tutti gli studiosi e che alcuni introducono, in base alle scoperte archeologiche fatte a Berdal, in Norvegia, uno stile detto, appunto, «di Berdal» che sarebbe il più antico dell'epoca vichinga. Le vere novità compaiono più tardi a poco a poco nei motivi decorativi vegetali, benché oggetti come quello dello stile di Mammen dimostrino che la foglia d'acanto di origine carolingia era giunta nel Nord fin dal IX secolo.[18] Le caratteristiche di questo modo di lavorare il metallo, il legno e altri supporti resteranno valide a lungo dopo l'età vichinga. Un esame accurato della splendida decorazione della *stavkirke* (chiesa di pali di legno) di Urnes, del XII secolo, lo dimostra.

È anche da sottolineare l'incessante gioco di interazioni che caratterizza l'età vichinga nei due sensi (Scandinavia-mondo esterno), in particolare in campo artistico anche se l'osservazione vale in tutti i campi. È così agevole mettere in rilievo influenze nordiche nel mondo celtico (la croce di

[18] L'osservazione è di J. Graham-Campbell, *The Viking World*, cit, p. 144.

Cong in Irlanda, ad esempio) o slavo, e viceversa. Sfogliando il catalogo di una bella mostra dedicata ai vichinghi, come quella di Londra del 1980, ci si imbatte subito, fra gli oggetti esposti, tutti di provenienza scandinava e risalenti all'epoca che qui ci interessa, nella legatura di un libro anglosassone, in una tavoletta celtica riutilizzata come spilla, in un vaso carolingio, in vetri renani, in gioielli d'argento di fattura slava e in collane, bracciali e ricami bizantini.[19]

In terzo luogo, quest'arte esprime il meglio di sé quando riesce a trovare l'esatto punto di equilibrio fra realismo e simbolismo. L'osservazione vale già per le incisioni rupestri dell'età del bronzo[20] e non si smentirà mai successivamente. Niente potrebbe darne un'idea più esatta delle splendide decorazioni della nave di Oseberg con la figura di un mostro che abbellisce una testa di trave, dovuta alla mano di un artista chiamato l'Accademico a causa della maestria con la quale riesce a evitare che la decorazione non prevalga sul valore funzionale dell'oggetto né sulla qualità intrinseca del materiale impiegato, il legno. Non esiste probabilmente illustrazione più eloquente di quanto abbiamo detto della celebre banderuola di Söderala, probabilmente montata, in origine, sulla sommità dell'albero maestro della nave, dove, dopo un po' di «acclimatazione», l'occhio arriva a distinguere fra le cesellature della lama triangolare del metallo che la costituisce, il corpo di un drago. Oppure ci si può concentrare sulle grandi pietre con iscrizioni runiche che l'incisore

[19] Trovo questi oggetti nel catalogo riccamente illustrato *The Vikings*, pubblicato da J. Graham-Campbell e D. Kidd.

[20] Cfr. R. Boyer, «Le symbolisme des gravures rupestres de l'âge du bronze scandinave» in *Le Mont Bégo*, Atti del Congresso di Tende, Imprimerie Nationale, Paris 1992.

è riuscito a trasformare in opere d'arte in sé. Al limite, non è nemmeno necessario conoscere il significato delle pietre di Ramsund o di Gripsholm o di Rök (vero capolavoro che non contiene alcun motivo decorativo e in cui l'artisticità consiste nell'incisione dei caratteri) per ammirarne la bellezza.

Dunque ci sono voluti tempo, pazienza e passione controllata per creare tutte le meraviglie che si offrono al nostro sguardo quando visitiamo i grandi musei scandinavi. Scolpire il legno con una finezza incredibile obbedendo agli imperativi del materiale, come nel caso dei celebri stipiti della chiesa di pali di legno di Hylestad dove è narrata in parte la leggenda delle gesta di Sigurdhr Fáfnisbani; incidere nel metallo o cesellarlo o fonderlo per fargli assumere tutti i movimenti suggeriti dalla fantasia del creatore; iscrivere nel quadro della pietra grezza i motivi che la decoreranno in sé – come nelle grandi pietre istoriate del Gotland o in riferimento alle iscrizioni runiche –; levigare e scavare un minuscolo frammento d'ambra o d'osso per fargli rappresentare un animale iscritto esattamente nella forma del suo materiale; incrostare con incredibile precisione una punta di lancia come quella di Mammen in modo che il supporto mantenga il suo carattere di arma e che al tempo stesso la decorazione ne attenui in qualche modo la brutalità: non si finirebbe più di elencare le tecniche e gli insegnamenti che probabilmente furono impartiti e trasmessi agli allievi da vere e proprie «scuole».[21]

È difficile immaginare un vichingo che si annoia. Descrivendone la casa ho fatto cenno alla *smidhja*, il laboratorio

[21] Queste tecniche sono mirabilmente presentate e spiegate in B. Almgren, *Vikingen*, cit., soprattutto pp. 200 ss.

dove oltre a forgiare i metalli si svolgevano tutte le attività artigianali. Ora possiamo comprenderne tutta l'importanza e la funzione: non si trattava di compiere l'opera ovvia e naturale di fabbricare e riparare gli oggetti utili alla vita quotidiana, ma di conferire loro una qualità che avrebbe abbellito l'esistenza. E l'amatore d'arte non può che ammirare con quanta naturalezza i vichinghi abbiano assimilato e adattato le idee e le influenze più varie dei paesi che essi frequentavano. Abbiamo appena visto che nelle loro case potevano entrare oggetti di origine slava o sassone che solo uno sguardo esperto poteva identificare; i bassorilievi lignei di Flatatunga, in Islanda, sono influenzati dall'arte bizantina, piegata però a una sorta di gaiezza ingenua che ne costituisce il pregio. È invece sorprendente che per ragioni che ignoriamo la scultura in pietra sia stata pressoché sconosciuta agli scandinavi, tranne che nella forma del bassorilievo (i più belli sono quelli del Gotland) e che i motivi vegetali siano stati introdotti molto tardivamente.

Non abbiamo ancora esaurito l'elenco delle fiere dichiarazioni di Rögnvaldr: egli afferma anche di saper suonare l'arpa. In questo preciso campo, come per la musica in generale, siamo poco informati. Ho parlato già dei *lúdhr*; talvolta, soprattutto in contesti dove si parla di magia, si incontrano tamburi e l'arpa che, ad esempio, suonava l'eroe Gunnarr nella fossa dei serpenti (ma l'evidente motivo orfico deve indurci alla prudenza) ed è tutto. Eppure ho appena detto che la poesia scaldica, sia nella sua scansione sia nei principi compositivi che la ispirano, potrebbe avere origini musicali: di canto, di grido, di urlo. Ho anche sottolineato che tale poesia si prestava a operazioni di tipo magico: il dio degli scaldi, Ódhinn, è detto anche «colui che grida»; oltre al canto nel senso a noi familiare del termine può darsi che i vichinghi praticassero una specie di declamazione urlata retta da leggi «musicali». Ma per quanto riguarda l'arpa ho il sospetto che Rögnvaldr abbia voluto, come in altri campi, imitare usi continentali, cortesi.

Infatti, purtroppo, tutti i nostri tentativi di ricostruzione della musica al cui ritmo potrebbero essere state recitate le strofe scaldiche sono inficiati da puro e semplice romanticismo. I nostri testi non alludono assolutamente né a strumenti né a un'arte musicale bene individuata. Questa lacuna è difficilmente comprensibile perché tutti gli altri campi artistici sono assai bene rappresentati in questa cultura. Dovremo dunque ancora una volta concludere che il nostro jarl Rögnvaldr, che parla agli inizi del XII secolo, avesse subito influenze straniere.

Crediamo che bisognerebbe estendere invece le ricerche nel campo della danza e della pantomima che costituiscono un terreno di studio più solido. Le incisioni rupestri dell'età del bronzo e Tacito, ad esempio, concordano nell'attestare che i germani praticavano danze rituali. Il *basileus* Costantino Porfirogenito annota, nel 950, che nel giorno di Natale dei vareghi eseguirono dinanzi a lui danze ritmate dal grido «yul, yul, yul!». Sappiamo bene che le ballate medievali note in danese come *folkeviser* sono probabilmente di origine francese[22] ma dobbiamo ammettere che trovarono nel Nord un terreno particolarmente favorevole. Nella *Sturlunga saga*

[22] Cfr. R. Boyer, «De la carole à la folkvisa» in *Influences. Relations culturelles entre la France et la Suède*, Atti pubblicati a cura di G. von Proschwitz, s.e., Göteborg 1988, pp. 7-21.

si accenna anche a pantomime satiriche, rivolte contro i grandi capi, che avrebbero avuto le conseguenze più tragiche e che risalgono probabilmente a usi antichissimi: in questo caso ogni membro del clan nemico viene paragonato a una parte del corpo di una giumenta. Ma non saprei dirne molto di più.

Fin qui abbiamo parlato di svaghi e di vita intellettuale. Un altro aspetto che non può non colpire l'osservatore è l'estrema curiosità intellettuale di questi uomini e di queste donne. Per epoche successive i ricercatori sono colpiti dalla fantastica cultura raggiunta dall'Islanda, per cui si può tranquillamente affermare che non ci sia campo o disciplina che essa non abbia praticato.[23] Ciò rientra nel cosiddetto «miracolo islandese», ma abbiamo ragione di credere che anche norvegesi, svedesi e danesi abbiano nutrito le stesse disposizioni.

Mi si accuserà di fare dei miei vichinghi degli intellettuali, nell'accezione propria del loro tempo. Non che voglia esasperare l'esatto contrario dell'immagine convenzionale che volevo dimostrare falsa; insomma... un caso fortunato ci ha comunicato la relazione di un grande banchetto di nozze con l'elencazione precisa della successione delle sue tappe.[24]

[23] Ne ho tracciato un quadro completo che evidentemente vale solo per il XIII secolo in *La vie religieuse en Islande (1116-1264) d'après la Sturlunga saga et les Sagas des Évêques*, Fondation Singer-Polignac, Paris 1979, II parte, cap. II.

[24] Si tratta del capitolo X della *Saga de Thorgils et de Haflidhi* in traduzione francese, una delle saghe dei contemporanei incluse nella compilazione della *Sturlunga saga*.

La scena si svolge nel 1119 a Reykjahólar in Islanda. Ancora una volta, dobbiamo ricordare che si tratta della fine dell'era vichinga e di una località, l'Islanda, che non può essere assunta come rappresentativa di tutta la Scandinavia medievale. Il 29 luglio di quell'anno due grandi *bœndr* ricchi e potenti sposavano i loro figli. Pur tenendo conto delle precedenti riserve e del fatto che non si trattava di un ambiente che oggi chiameremmo popolare si resta sorpresi, leggendo questo testo, dello spazio che in quei festeggiamenti ebbero gli svaghi di tipo «intellettuale». Niente naturalmente ci vieta di supporre che la rievocazione di una festa poco meno di un secolo dopo il suo svolgimento ne abbia un po' modificato i termini.

Il testo ci descrive con dovizia di particolari il banchetto di nozze: la data (il giorno di sant'Óláfr d'estate), il luogo, gli invitati principali. Dopo averne descritto l'arrivo si spiega l'assegnazione dei posti, esercizio delicato perché non si scherzava con le questioni di precedenza ed era necessaria una grande destrezza per non irritare nessuno.[25] Si presentano le tavole e si servono i cibi «eccellenti e insieme abbondanti» e le bevande («nemmeno le buone bevande scarseggiarono»). Poi si bevve alla memoria: il testo non precisa di chi ma certamente degli antenati e/o del Cristo e dei santi, perché il banchetto si svolse quando quelle terre erano state convertite da più di un secolo al cristianesimo. I convitati si misero a bere forte e le lingue si sciolsero, le battute lanciate

[25] Su questo punto, si veda R. Boyer, *Mœurs et psychologie des anciens Islandais*, Éditions du Porte-Glaive, Paris 1987. Il ritratto etno-psicologico che ho tentato in quest'opera non è stato ripreso qui perché si fonda esclusivamente e volontariamente sulle saghe dette di contemporanei. È probabile che potrebbe dipingere anche un vichingo.

contro l'uno o l'altro si fecero sempre più numerose e aspre e – accenno da sottolineare – alcuni convitati si misero a scoccare delle specie di *banderillas* sotto forma di distici che se non erano elaborati come dei *vìsur* scaldici mostravano comunque un raro virtuosismo. Evidentemente questo scambio di frecciate degenerò contribuendo ad avvelenare contese latenti.

Ancora una volta – prima di tornare al nostro banchetto – mi permetterò una digressione. Come avete appena letto, in un primo tempo gli invitati si scambiarono scherzi e battute più o meno ardite divertendosi a spese gli uni degli altri, probabilmente con quel ricorso allo scherzo che occupava un posto di rilievo nella vita dei vichinghi. Lo scherzo e non l'ironia: queste mentalità non avrebbero probabilmente apprezzato un'attività puramente spirituale come l'ironia, nella sua secchezza e nelle sue implicazioni intellettuali. Ma lo scherzo mette in gioco l'intera persona, si rivolge all'uomo e non a una quintessenza mentale, è una forma di presa di distanza e di salvaguardia di sé. Si adatta benissimo a temperamenti taciturni, introversi, prudenti e attenti all'eco delle loro parole quali dovevano essere i vichinghi.

Anche nelle iscrizioni runiche ci imbattiamo nell'umorismo scherzoso. Ad esempio a Husby Lyhundra (Svezia) coloro che eressero la pietra alla memoria di Sveinn pregano Dio e la sua santa Madre «di aiutare la sua anima più di quanto egli non abbia fatto per meritarselo». Un'altra iscrizione gioca sul nome di colui che commemora: si chiamava Óspakr (letteralmente, «non saggio») e l'iscrizione lo chiama «*litill vìsi madhr*», «uomo poco saggio». Ed ecco, in un contesto solidamente cristiano, un chierico certo di recente ordinazione che incide su una pietra, in caratteri runici: «*Ego sum lapis*» («sono una pietra»).

Ma i migliori esempi di umorismo vanno cercati, ancora una volta, nelle saghe. Per non ripetere le citazioni più usuali proporrò alcuni cenni tratti da saghe dette di contemporanei, specialmente dalla *Saga di Sturla Thòrdharson*, padre dei tre grandi Sturlungar uno dei quali è Snorri Sturluson. Sembra che questo personaggio fosse particolarmente arguto. Aveva consigliato al genero Ingjaldr di vendergli dei montoni e questi aveva rifiutato, poi i montoni gli erano stati rubati. Ingjaldr corse dal suocero a dargli la notizia per chiedere aiuto. Sturla lo scorse da lontano e disse: «Ho l'impressione che mio genero Ingjaldr oggi mi venderà i montoni». Esortò i suoi uomini alla battaglia, in un giorno di grande freddo, dicendo loro che avrebbe voluto che stringessero il manico della loro ascia in modo che non vi si attaccasse il gelo. Per tutta la vita era stato perseguitato dall'odio implacabile di una donna, Thorbjörg, e venne a sapere che era morta. Subito andò a letto e non voleva più parlare con nessuno. A chi si mostrava preoccupato, rispose: «E ora che è morta, a che scopo prendermela con i suoi figli?». In un altro testo (l'*Ìslendinga saga*) un noto usuraio inseguito dai suoi nemici è raggiunto in fuga da uno dei suoi debitori che lo colpisce sulla schiena chiedendogli a quanto venderà a questo punto una misura di cibo. Egli risponde: «Prezzo contenuto!». Potrei moltiplicare le citazioni del genere. Nelle grandi saghe classiche si possono trovare esempi celebri. Nella *Saga di Hallfredhr*, che era un grande scaldo, questi si era appassionatamente innamorato della figlia del *bòndi* Àvaldi, Kolfinna. La fanciulla vedeva l'innamorato abbastanza di buon occhio ma il padre avrebbe preferito sposarla a un ricco vicino, Griss, che andò da Åvaldi a trattare le condizioni delle nozze. Dopo questo antefatto (capitolo IV) vediamo Hallfredhr che si reca in gran fretta da Korfinna per manifestare i suoi sentimenti alla donzella a modo suo, cioè attirandola sulle sue ginocchia dinanzi a tutti: «egli la strinse a sé e di tanto in tanto baci venivano scambiati».

> Allora Griss e gli altri [cioè i testimoni che questi aveva convocato per avanzare la sua richiesta di matrimonio e le sue condizioni] uscirono [dalla *skåli* alla quale erano stati ammessi e passarono per la stanza delle donne dove in bella vista stavano Hallfredhr e Kolfinna]. Griss disse: «Chi sono quelle persone sedute contro il muro che si dimostrano tanta intimità?». Griss infatti era molto miope e la vista lo ingannava.
> Åvaldi disse: «È Hallfredhr con mia figlia Kolfinna».
> Griss disse: «Si comportano così abitualmente?».
> «Succede spesso» disse Åvaldi, «ma adesso sei tu a dover risolvere questo problema, perché lei è la tua futura moglie.»

Per finire, non resisto alla tentazione di citare un passo della *Saga di Gìsli Sùrsson* in cui uno dei personaggi simpatici, che è anche un campione sportivo, viene mortalmente ferito dal suo vile nemico mentre giace nell'alcova. Ricevendo il colpo fatale, grida qualcosa come «Ci siamo!» o «Bel colpo!» e muore.

Ma ci siamo allontanati, almeno in apparenza, dalle nozze di Reykjahólar.

Ecco come proseguirono.

> Ci fu baldoria e grande allegria, grandi divertimenti e ogni sorta di giochi, danze [la traduzione non è certa, il termine è *dans*, di derivazione francese e potrebbe indicare benissimo le ballate o *folkeviser* cui abbiamo fatto cenno poco prima], lotte [la *glíma* che abbiamo descritto], recitazione di storie [*sagnaskemtan*, termine su cui torneremo] [...] Hrólfr di Skálmarnes recitò la saga di Hröngvidhr il vichingo e di Óláfr re dei Lidhsmenn e di come Thráinn, il *berserkr*, fece a pezzi l'altura, e la saga di Hrómundr Gripsson, con molte strofe [...] Quest'ultima saga l'aveva composta Hrólfr stesso. Il sacerdote Ingimundr recitò la saga di Ormr, scaldo di Barrey, con molte strofe e un eccellente poema verso la fine della saga, composto da Ingimundr stesso, anche se molti dotti ritengono vera questa saga.

Questo passo, che ha attirato da sempre l'attenzione dei ricercatori, è una specie di *summa* del nostro argomento e ci fornisce una conclusione molto opportuna. Esso riassume tutti gli svaghi che questa società praticava e amava e che non corrispondono a quelli che avrebbero rallegrato un analogo banchetto in periodo vichingo. Da quest'ultimo le grandi assenti sarebbero state le saghe. Non ci stancheremo di ripetere che le saghe non possono essere fatte risalire a prima degli inizi del secolo XII e le saghe più antiche – l'esempio che ne abbiamo appena fornito è eloquente in proposito – erano esclusivamente del tipo «reale» (*konungasögur*) e forse, secondo le più recenti ricerche, del tipo «leggendario» (*fornaldharsögur*) cui sembrerebbero appartenere i testi citati nel passo precedente. In altri termini, le saghe non possono essere annoverate fra le attività intellettuali dei vichinghi. Ciò non significa che essi non abbiano coltivato con particolare predilezione l'arte del racconto, che si esprimeva forse in quei *thættir* (singolare *thàttr*) che sono stati talvolta indicati come gli «antenati» delle grandi saghe e che arricchiscono spesso i libri di colonizzazione dell'Islanda.[26] Per tornare al nostro esempio, il lettore è colpito dal posto eminente occupato, nella cerimonia descritta, dalla poesia («con molte strofe») come composizione a sé stante o come illustrazione dei racconti in prosa. Mi si permetta di avanzare qui una domanda falsamente innocente: non è forse frequente ancor oggi, come in passato, in molte società l'uso di accompagnare i grandi banchetti di nozze con strofe poetiche o la recitazione di testi narrativi?

Spero che i capitoli precedenti siano riusciti a dimostrare che è pienamente lecito parlare di cultura e di civiltà vichinghe. È semplicemente assurdo definire barbari uomini e donne che hanno potuto realizzare le splendide opere d'arte fieramente esposte nei musei scandinavi contemporanei o le autentiche imprese di virtuosismo letterario richieste dalla composizione di una strofa scaldica, per non parlare di capolavori tecnici come lo *knörr* o di elaborazioni sofisticate come i grandi testi giuridici vichinghi. Chi insiste nel vedere una dimostrazione di barbarie nella troppo celebre frase «berremo il sangue nei crani dei nostri nemici» da un lato non ne ha letto l'autentica formulazione (che suona, nella traduzione di Renauld-Krantz: «Fra poco berremo la birra/ nel ramo curvo del cranio» cioè nella coppa scavata nel corno che spunta come un ramo sul cranio del bue),[27] dall'altro

[26] Ne esiste una traduzione francese parziale, *Le livre de la colonisation de l'Islande (Landnàmabòk)*, cit.
[27] *Anthologie de la poésie nordique ancienne*, cit., p. 529.

non ha fatto lo sforzo di interpretare la strofa sapientemente complicata nella quale si inserisce la formula e infine dimentica che la citazione è tratta da un testo che può essere fatto risalire al minimo al XII secolo, a un'epoca successiva alla morte dell'ultimo vichingo. (Si tratta dei *Kråkumål* o canto in morte di Ragnarr Lodhbrók.) Bisogna finalmente liquidare tutto un repertorio di immagini convenzionali tenute in vita dalla nostra ignoranza che ha fatto dei «pirati del Nord» dei bruti lubrichi, dei saccheggiatori sanguinari. Questo è il mito vichingo alimentato da un certo cinema americano di consumo e dai fumetti e dai cartoni animati: niente giustifica scientificamente queste stupidaggini.[28] Sia ben chiaro: non vorrei cadere nell'eccesso opposto facendo del vichingo un modello di umanesimo o un superuomo (rischi che sono stati, a loro volta, corsi, a dimostrazione del fatto che il mito vichingo sembra implicare comunque l'eccezionalità). Voglio solo rendergli quanto gli è dovuto.

[28] Il tema è trattato ampiamente in R. Boyer, *Le Mythe viking dans les lettres françaises*, cit.

Invece di una conclusione

Immaginiamo che la nostra Helga, che abbiamo incontrato giovane sposa nel Prologo, abbia adesso una cinquantina d'anni: saremo più o meno a cavallo dell'XI secolo. Helga ha avuto una vita bella e buona, le Potenze del destino saranno state generose con lei. Dei suoi numerosi figli sette sono sopravvissuti, quattro ragazzi e tre fanciulle e molti hanno già fatto un «buon matrimonio». Nonostante i molti viaggi suo marito Björn è ancora in vita anche lui e può essere fiero di aver fatto fortuna grazie alle spedizioni che ha intrapreso un po' ovunque lungo la strada dell'Ovest. Ha anche ricevuto dei colpi pericolosi durante degli *strandhögg* male organizzati e ne ha ricavato un labbro spaccato che, come è solito dire, non gli attira più i baci delle belle donne[1] ma nell'insieme non ha di che lamentarsi. È un personaggio importante e fa parte di tutte le istanze locali e nazio-

[1] La sostanza di questa battuta figura in una *Ìslendinga saga*, la *Saga dei figli di Droplaug*: un colpo di spada taglia di netto il labbro inferiore dell'eroe il quale commenta: «Non ho mai avuto una bella faccia e tu non hai fatto niente per migliorarla».

nali all'interno del suo *land*, gode di grande prestigio per la sua ricchezza e le sue parentele.

Può vantarsi di essere *söguligr*, degno di essere argomento di una saga: non solo ha condotto spedizioni memorabili, una delle quali sulla strada del Nord lungo la quale è giunto, alla ricerca di pelli e pellicce, fino al luogo che oggi chiamiamo Murmansk,[2] ma è stato sottoposto vent'anni fa a una grande prova di carattere, un duro *skapraun*.[3] Qualcuno aveva insinuato che avrebbe esitato a intervenire in difesa di uno dei suoi fratelli vilmente spogliato dei suoi beni, una tenebrosa vicenda che aveva dovuto condurre con abilità e prudenza ma senza venir meno all'obiettivo che si era proposto. Non aveva ceduto e aveva speso generosamente le sue energie per più stagioni, al fine di ottenere riparazione e rinsaldare la breccia che rischiava di rovinare il suo clan. Vi era riuscito, ora è un grande e tutti lo sanno e questa è la cosa più importante perché nel suo mondo niente ha valore se non passa al vaglio dello sguardo degli altri.

Ora può contemplare con soddisfazione i suoi beni, le casse piene di oggetti preziosi che ha portato a casa un po' da tutte le parti del mondo e conquistato con il baratto o con transazioni laboriose o con la rapina. La sua fattoria, la sua *bœr*, dispone di tutto quanto serve: egli stesso ha scolpito personalmente gli stipiti del sedile dove troneggia nelle grandi occasioni ed è superbo dello splendido *skeidh* che lo attende nel *naust* (il deposito per le imbarcazioni) a qualche centinaio di passi da casa. Quando, nella bella stagione,

[2] Si possono trovare particolari precisi sugli itinerari dei vichinghi o vareghi in R. Boyer, *Les Vikings. Histoire et civilisation,* cit., pp. 140 ss.
[3] Su questo termine chiave delle saghe, si veda il citato R. Boyer, *Les Sagas islandaises*, cap. XI.

passeggia nelle sue proprietà, può dire come Gunnarr di Hlìdarendi nella *Saga di Njàll il Bruciato*: «Bello è il pendio! Mai mi è sembrato più bello! I campi dorati, il prato falciato...».[4] Possiede beni in molte località e i suoi numerosi *félagi* sanno di poter contare sempre su di lui per portare a termine un buon affare. Insomma, un grande *bòndi*! Helga è ancora bella, nella sua veste di *vadhmàl* delle grandi occasioni, i suoi figli e nipoti non la lasciano mai sola, e col passare degli inverni ha anche conquistato «la mano che cura» tanto che spesso vengono a cercarla da lontano per farsi guarire una ferita maligna.

Eppure la coppia non è esente da preoccupazioni per l'avvenire. Non tanto per il terrore millenaristico da cui a quanto sembra il mondo scandinavo non fu coinvolto come il continente e il mondo mediterraneo. Si tratta invece di grandi cambiamenti che incidono nella società e che parrebbero minacciare gravemente l'ordine costituito. Per esempio, Björn non ha più tanto desiderio di *fara ì vikingu*, di partire in spedizione vichinga: il guadagno maggiore di quelle avventure lo si traeva dagli schiavi che stanno scomparendo un po' ovunque a causa dei progressi della Chiesa cristiana: gli schiavi erano di gran lunga la principale delle merci che portava al mercato di Hedeby. Senza di essi non resta granché da commerciare tanto più che i paesi dai quali si deve passare si sono organizzati e hanno allestito fortificazioni contro i colpi di mano. I fiumi sono spesso sbarrati da catene, i sovrani locali hanno innalzato tutta una serie di fortini sulle alture, dai quali si può sorvegliare il mare e far fronte agli attacchi; basta ormai accendere un fuoco per-

[4] Capitolo LXXV.

ché tutta la contrada corra alle armi. Si potrebbe cercare di ricorrere ad altre risorse, ma la Frisia ha adesso delle grosse navi a fondo piatto, con cui si trasportano pesanti carichi di materie prime; le possibilità dello *knörr* e dei suoi equivalenti al confronto sono irrilevanti. Chiusa anche la strada del commercio di lusso che ormai è tornato monopolio dei saraceni: il Mediterraneo è tornato al centro di un intenso traffico da cui era rimasto escluso per due secoli.

Quindi perché partire per sponde dove cinquant'anni prima si potevano effettuare tante belle operazioni? Quelle stesse rive erano ormai occupate da parenti, amici, conoscenti che si erano insediati laggiù: il Danelaw in Inghilterra, l'Irlanda del Sud, l'Islanda di cui si dicono meraviglie, luoghi come Hólmgardhr (Novgorod) e Kœnugardhr (Kiev) e naturalmente la Normandia. Björn, che aveva già dei beni, non aveva mai pensato a imbarcarsi con moglie e figli e beni mobili per non far più ritorno come avevano fatto tanti antichi compagni. Adesso, comunque, sarebbe troppo tardi per una soluzione di questo tipo. E poi bisognava disporre di un certo potere locale per riuscire ad arruolare per amore o per forza (di solito, a dire il vero, di buon grado, ma era successo anche che dei giovani fossero costretti ad arruolarsi da qualche reuccio locale desideroso di intraprendere una spedizione e bisognoso di un equipaggio di uomini decisi) giovani valorosi e audaci. Ma dalla metà del secolo che stava per finire anche nei paesi scandinavi si andavano insediando poteri forti.

Da quando erano sorti Haraldr Górmsson in Danimarca, Haraldr dalla Bella Chioma in Norvegia e ora Óláfr Sköttkonungr che sembrava volerli imitare in Svezia, la libertà d'azione dei *konungar* di un tempo era limitata: era sempre più difficile pagare le tasse imposte su uomini e materiali. Björn cominciava a temere che sarebbe arrivato un tempo in cui avrebbe dovuto rinunciare definitivamente ai viaggi per mare, alle spedizioni commerciali alle quali doveva gran parte della sua fortuna.

Ma soprattutto... Björn e Helga avvertivano chiaramente qual era la ragione principale di un così rilevante cambiamento. Per Björn a dire il vero non si trattava nemmeno di una novità assoluta. Si trattava naturalmente della Chiesa cristiana e della sua religione. Da generazioni ormai egli e i suoi padri commerciavano con il mondo cristiano: gli scandinavi sapevano benissimo che cos'era il cristianesimo e nel corso degli ultimi decenni avevano addirittura dovuto accettare di ricevere la *prima signatio*, una specie di battesimo elementare o *sub condicione,* senza il quale i loro partner commerciali non avrebbero potuto fare affari con loro.[5] Si erano anche abituati a veder circolare i loro sacerdoti con le lunghe vesti, a individuare, nel paesaggio, quelle chiese alle quali si erano inizialmente interessati perché erano indifese e spesso celavano tesori che era facile depredare. Da spettatori inizialmente passivi avevano assistito all'irresistibile avanzare di quella religione in regioni sempre nuove, cioè nei distretti più frequentati da loro, i vichinghi. E perciò, quando i missionari si erano spinti a predicare prima in Danimarca, poi in Svezia, in Norvegia e infine in Islanda; quando i fedeli del «Cristo Bianco» avevano affermato con tanta sicurezza la superiorità del loro Dio sugli Asi e sulle altre divinità locali; quando avevano cominciato a spiegare che il Dio cristiano era tanto più caritatevole e utile di

[5] Su questa nozione, R. Boyer, *Le Christ des Barbares,* cit., pp. 64-65.

Ódhinn e Thórr, la coscienza degli scandinavi vacillò. Il loro paganesimo era di natura tollerante, non implicava cieca e fanatica adorazione. È impressionante constatare che la conversione del Nord non ebbe un solo martire: si realizzò senza effusione di sangue, senza violenza, per consenso unanime, come nel celebre *althing* del 999 che deliberò la cristianizzazione dell'Islanda.

Dunque, per tornare a Björn e Helga, nel modo in cui essi accettavano la nuova religione c'era molto fatalismo. Un missionario anglosassone era già venuto a visitarli nella fattoria e aveva parlato a tutta la famiglia delle nuove idee. Non erano le questioni dogmatiche o metafisiche che li avevano preoccupati, ma questioni pratiche di rituali (erano rimasti molto impressionati dalla bellezza delle cerimonie e soprattutto dai canti) e di finalità della preghiera. Avevano anche osservato il livello culturale che avevano raggiunto quei missionari, in grado di leggere, di scrivere, di citare tanti testi molti dei quali rievocavano le loro stesse tradizioni soprattutto narrative. Avevano anche notato che scrivere in lettere minuscole carolingie con una penna d'oca o uno stiletto, su pergamena, era incomparabilmente più agevole che incidere con martello e bulino, su pietra, la più breve delle iscrizioni runiche. Soprattutto avevano individuato singolari similitudini fra i libri storici della Bibbia e i loro *thættir*. E poi, come ho suggerito tante volte, erano dei «fatalisti attivi» nel senso che si piegavano senza ribellarsi alle leggi dell'evoluzione senza deplorarle né lamentarsi e sforzandosi di adattarvisi e, se possibile, di trarre beneficio dalla nuova situazione. Ed era assolutamente chiaro a tutti che il cristianesimo stava conquistando l'intero Occidente: opporvisi sarebbe stata una follia.

D'altra parte da lungo tempo ormai, insidiosamente, surrettiziamente, esso era entrato a far parte della loro vita quotidiana. Dovunque si erano insediati in territori già abitati (mentre l'Islanda, al contrario, sembra fosse deserta nell'874 quando vi erano giunti i primi scandinavi) avevano dovuto immediatamente convertirsi: era questa una delle condizioni *sine qua non* che ponevano i sovrani più o meno costretti, però, ad accettare la presenza dei nuovi arrivati (come Carlo il Semplice aveva dovuto fare, nel 912, per la Normandia).

Ecco quali erano le preoccupazioni di Björn e Helga intorno al 990. Prospettive radicalmente diverse, trasformazioni sociali, modificazioni profonde di mentalità, passaggio a situazioni del tutto nuove. Non che se ne lamentassero e deplorassero il tempo passato: questi atteggiamenti non erano degni di loro; il Nord ha sempre saputo far fronte con prontezza alle situazioni nuove. Al contrario quei pragmatisti, quei realisti videro subito quali vantaggi avrebbero potuto trarre dalle nuove opzioni della loro società anche se esse avrebbero determinato una trasformazione radicale delle attività e del modo di vivere tradizionale. Il loro maggior rimpianto fu certamente, io credo, quello di dover abbandonare la nave che aveva permesso loro di conquistare tutto il mondo conosciuto alla loro epoca estendendone addirittura i confini.

Non potevano rendersi conto di essere stati, senza volerlo, responsabili della nascita di Stati nuovi e forti nella stessa Scandinavia, di avere sconvolto la carta geografica dell'Occidente costringendo blocchi in parte eterogenei, in Francia, nella Germania continentale e nel mondo slavo, a prendere coscienza della propria unità raccogliendosi intorno a città promesse a un avvenire di straordinaria centralità e importanza, come Parigi e Londra... Ignoravano anche che il loro amore per l'ordine, la loro passione per l'organizzazione, il loro elevato senso dell'amministrazione, che percorrono in filigrana le pagine del nostro libro, avrebbero fatto scuola fino al caso estremo della futura Russia che li chiamò a introdurli laggiù.

Li abbiamo seguiti nella vita di tutti i giorni passando in rivista i campi principali dove si esercitava la loro attività. Ho tenuto di tanto in tanto anche a sottolineare quella che dobbiamo accettare come la verità sul loro conto, anche se contrasta con tutti i pregiudizi più diffusi. Esistono belle leggende che sono assolutamente da conservare; ne esistono altre che si sono lasciate porre al servizio di intenzioni esecrabili. Del vichingo barbaro, del vichingo superuomo, del vichingo selvaggio, del vichingo «puro e duro» ne abbiamo abbastanza. I vichinghi sono stati portatori di una cultura e di una civiltà che reggono senza alcuno sforzo il paragone con le maggiori dell'Occidente e ho tentato di dimostrarlo scendendo nei più minuti particolari della vita quotidiana. Restano limiti evidenti: scarsa capacità di meditazione, scarsa attitudine alla metafisica e alla contemplazione. Poca creatività in senso proprio, ma un talento eccezionale per decorare, rifinire, nel conseguimento di una specie di ideale pratico. Il termine che può riassumere la loro cultura è: efficacia. Furono uomini e donne capaci in tutti i campi in cui si esercitavano. Non amavano troppo la parola, non erano grandi lirici, altro registro in cui non brillarono: potremmo dire che avevano un vivo senso della vita di tutti i giorni che, per definizione, tarpava le ali ai voli iperbolici. Ma erano anche temibili nella loro efficacia. Personalmente ho sempre preso alla lettera il celebre passo della *Cronaca di Nestore* sul quale si è tanto scritto nei decenni scorsi, anche se a questo punto sembrerebbe che la discussione possa dirsi chiusa,[6] in cui Nestore ci dice che gli slavi di quella che sarebbe diventata la Russia, accorgendosi della totale incapacità dei loro principi a garantire una parvenza di sicurezza nei loro stati, si rivolsero ai vareghi e dissero loro, in sostanza: dateci dei sovrani che sappiano amministrarci.

Ho sempre pensato che del vichingo si possa dire, come della sua arte, che si muovesse a metà strada fra il simbolismo astratto e il realismo puro, fra il funzionalismo e la ricerca della bellezza in un equilibrio in cui i due caratteri non si negano mai reciprocamente. Mi rendo conto di quanto di iconoclastico vi sia nell'affermazione che i «pirati venuti dal freddo» sono stati esseri equilibrati e portatori di grandi valori di civiltà: ma erano tali, ne sono convinto e sarei davvero felice di essere riuscito a darvene la prova.

[6] Si tratta della creazione dello stato russo da parte dei vareghi. Per una messa a punto definitiva su questa questione che ha fatto scorre anche troppo inchiostro, si veda R. Boyer, *Les Vikings ont-ils fondé la Russie?*, in «Études germaniques», n. 4, 1991.

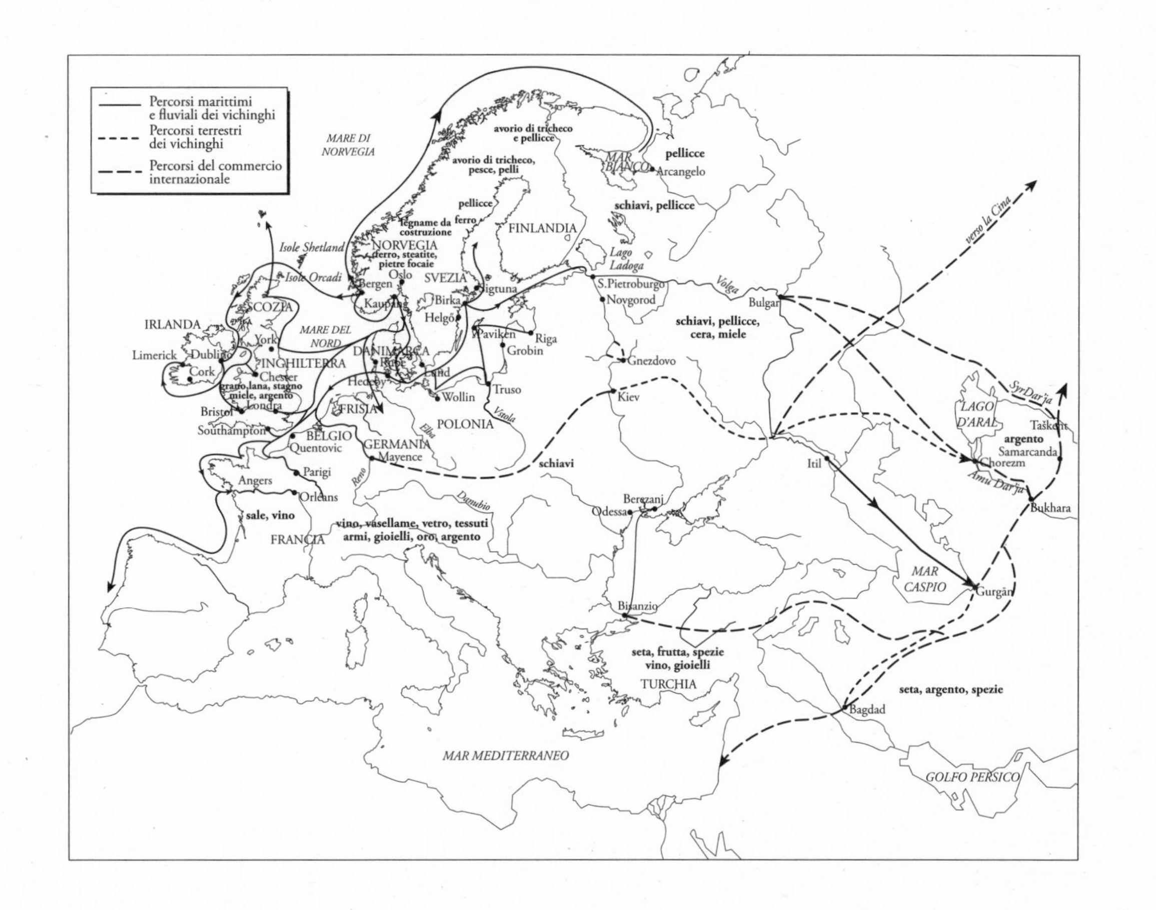

Percorsi marittimi e fluviali dei vichinghi
Percorsi terrestri dei vichinghi
Percorsi del commercio internazionale
MARE DI NORVEGIA
avorio di tricheco e pellicce
avorio di tricheco, pesce, pelli
pellicce
ferro
legname da costruzione
NORVEGIA
ferro, steatite, pietre focaie
MAR BIANCO
Arcangelo
pellicce
schiavi, pellicce
FINLANDIA
Lago Ladoga
verso la Cina
Isole Shetland
Isole Orcadi
Bergen
Oslo
SVEZIA
Sigtuna
Birka
Kaupang
S.Pietroburgo
Novgorod
Volga
Bulgar
SCOZIA
IRLANDA
MARE DEL NORD
Helgö
Paviken
Riga
Grobin
schiavi, pellicce, cera, miele
Limerick
Dublino
York
DANIMARCA
Gnezdovo
Cork
INGHILTERRA
Chester
Ribe
Lund
grano, lana, stagno miele, argento
Hedeby
Truso
Wollin
Kiev
Bristol
Londra
FRISIA
POLONIA
Vistola
Elba
LAGO D'ARAL
SyrDar'ja
Taškent
argento
Samarcanda
Southampton
BELGIO
Quentovic
GERMANIA
Mayence
schiavi
Itil
Chorezm
Amu Dar'ja
Bukhara
Parigi
Angers
Reno
Orléans
Danubio
Berezanj
Odessa
sale, vino
FRANCIA
vino, vasellame, vetro, tessuti armi, gioielli, oro, argento
MAR CASPIO
Gurgān
Bisanzio
seta, frutta, spezie vino, gioielli
TURCHIA
seta, argento, spezie
Bagdad
MAR MEDITERRANEO
GOLFO PERSICO

Glossario

Aett, famiglia in senso lato (sinonimo: *kyn*).
Asi, famiglia di dei alla quale appartengono Ódhinn, Thórr, Baldr, in contrapposizione ai Vani.
Austrvegr, strada verso est, percorsa dai vichinghi detti vareghi.

Berserkr, guerriero selvaggio colto, in combattimento, da furore bellico.
Blót, sacrificio.
Bœndr (plurale di *bóndi*), proprietario libero.
Bœr, fattoria.
Bóndi, contadino-pescatore-libero proprietario; figura di base della società vichinga.
Brúdhveizla, banchetto di nozze.
Búdh, accampamenti provvisori allestiti fuori dal *thing* (vedi alla voce).

Disi, divinità oscure del destino e della fertilità.
Drakkar, termine erroneo che non andrebbe mai usato, per indicare la nave vichinga. Cfr. la voce *knörr*.

Draugr, fantasma.

Drekka minni, «brindisi». Significa «bere alla memoria di qualcuno».

Drengr, è la figura umana ideale, un uomo giovane, buono e compagno leale.

Dròtt, guardia al servizio del capo.

Dròttkvætt, metro principale della poesia scaldica.

Edda, sono chiamati così due diversi libri che rimandano entrambi all'antica mitologia scandinava. Il primo, detto *Edda poetica*, risale al XII secolo nella versione originale oggi perduta e contiene tutti i grandi poemi mitologici, gnomici, etici, magici ed eroici dell'antica cultura nordica. Gli autori sono ignoti, la data di composizione dei testi varia dal VII al XII secolo e non sappiamo dove sorsero gli originali. Il secondo consiste nel manuale di *Poetica* che Snorri Sturluson redasse intorno al 1220 per la consultazione dei giovani scaldi. L'*Edda di Snorri* completa e chiarisce in molti punti l'*Edda poetica*.

Eddici (poemi), poemi appartenenti all'*Edda poetica* (cfr. pp. 284 ss.).

Einherjar, guerriero scelto.

Elfo, spirito soprannaturale che probabilmente sovrintendeva alle facoltà mentali (il francese distingue gli *alfes* dagli *elfes* che ne sarebbero la degenerazione folkloristico-fiabesca ma l'italiano non conosce questa possibilità).

Félag, società per la messa in comune di beni a fini diversi, commerciali e non commerciali.

Félagi, chi fa parte di un *félag*.

Festarmàl, cerimonia di fidanzamento.

Festaröl, birra di fidanzamento.
Fòstbrœdhralag, cerimonia di carattere magico che legava irrevocabilmente i partecipanti.
Fòstr, pratica secondo la quale si affidavano i propri figli per un certo periodo a un amico o a un personaggio importante.
Fratelli giurati, cfr. *fòstbrœdhralag* (fraternità giurata).
Futhark, nome delle prime sei rune dell'alfabeto che talvolta designa anche l'intero alfabeto runico.
Fylgja, spirito tutelare legato alla persona (che la «segue»).

Germania, l'intero territorio abitato da popoli tedeschi intorno all'anno 500.
Glìma, una specie di lotta.
Godhi, sacerdote.

Heimanfylgja, dote della sposa.
Heiti, sinonimo di poesia scaldica.
Hirdh, guardia del capo.
Hneftafl, gioco da tavola da giocare «in società».
Hùsbòndi, capofamiglia.
Hùsfreyja, padrona di casa, moglie del precedente.

Jarl, titolo nobiliare di origine incerta, inferiore al «re».
Jòl, grande festa del solstizio d'inverno, che cade nel periodo del nostro Natale.

Kenning (plurale: *kenningar*), perifrasi o metafora nella poesia scaldica.
Knörr (plurale: *knerrir*), la nave vichinga per eccellenza.
Konungr (plurale: *konungar*), «re» scelto o eletto che regna su un fiordo o una parte di una valle.

Land, divisione amministrativa.
Landvættir, spiriti tutelari legati ai luoghi naturali.
Lúdhr, specie di «corno inglese».

Misseri, ognuna delle due stagioni in cui si divideva l'anno, estate e inverno.
Monete a pezzi, (nel testo italiano talvolta anche «pezzi di moneta») monete di qualsiasi provenienza che venivano fatte a pezzi per raggiungere un peso preciso.
Mundr, soppraddote.

Nidh, operazione magica diffamatoria.
Norne, divinità del destino; ne esistono tante quanti sono i viventi (ogni uomo è seguito dalla sua).

Ódhal, patrimonio indivisibile.
Öl, birra.
Öndvegi, cfr. la voce *Sedile alto*.

Petroglifi, incisioni rupestri dell'età del bronzo (1500-400 a.C.).

Ragnarök, la fine dei tempi. Consumazione del destino delle Potenze o Crepuscolo degli dei.
Rune, caratteri dell'alfabeto germanico al quale di solito vengono erroneamente attribuite funzioni magiche (cfr. pp. 260 ss.).
Runiche (iscrizioni), sono testi incisi in genere nella pietra, in caratteri runici, i soli documenti «letterari» vichinghi a noi giunti in forma diretta.

Saga, racconto in prosa di grandi imprese, redatto dal 1150 al 1350, cioè dopo l'età vichinga. Alcune di esse hanno i vichinghi per protagonisti. Si distinguono: le saghe degli islandesi (*íslendingasögur*), le saghe leggendarie (*fornaldarsögur*), le saghe reali (*konungasögur*), le saghe dei contemporanei (*samtí dharsögur*).

Scaldo, poeta di «corte».

Scaldici (poemi), poesie estremamente elaborate prodotte dagli scaldi.

Sedile alto, nella *skåli* (cfr. la voce) era il sedile riservato al capofamiglia.

Sejdhr, rituale magico di tipo divinatorio.

Skåli, stanza principale della fattoria.

Skeidh, altro nome della nave vichinga.

Smidhr, artigiano.

Söguligr, degno che le proprie vicende siano narrate in una saga.

Stofa, sinonimo di *skåli*.

Strandhögg, colpo di mano, incursione a terra.

Thåttr (plurale: *thættir*), detti o racconti anteriori alle saghe.

Thing, assemblea pubblica a ritmo stagionale.

Tùn, recinto sacro vicino alla fattoria.

Vadhmål, stoffa di bigello usata anche come moneta di scambio.

Valhöll e *Hel*, due concezioni dell'Aldilà.

Vani, famiglia di divinità alla quale appartengono Freyr e Freyja, contrapposti agli Asi.

Vareghi (*væringjar*), vichinghi che si spostavano lungo la strada dell'Est. Vareghi (sempre con la maiuscola) erano dette le guardie del corpo del *basileus* a Bisanzio.

Vé, luogo sacro; anche il sacro nella sua essenza.
Veizla, banchetto.
Vertrnætr, le tre notti che inaugurano l'inverno (verso la fine di ottobre).
Vinr, amico.
Vísa (plurale: *vísur*), la strofa della poesia scaldica.

Bibliografia

Studi generali

Almgren, Bertil *et alii, Vikingen*, Tre Tryckare, Göteborg 1967. Indispensabile. Si fonda innanzitutto sulle acquisizioni dell'archeologia ed esiste anche in traduzione francese, *Les Vikings*, a cura di Michel de Boüard, Hatier, Paris 1972, 2ª ed.

Foote, Peter G. e David M. Wilson, *The Viking Achievement*, Sidgwick and Jackson, London 1970. Il testo ha avuto molte ristampe. È certamente il lavoro migliore sul tema e coniuga il sapere di un archeologo con quello di un filologo entrambi di prim'ordine.

Graham-Campbell, James, *The Viking World*, 2ª ed., London 1989, con bellissimi disegni e interessanti fotografie.

—, *Viking Artefacts: a Select Catalogue*, British Museum Publications Ltd, London 1980.

Graham-Campbell, James e Dafydd Kidd, *The Vikings*, British Museum Publications Ltd, London 1980.

Klindt-Jensen, Ole e Svenolov Ehren, *The World of the Vikings*, Robert B. Luce, London 1970.

Simpson, Jacqueline, *Everyday Life in the Viking Age*, Batsford, London 1967.
Wilson, David M., *The Vikings and Their Origins: Scandinavia in the First millenium*, Thames and Hudson, London 1970.

Studi di base (storia e archeologia)

Almgren, Bertil, *Bronsnycklar och djuornamentik vid övergången från Vendeltid till vikingatid*, Appelbergs, Uppsala 1955.
Almgren, Oscar, *Vikingatidens gravskick i verkligheten och i den fornnordiska litteraturen*, in *Nordiska studier tillägnade Adolf Noren*, Uppsala 1904.
Arbman, Holger, *The Vikings*, Thames and Hudson, ed. riv., London 1962.
Boyer, Régis, *Les Vikings. Histoire et civilisation*, Plon, Paris 1992.
Chatellier, Paul du e Luis Le Pontois, *La sépulture scandinave à barque de l'Île de Groix* in «Bulletin de la Société archéologique du Finistère», vol. XXXV, Société archéologique du Finistère, Quimper 1908.
Dolley, Michel, *Viking Coins of the Danelaw and of Dublin,* British Museum Publications Ldt, London 1965.
Glob, Peter V., *Ard og plog i Nordens oldtid*, Århus University Press, Århus 1951.
Hamilton, John R.C., *Excavations at Jarlshof, Shetland*, H.M. Stationery Office, London 1956.
Jones, Gwyn, *A History of the Vikings*, Oxford University Press, 2ª ed., London 1984.
Musset, Lucien, *Les Invasions. Le second assaut contre l'Europe chrétienne (VII-XI siècle)*, PUF, Paris 1965.

Petersen, Jan, *Vikingetidens smykker i Norge*, s.e., Stavanger 1955.

Ramskou, Thorkild, *Lindholm Høje I-III*, in «Acta Archaeologica», voll. XXIV, XXVI e XXVIII, s.e., s.l., 1953-1957.

Renaud, Jean, *Les Vikings et la Normandie*, Ouest-France, Rennes 1989.

Roesdahl, Else, *Viking Age Denmark*, British Museum Publications Ltd, London 1982.

Sawyer, Peter, *The Age of the Vikings*, Edward Arnold, London 1962.

—, *Kings and Vikings*, Methuen, London 1982.

Shetelig, Haakon e Hjalmar Falk, *Scandinavian Archaeology*, Oxford University Press, London 1937.

Stenberger, Mårten, *Forntida gårdar i Island*, Munksgaard, Copenaghen 1943.

E le due indispensabili enciclopedie:

Kulturhistoriskt Lexikon för nordisk medeltid, voll. I-XXII, Malmö-Oslo-Reykjavìk-Copenaghen-Helsinki 1956-1978. Si tratta di uno strumento di lavoro indispensabile.

Nordisk Kultur, voll. I-XXX, s.e., Stockholm-Oslo-Copenaghen 1931-1956.

Studi specifici

Testi

Anthologie de la poésie nordique ancienne, tradotta e presentata da Pierre Renauld-Krantz, Gallimard, Paris 1964.

Boyer, Régis, *La poésie scaldique*, Éditions du Porte-Glaive, Paris 1990.
—, *Les Sagas islandaises*, Payot, 3ª ed., Paris 1992.
L'Edda poétique, traduzione francese a cura e con introduzione di Régis Boyer, Fayard, Paris 1992 (rielaborazione da Boyer, Régis e Éveline Lot-Falck, *Les Religions de l'Europe du Nord*, Fayard, Paris 1974).
L'Edda. Récits de mythologie nordique par Snorri Sturluson, traduzione francese e note di François-Xavier Dillmann, Gallimard, Paris 1991. Si tratta di una traduzione parziale. La migliore traduzione integrale è dovuta ad Anthony Faulkes, Snorri Sturluson, *Edda*, Dent, London 1987.
Sagas islandaises, tradotte in francese e annotate da Régis Boyer, Gallimard, Pléiade, 2ª ed., Paris 1991.

Ricordiamo alcune saghe che mettono più precisamente in scena dei «vichinghi»:

Kristjánsson, Jónas, *Eddas and Sagas. Iceland's Medieval Literature*, Íslenska bókmenntafélag, Reykjavík 1988.
La saga de Harald l'Impitoyable, tradotta in francese e presentata da Régis Boyer, Payot, Paris 1979.
La saga de saint Óláfr, tradotta in francese e presentata da Régis Boyer, Payot, 2ª ed., Paris 1992.
La Saga des Vikings de Jómsborg. Jómsvikinga saga, tradotta in francese e presentata da Régis Boyer, Heimdal, Bayeux 1982.
La Saga di Óláfr Tryggvason, tradotta in francese e presentata da Régis Boyer, Imprimerie nationale, Paris 1992.

Navi

Brøgger, Anton W. e Haakon Shetelig, *The Viking Ships*, Dreyer, Oslo 1951.

«Chasse-marée», n. 30, 1987, pp. 16-45.

McGrail, Sean, *Ancient Boats in North-West Europe*, Longman, London 1987.

Olsen, Olaf e Ole Crumlin-Pedersen, *Five Viking Ships from Roskilde Fjord*, National Museum, Copenaghen 1978.

Religione

Boyer, Régis, *Yggdrasill. La religion des anciens Scandinaves*, Payot, 2ª ed., Paris 1992.

Olsen, Olaf, *Hörg, hov og kirke*, in *Aarboger for nordisk Oldkyndighed og Historie*, s.e., s.l., 1965.

Ström, Folke, *Nordisk hedendom. Tro och sed i förkristen tid*, Akademiförlaget-Gumpert, Göteborg 1961.

Turville-Petre, Edward O.G., *Myth and Religion of the North*, Weidenfeld and Nicolson, London 1964.

Rune

Baeksted, Anders, *Målruner og troldruner. Runemagiske studier*, Nordisk Forlag, Copenaghen 1952.

Jansson, Sven B.F., *The Runes of Sweden*, Bedminster Press, New York 1962.

Musset, Lucien, *Introduction à la runologie*, Aubier-Montaigne, 2ª ed., Paris 1980.

Page, Raymond I., *Runes*, British Museum Publications Ltd, London 1987.

Arte

Anker, Peter, *L'art scandinave*, vol. I, Zodiaque, La-Pierre-qui-Vire 1969.
Kendrick, Thomas D., *Late Saxon and Viking Art*, Methuen, London 1949.
Wilson, David M. e Ole Klindt-Jensen, *Viking Art*, 2ª ed. rivista, University of Minnesota Press, Minneapolis 1980.

Indice dei nomi